CE PAYS QUI TE RESSEMBLE

Ethnopsychiatre, disciple de Georges Devereux, professeur de psychologie, quelque temps diplomate, Tobie Nathan est également essayiste et romancier. Il a publié, entre autres, *La Nouvelle Interprétation des rêves* (Odile Jacob, 2011) et *Ethno-roman* (Grasset), prix Femina de l'essai 2012.

Paru au Livre de Poche :

ETHNO-ROMAN

TOBIE NATHAN

Ce pays qui te ressemble

ROMAN

STOCK

© Éditions Stock, 2015.
ISBN : 978-2-253-06887-7 – 1re publication LGF

Avec toi... Avec toi... Le monde est si beau avec toi...

Que tu m'acceptes, que tu me rejettes... quelle que soit la ville, quel que soit le pays, partout où tu iras, j'irai avec toi...

Avec toi... Avec toi... Le monde est si beau avec toi...

Wayak, Farid el Atrash

Viens mon bien-aimé
Viens, rejoins-moi
Regarde-moi, regarde l'effet de ton absence
Comme je suis réduite à dialoguer avec ton fantôme...

Ya habibi taala, Asmahane ;
paroles de Farid el Atrash

Fuis mon bien-aimé
Fuis comme la gazelle
Comme le jeune faon
Qui bondit sur la montagne aux parfums

Le Cantique des cantiques

1925

'Haret el Yahoud

Les Égyptiens sont des cannibales. Regardez bien une fève ; observez-la de près, vous verrez combien elle ressemble à un fœtus. Depuis l'Antiquité, les Égyptiens sont des mangeurs de fèves, des mangeurs de fœtus. Ma mère s'appelait Esther. Des fœtus, elle dut en manger des quantités avant de finalement tomber enceinte...

Esther s'était levée avant soleil, comme tous les matins. Elle avait préparé le café à la lueur d'une bougie, un café noir, très noir, dans la kanaka, la petite cafetière à longue queue. Puis elle avait servi le foul. À l'aide d'une fourchette, elle avait écrasé les fèves bouillies en versant une lampée d'huile d'olive et y avait ajouté de petits morceaux d'œuf dur. Elle approcha son visage ; ça sentait bon le matin heureux. Ce n'était pas tous les jours qu'ils pouvaient s'offrir des fèves et des

11

œufs au petit déjeuner. D'habitude, c'était une simple galette de pain et un bol de thé presque translucide. Mais, la veille, elle était passée chez sa tante Maleka, qui avait insisté. Esther avait refusé, bien sûr... Ils n'étaient tout de même pas devenus des mendiants ! Par fierté, donc, mais pas seulement... par politesse, aussi ! On n'acceptait pas les cadeaux à moins d'y être contraint. Il fallait que l'autre vous le fourre dans la poche, fasse mine de se fâcher, jure qu'il y allait de son honneur, voire de sa vie... «Pour l'amour de Dieu, tu dois prendre ces fèves ; tu dois ! — Mais jamais ! Nous n'avons pas besoin ! — Sur ma vie ! Tu ne sortiras pas de chez moi, sinon...» Ce n'est qu'alors, après plusieurs tentatives, plusieurs refus, qu'on acceptait de recevoir, comme à contrecœur. Sophistication d'une politesse qui assigne le prodigue à la position de quémandeur. À l'issue de ce marchandage, elle était donc rentrée avec un panier de fèves séchées, de dattes, de café, de pâte d'abricots, cette friandise qu'on appelait ici «l'astre de Dieu».

Elle ne l'avait pas avoué à Motty, son mari. Il se serait mis en colère, c'est certain. Il serait peut-être sorti en claquant la porte. Il l'avait déjà fait. Et elle aurait dû partir à sa recherche à travers les ruelles du Mouski. Elle était folle d'inquiétude quand il sortait seul. Elle avait donc rangé les provisions en silence et attendu qu'il s'endorme pour tremper les fèves, et les avait cuites aux premières lueurs de l'aube.

Elle disposa le tout sur un plateau et vint prendre place sur le bord du lit, attendant que les senteurs du repas pénètrent le rêve de son mari. Elle se tenait immobile, les yeux dans le vague, repensant à la tristesse de la veille. Pour la première fois, Motty était resté silencieux toute la soirée. Une larme avait même coulé sur sa joue. Elle savait ce qui le préoccupait ; ce n'était pas bon. Un couple, elle en était persuadée, ne devait son existence qu'à la joie. Et il faut dire que, depuis sept ans qu'ils étaient mariés, ils en avaient eu leur part.

À vingt et un ans, Esther était une femme. Les seins et les fesses rebondis sous sa légère robe de cotonnade, les cheveux bruns aux flammes rousses déliés sur ses épaules, comme une Amazone, le visage ouvert, les lèvres fraîches et épanouies, et cette façon de marcher, comme si ses pieds flottaient quelques centimètres au-dessus du sol... Ah, elle pouvait donner envie aux hommes ! Mais c'était à son insu car pour ce qui était des hommes, Esther ne pensait qu'au sien. Dans 'Haret el Yahoud, « la ruelle aux Juifs », nul n'était heureux en ménage. On était mariés parce qu'on respirait, parce qu'on marchait, parce qu'on mangeait des fèves et des oignons et parce qu'il était temps de le faire. Ces deux-là s'étaient mariés comme tous les autres, mais ils avaient obtenu l'amour en prime, un don de Dieu, assurément.

À l'époque, elle avait quatorze ans et lui, le double. Ils étaient cousins, bien sûr, mais ils n'avaient jamais joué ensemble, la différence d'âge était trop importante ; ils ne s'étaient même jamais parlé. Il était beau. Il paraissait immense dans sa galabeya immaculée, mais il était aveugle depuis sa plus tendre enfance... à trois ans, une infection non soignée, comme il y en avait tant. Ses yeux étaient clairs, trop clairs, deux perles délavées, et fixes. Elle était jeune, une gazelle ; on la disait folle depuis sa chute lorsqu'elle avait cinq ans du haut d'une terrasse, un second étage. Elle avait perdu connaissance. On l'avait crue morte. Toute la ruelle s'était agglutinée, et, pendant que la famille se lamentait devant le petit corps inanimé, un chien – sans doute une chienne, mais nul n'eut alors l'idée de vérifier – était venu la lécher. Quelques minutes avaient passé ainsi, les humains frappés de stupeur devant l'animal agité de sympathie. Peu à peu, les doigts de l'enfant s'étaient mis à trembloter, sa main droite, puis la gauche. Son pied droit avait sursauté. Elle avait ouvert un œil et prononcé cette phrase étrange : « Il a de la force ! » De qui avait-elle parlé ? On avait d'abord pensé au chien ; on l'avait cherché, mais il avait filé, chassé par les pierres que lui avaient lancées les gamins.

— C'est un miracle ! s'était écrié Nafoussa,

la mère d'Esther... «Il a de la force»... C'est ce qu'elle a dit, n'est-ce pas ? Elle parlait de Dieu qui est venu la ranimer alors qu'elle était déjà morte. Ne dit-on pas chaque jour, dans la prière : «Béni sois-tu, notre Dieu, qui fais revivre les morts» ?

Les vieilles acquiescèrent. Dieu avait ramené la petite déjà en route pour le paradis. Mais la tante Maleka, la sœur de sa mère, l'envieuse aux yeux clairs comme le jade, avait aussitôt proposé une autre interprétation :

— «Il a de la force»... Oui, c'est bien ce qu'elle a dit. Je crois plutôt qu'elle parlait d'un démon (et le démon, elle l'a évidemment désigné en arabe : un 'afrit) qui s'est introduit en elle pendant son absence. Car, lorsque vous perdez connaissance, il n'est plus de gardien pour faire le guet au seuil de votre âme. Avez-vous vu ce chien comme il est venu la renifler, et la lécher ?... Il a reconnu un semblable, ni une ni deux !

— Ni une ni deux..., répéta la mère, moqueuse, ni une ni deux... Oh, ma chère !

Depuis ce jour, et pendant près d'une année, Esther s'était comme retirée du monde. Assise sur son lit, elle n'écoutait rien, n'apprenait plus rien, passait des heures à se balancer, prononçant de temps à autre des phrases dans une langue incompréhensible. Sans doute son âme s'était-elle échappée durant la chute... On interrogea Mourad, le rabbin, qui, ayant fréquenté quelque temps l'Alliance israélite universelle, s'était donné pour tâche d'éradiquer les vieilles superstitions des Juifs crasseux du ghetto.

— Elle a été choquée, avait tranché le rabbin, voilà tout ! C'est un traumatisme…

Le mot les avait impressionnés : « traumatisme »… un terme de médecin qui semblait tout expliquer et qu'ils répétaient chaque fois que le comportement d'Esther les effrayait. « Chut… elle a un traumatisme… » Ils prononçaient « traumatizemme ».

— Fichez-lui la paix, avait grondé Mourad lors d'une visite suivante, dans quelques semaines, elle reviendra comme avant… le traumatisme c'est comme une blessure, une blessure à l'âme. Il faut du temps pour consolider la cicatrice.

Le rabbin avait raison, Esther finit par sortir de sa léthargie. Il avait tort, aussi ; ce ne fut pas le temps qui la guérit, mais la mort de sa mère, qui agit sur elle comme un nouveau traumatisme. Sett Nafoussa, l'écervelée, avait été emportée par une fièvre typhoïde en quelques jours. (La pauvre ! Que Dieu l'enveloppe dans sa matrice !) On vit alors la gamine sortir de sa léthargie, prendre en main l'organisation de la maison, s'occuper de ses deux petits frères, préparer leurs repas… Et la voici aussi dynamique qu'auparavant, virevoltant d'une maison à l'autre, courant à travers les ruelles. Et la famille raillait le rabbin : « Un traumatizemme l'a emportée ; un traumatizemme l'a ramenée. Comme on dit en arabe : la frayeur guérit la frayeur ! » Et lui repartait en haussant les épaules, marmonnant dans sa barbe : « N'est-ce pas Dieu qui a créé la science ? Et pourquoi ne veulent-ils pas y croire ? »

Si Esther était bien revenue parmi les humains, elle avait rapporté un comportement étrange de son excursion chez les démons. On la disait « à l'envers » ; on prétendait que le 'afrit, ce diable fait du limon du Nil, qui l'avait pénétrée lors de sa chute, l'avait retournée comme une chaussette à repriser. Car son comportement était l'inverse de celui d'une fillette. Elle jurait tel un marchand d'eau, déroulant des chapelets de mots orduriers, insultant les adultes dans la rue et même les hommes de sa famille. Elle n'était douce qu'avec les animaux – et pas avec tous ! –, elle l'était surtout avec un petit chat noir, un chat des rues, efflanqué, le poil râpé et l'œil mauvais, qu'elle était seule à approcher. Et la tante Maleka, qui était devenue sa tutrice depuis la mort de sa mère, de répéter : « Comment pourra-t-on la marier, celle-là ? Une petite souillon sans éducation et à moitié folle... Elle n'aura qu'à épouser son chat ! »

Lorsqu'elle eut ses premières règles, ce fut une nouvelle crise. Elle perdit connaissance et aucun chien ne vint cette fois la tirer hors du monde des morts. Elle resta absente aux humains une journée et toute une nuit. Sitôt qu'elle recouvra ses esprits, elle se traîna jusqu'à sa couche et demeura étendue un mois durant, ne sachant parler, ni manger, ni boire, ni même faire ses besoins. Une nouvelle fois, on la crut perdue. Mourad, le rabbin, fut appelé à son chevet. « Dis des prières pour éloigner les diables ! » exigeaient Maleka, Adina et Tofa'ha, les trois tantes d'Esther. Et l'autre qui refusait. Quel étrange rabbin qui ne croyait pas aux prières miraculeuses ; elles, si, bien sûr !… Enfin, ce n'est pas tant qu'elles y croyaient, mais elles savaient que ces prières contribuaient à l'ordre du monde. Et lui, on aurait dit qu'il voulait le détruire. Elles insistèrent en évoquant la mémoire du vieux rabbin disparu de dysenterie, qui, lui, avait la main bénie. Cette main qu'il utilisait pour guérir, mais qu'il ne manquait jamais de glisser aux fesses des jeunes filles.

— Entebi, que Dieu l'enveloppe de sa miséricorde, le salaud, il aurait confectionné une amulette…

— Oui ! Et il l'aurait accrochée à son vêtement…

— Juste sous sa poitrine, à l'emplacement du cœur. C'était un vrai rabbin !

Mourad ne voulut pas entamer une discussion philosophique au chevet de la jeune fille, mais enfin… Il y avait tout de même une connaissance élémentaire, indiscutable, aussi évidente, aussi vraie que l'existence de Dieu. Ignoraient-elles, ces paysannes superstitieuses, que la religion c'est avant tout la lutte contre l'idolâtrie ? Et voilà ce qu'elles lui demandaient de faire : de l'idolâtrie ! Mais l'idée inverse lui avait aussitôt traversé l'esprit : après tout, si un simple artifice pouvait soulager la souffrance… Pourquoi refuser de rendre service ? Et puis il ne lui déplaisait pas de tester ce qui émanait de lui. Aurait-il la capacité de diffuser la baraka ? Disposait-il d'un brin de force divine, comme le fameux Entebi, son prédécesseur ? Ce n'était pas impossible. Son père prétendait que la famille descendait en droite ligne d'un grand kabbaliste. « Alors ?… » le pressaient les femmes. De mauvaise grâce, donc, mais avec un souci d'expérimentation, il finit par poser son livre de prières sur le front d'Esther en marmonnant un psaume. C'était l'un des plus longs. Les minutes passaient. Les yeux fermés, à mi-voix, Mourad psalmodiait et psalmodiait encore. Il s'était retiré à l'intérieur de lui-même. Il fallait voir ça ! Les trois sœurs suspendues à ses lèvres, essayant de deviner les paroles qu'il prononçait, et lui, debout, sérieux comme un sultan dans son kaftan noir. Puis il eut un hoquet ; et puis un deuxième. Et il se mit à bâiller… Non pas un petit bâillement étouffé, mais un grand, un immense, la bouche largement ouverte, accompagné d'un râle. Soudain, tout le monde sursauta. Esther s'était dressée sur son séant d'un seul mouvement. Les tantes s'exclamèrent :

— C'est fini ! Regardez : elle est guérie !

Si elle s'était ainsi redressée, c'était qu'il était parti. Elles voulaient parler du démon, bien sûr, du 'afrit. Mourad ne l'aurait-il pas chassé par la force de sa prière ? Tout le monde sait que la baraka exsude des paroles sacrées, et même à l'insu du rabbin qui les prononce. Et les regards restaient posés sur lui, interrogatifs, espérant une confirmation du petit miracle local. Mourad se frotta les yeux, comme s'il émergeait du sommeil. Apercevant les femmes qui l'observaient, il prit conscience de l'obligation de devenir un saint en quelques instants. Il imagina le nombre de fois qu'il serait convoqué au chevet de l'une ou l'autre de ces femmes. Il prit peur.

— À quoi bon tout cela ? commença-t-il.

Et elles, les yeux ronds, comme devant une apparition :

— Tu crois que ça ne sert à rien de retirer une pauvre fillette innocente des griffes de la mort ? Mais quel rabbin fais-tu ?

— Vous voulez savoir ce que j'ai vu ? expliqua alors Mourad, vous le voulez vraiment ? Eh bien, je vais vous dire : elle souffre de manque…

— De manque ? s'exclamèrent les tantes à l'unisson. Ça veut dire ? Le manque de quoi ? Hein… Mais elle ne manque de rien…

— Dans son ventre, reprit le rabbin, il y a comme une bête, un animal vorace. Quand je pose la main ainsi, regardez… (Il glissa la main sous la

20

chemise d'Esther. Et toutes de s'approcher.) Je la sens qui bouge sous la peau, là, dans le bas-ventre. (Et il appuya fort de la main. Esther poussa un cri…) Vous voyez bien ! Cette bête… Attention ! Je ne vous dis pas qu'elle existe vraiment, hein ? Cette bête a faim…

— Et alors ? l'interrogèrent-elles d'une seule voix, et alors ?…

— La bête, expliqua le rabbin – il ne s'agit pas d'une vraie bête, d'accord ? – la bête se nourrit de cette substance à mi-chemin entre le sang et le lait… moitié-moitié…

— Mais qu'est-ce qu'il raconte ? se fâcha la tante Maleka. La prière l'a rendu fou, ma parole !… Quel sacré nom d'un cinglé, celui-là.

— Écoutez-moi ; écoutez-moi bien…

Et, pour une fois, il obtint le silence.

— Cette substance de sang et de lait, c'est celle-là même que les hommes portent en eux. Vous comprenez ? La goutte de vie… C'est de cela que se nourrit la bête.

— Ah je comprends ! s'écria l'oncle Élie, jusque-là silencieux dans son fauteuil. Je comprends ! La goutte de vie… celle qu'on porte dans ses œufs !

— Dans ses œufs… Non mais…, maugréa la tante Maleka, lui, il ne la porte certainement pas dans sa cervelle.

— Et alors ? demandèrent encore les deux autres tantes.

— Et alors, trancha enfin le rabbin, alors, il faut la marier ! Ainsi la bête obtiendra sa pitance quotidienne et fichera la paix à la pauvre enfant.

Belle théorie, en vérité, qui mettait en scène l'équilibre du monde. La bête, cet être qui n'existait pas, s'installait dans la femme qui existait bien, au cœur de sa matrice, attendant là sa nourriture, le sperme du mari. La bête était donc la condition de l'alliance de l'homme et de la femme... ou bien fallait-il penser que l'alliance des humains n'était que la partie visible du repas de la bête. Mais enfin, marier Esther... Il blaguait ou quoi ? Et avec qui donc la marierait-on ? Qui voudrait d'une demeurée ?

Lorsque Mordechaï Zohar, son cousin paternel, qu'on appelait Motty, apprit la recommandation du rabbin, il fit part de ses intentions à l'oncle Élie. Il avait longuement réfléchi. Il envisageait de demander la main d'Esther. Sérieusement ?... Mais oui !

— Comment sais-tu qu'elle est belle ? lui demanda le vieil homme. Tu ne l'as jamais vue. Lorsque – Dieu nous protège – tu as perdu la vue, elle n'était pas encore née... Tu ne connais pas son visage.

Motty, le regard absent, s'empara des mains de l'oncle Élie, qu'il pressa, embrassa, et il le supplia :

— Dis-moi, mon oncle, elle est belle, n'est-ce

pas ? Je le sens. Je le sais. Lorsqu'elle passe devant moi, c'est comme si on débouchait un flacon d'essence de myrrhe. Et lorsqu'elle me sert à boire et que je frôle son bras, je ressens une chaleur qui envahit ma poitrine.

Débordé par l'émotion, le vieil homme ne sut que répondre. Esther était travailleuse, certainement, honnête et dévouée à sa famille... autant de qualités qui feraient d'elle une bonne épouse, mais... Et là, il n'osait pas énoncer son opinion. On ne doit pas délier la mauvaise langue... Non ! On ne doit pas ! Les paroles de fiel finissent toujours par se révéler vraies. Allait-il lui dire qu'elle avait quelque chose en moins, comme si la raison s'était échappée de son âme lors de sa chute ?... Ou plutôt non ! Quelque chose en plus... Oui ! C'était même quelqu'un en plus. Voilà ce que pensait l'oncle Élie : si Motty épousait Esther, il aurait deux personnes dans son lit, son épouse et le démon qui l'accompagnait. Mais comment lui faire comprendre ?

— Connais-tu l'histoire de Touvia ? demanda l'oncle Élie.

— Touvia ?... Tu veux dire... comme dans le livre de Touvia ?

— Oui ! Touvia le fils de l'aveugle ; Touvia et sa cousine Sarah, qui était possédée par un démon...

Motty connaissait les prières par cœur, de la première à la dernière ligne. Sa cécité avait aiguisé

23

ses autres sens et surtout sa mémoire. Il savait réciter les trois prières quotidiennes, mais aussi celles des fêtes, celles pour les morts, au cimetière, les sept bénédictions du mariage, aussi, et de grands fragments des psaumes. Si bien qu'à la synagogue Haïm-Capucci, du nom d'un kabbaliste du XVIIe siècle qui avait vécu au Caire, c'était souvent à lui, l'aveugle, qu'on se référait ; à lui qu'on demandait une précision sur un verset, sur une prononciation, sur l'ordre des bénédictions. Mais dans les prières, si on trouve des sections entières de la Torah, le livre de Touvia n'y figure pas, même pas une allusion – la Bible s'est toujours méfiée des démons. Bien sûr que Motty en connaissait l'histoire, mais il n'avait jamais entendu le texte exact ; il s'en serait souvenu. Il se souvenait de tout ! Il demanda à son oncle :

— Lui aussi, Touvia, finit par épouser sa cousine, n'est-ce pas ?

— Oui, renchérit Élie, à la satisfaction de tout le monde puisqu'elle lui était destinée. Mais sais-tu que, lorsque Touvia a approché Sarah, le démon qui la possédait avait déjà tué sept fiancés qui s'étaient successivement présentés avant lui. Sept !… Tu m'entends ? La belle Sarah, si douce, si désirable, sa sœur, son amour, était aussi la porte de l'enfer.

— Eh bien, ça ne m'arrivera pas. Le démon ne se méfiera pas d'un aveugle.

24

Une bouffée d'émotion envahit à nouveau Élie.

— Pourquoi penses-tu cela, mon fils ?

— Ne dit-on pas que le démon utilise la force de celui qu'il possède ? S'il utilise mes yeux, alors, c'est certain, il ne me verra pas.

Élie réfléchit un moment en silence. Motty lui semblait sincèrement attiré par Esther. Et son opinion vacilla. Il se dit que, à tout prendre, ce n'était pas une mauvaise idée qu'un tel mariage : une demi-folle avec un aveugle… peut-être qu'à tous les deux ils constitueraient une personne saine. Mais il fallait veiller à ce que Motty ne soit pas détruit par le démon, le guenn, comme disaient les lettrés, ou le 'afrit, comme on l'appelait dans la ruelle… Quel que soit son nom, s'il existe, que Dieu le détruise !… Voilà ce qu'il pensa.

Élie, le plus vieil homme de la famille, avait de l'influence. Il sut convaincre la tante d'Esther. Une fois acquise Maleka à la langue pendue, le reste de la famille suivit sans trop discuter. Il faut dire qu'on se débarrassait d'un seul coup de deux problèmes, la cécité de Motty et la folie d'Esther.

Mais, une semaine avant la cérémonie, l'oncle fut pris de remords. Il entreprit son neveu, lui recommandant de ne pas approcher son épouse durant les trois premiers jours qui suivraient le mariage.

— Que veux-tu dire, mon oncle ?… Que je ne

l'approche pas, que je ne dorme pas dans le même lit ? C'est ce que tu veux dire ?

— Oui ! Tu ne dois pas dormir dans le même lit, ni la première, ni la deuxième, ni même la troisième nuit. Tu l'épouseras donc le mercredi (qu'ils appelaient le « quatrième jour ») et tu attendras la nuit du samedi, bien après le coucher du soleil, pour la rejoindre.

— ... Et je ne devrai pas rester dans la même chambre ?

— Tu peux te tenir dans la même chambre qu'elle, mais toujours veiller à ce qu'une autre personne se trouve entre vous deux.

— Et lui parler ? Je pourrai lui parler, mon oncle ?

— ... Mais que cherches-tu à la fin, avec toutes ces questions ? Qu'aurais-tu donc à lui dire ? Tu n'auras qu'à prier Dieu pour que l'épouse qui t'est destinée vienne à toi l'âme unie.

Motty fut impressionné par les paroles de son oncle. Il ne les comprenait pas ; elles tournaient dans sa tête. Il les répétait à qui voulait les entendre, comme pour en essorer toute la signification : « Mon épouse s'approchera de moi, l'âme unie... »

Certains se moquaient de lui. « On croit épouser une femme et c'est toute une famille qui nous envahit. Bienheureux si ce sont des enfants d'Adam ! » « Enfants d'Adam », c'est ainsi qu'en arabe et en hébreu on désigne les êtres humains, pour les distinguer des autres, les enfants des créatures que l'on craignait de nommer… les démons ! D'autres le plaignaient : « Pauvre Motty qui trébuche à chaque pas et ne peut voir les ornières du chemin… » Dans la ruelle aux Juifs, on parlait souvent par images. Motty devenait de jour en jour plus anxieux. Il revint auprès de son oncle avec de nouvelles questions. Il en avait tant. Les gens racontaient qu'Esther était « accompagnée »… Certains la disaient même « habitée » ; prétendaient qu'elle n'était pas propriétaire de son corps, ni même de sa voix. C'est ainsi qu'ils expliquaient ses brusques changements d'humeur, ses colères, ses absences, ses pertes de connaissance. C'est qu'une autre volonté s'exprimait à l'intérieur d'elle, une autre personnalité, coléreuse, vindicative, violente, parfois. Mais comment comprendre cela ? Esther avait bien trop de caractère pour laisser un autre décider à sa place, parler à sa place. Il ne savait que penser. Motty était ainsi, à la fois droit et profond. Sa cécité freinait son imagination ; il craignait trop les illusions. Du coup ce qu'il entendait prenait la force d'une loi. Il ne savait pas que les humains parlent surtout pour mentir et souvent pour blesser.

Son oncle Élie le prit par l'épaule et le serra affectueusement.

— Je vais m'en occuper, promit-il. Demain,

j'irai pour toi au souk aux parfums chercher des encens. Tu les feras brûler durant trois jours et trois nuits dans la pièce où se tiendra ta promise. Elle ne devra pas bouger de là, tu m'entends ? Et même si elle proteste, n'est-ce pas ? Elle devra baigner dans ces odeurs qui l'envelopperont comme le 'higab enveloppe les femmes arabes.

— L'encens ? Tu veux parler de l'encens ?

— Oui, l'encens la recouvrira comme un voile durant trois jours et trois nuits. Le quatrième soir, à la sortie du shabbat, sa tante la conduira une nouvelle fois au bain rituel. Elle se purifiera puis elle t'attendra dans sa couche. C'est alors seulement que tu pourras l'approcher.

Voici ce que chantaient les femmes le soir du mariage de Motty et d'Esther Zohar, une sorte de poème qu'elles avaient inventé pour l'occasion :

« Il a épousé l'orpheline, elle a épousé le devin. Il a épousé l'orpheline, qui croise son père sur le chemin de ses nuits, sans le voir. Elle a épousé le devin, qui ne sait voir aujourd'hui car il vit déjà demain. À lui, on a donné Esther comme on donne un chien à un aveugle ; à elle, on a donné Motty, qu'on a posé sur ses lèvres, comme le nom de Dieu pour la tirer du mal. Elle parlait de lui, elle avait son nom sur ses lèvres. Il la tenait par la main, elle était la lumière de ses yeux. Il a épousé l'orpheline, elle a épousé le devin. »

Et la chanson était raison : le nom d'Esther fredonnait dans le cœur de Motty et le visage de Motty brillait dans les yeux d'Esther. Ce soir-là, on a beaucoup chanté dans la ruelle, et on a dansé et on a bu. Et ce soir-là, les Juifs, le cœur pris par la fête, ont oublié de fermer à clé la porte du ghetto. Mais ce soir-là, il n'y eut pas de bagarre avec les Arabes.

Selon les recommandations d'Élie, quoique son époux, Motty n'approcha pas Esther. Le troisième jour du rituel de l'encens, il revint se confier à son oncle. Voilà deux nuits qu'il ne parvenait à trouver le sommeil. Le premier soir, Esther s'était effondrée sur la couche, vêtue de ses beaux habits d'épousée, et avait immédiatement plongé dans le sommeil. Quant à lui, il était resté à l'entrée, près du brasero et, sitôt que les parfums perdaient de leur intensité, il y jetait de nouveaux morceaux d'encens. Elle avait parlé dans son sommeil.

— C'étaient des grognements, mon oncle, et des cris et des pleurs, aussi…

— Des grognements, des cris et des pleurs ? Et des paroles aussi ?

— Je n'ai pu distinguer qu'un seul mot, qu'elle a répété des dizaines de fois. Et c'était : « Non ! »

— Tu veux dire que durant son sommeil elle répétait : « Non » ?… Simplement : « Non » ?

— Oui !

— Et elle criait, et elle grognait ?

— Et elle pleurait, aussi ! Et elle hurlait « Non ! » et elle se débattait dans son sommeil.

— Tu ne l'as pas approchée ?... Tu en es bien sûr, hein ?

— Non, mon oncle ! Je suis resté de l'autre côté de la porte, comme tu me l'as recommandé. J'ai essayé de lui parler avec douceur, mais je ne percevais que de la fureur.

Motty attendait des explications ; Élie ne lui en donna pas. Il lui recommanda seulement de se rendre à la synagogue et de rafraîchir le chemin, c'est-à-dire de ne pas manquer de donner l'aumône à chaque mendiant qu'il croiserait. Et il lui promit de venir passer la nuit suivante, la troisième, avec lui.

Le soir, après le repas, ils disposèrent la tawla, le jeu de jacquet, se préparèrent une théière pleine et s'installèrent dans la rue, à l'entrée de la maison de la tante Maleka, là où dormait Esther. Élie ne comprenait pas comment Motty l'aveugle parvenait à le battre au jeu de jacquet. Il fallait, bien sûr, qu'il annonçât le résultat du jet à haute voix. Et il le faisait en kurde, selon la coutume : « Docha... "Double six" ; dorgui, "double quatre" ; chèche bèche, "six cinq", habyak, "double un"... » À chaque fois, Motty obtenait le meilleur jeu. Mais le plus extraordinaire est qu'il se représentait parfaitement le plateau et la disposition des pions, et n'hésitait pas un instant dans leurs déplacements. Ce soir-là, il gagnait partie sur partie, sans en laisser une seule à son oncle. Plus encore, il réussissait à conduire tous ses pions jusqu'au camp adverse avant qu'Élie n'en menât un seul. Ce qui lui valait un double point : un « mars ».

— Mars ! s'écriait-il en riant.

Et l'autre de protester :

— Je t'ai laissé gagner, voyons ! Mais dis-moi : comment peux-tu avoir ainsi le jeu en tête, et connaître sans les voir la position de chacun des pions ?

— Je vois les chiffres, répondit Motty. Les chiffres, ce sont des gens…

« Gens » est un drôle de mot en arabe, qui signifie « les humains », mais aussi « les êtres, les non-humains ». Dans cette langue, les gens ne sont parfois pas des gens…

— Mais qu'est-ce que tu racontes ?

Il devait être minuit. Élie tenait les deux petits dés d'ivoire entre l'index et le pouce et s'apprêtait à les lancer. Un râle profond parvint de la chambre où dormait Esther. Les deux joueurs s'interrompirent. Le râle reprit. C'était un souffle grave, effrayé, le grognement d'une bête sauvage prise au piège, luttant pour se dégager. Et puis un rugissement de colère suivi d'un cri presque humain, aigu, déchirant…

— Il est pris ! s'exclama Élie. Éloigne-toi ; maintenant, il va sortir.

— Quoi ? Que dis-tu ? hésitait Motty, qui se réfugia néanmoins dans un recoin du mur.

Et l'on entendit un craquement, l'éclatement d'une planche de bois, l'effondrement d'une armoire ou le fracas d'une table ou peut-être d'une chaise; puis, distinctement, un bruit de course et un halètement. Un éclair traversa le ciel, dévoilant des paires d'yeux fluorescents qui apparaissaient ici et là. Le coup de tonnerre qui suivit pétrifia Élie, qui se protégea le visage de sa main. Et un vent terrible s'engouffra dans la ruelle en bouboulant. Motty récita une prière. Éjecté de sa chaise par la puissance de la rafale, Élie roula sur le sol. Il répétait en arabe: « Au nom de Dieu, au nom de Dieu plein de miséricorde… » Sans se rendre compte que c'est ainsi que les musulmans débutent leur prière. Le vent souffla quelques minutes encore et, de manière aussi soudaine, le calme revint. Dans la ruelle, des volets s'ouvrirent. On entendit un homme demander si l'on avait besoin d'aide. Esther apparut alors sur le seuil, le visage ensommeillé. Elle tenait sa tête à deux mains. Elle jeta un regard alentour, mais ses yeux semblaient ne rien voir, ni son vieil oncle ni son jeune mari. Elle repartit se coucher d'un pas de somnambule. Motty s'approcha à tâtons jusqu'à rejoindre Élie qui gisait toujours sur le sol. Il le releva avec effort, mais le vieil homme avait reçu un coup sur la cuisse et ne parvenait plus à poser son pied gauche à terre.

Voilà ce qui se passa durant cette fameuse

nuit du 21 septembre 1918, dans une venelle du ghetto juif du Caire. Le lendemain, Motty rejoignit sa jeune épouse et l'oncle Élie resta boiteux. On racontait que le vieux avait pris le coup que le démon destinait au mari. Par la suite, beaucoup se souvinrent des étrangetés de cette nuit, d'un orage sans pluie, d'une violence sans auteur, de cris et de grognements sans animaux. Et dans les mémoires de la communauté juive du Caire, le grand rabbin consigna, en écriture rashi, celle que l'on réservait aux commentaires ésotériques, qu'il fut fait selon les recommandations du livre de Touvia pour installer la fiancée auprès de son mari. C'est ainsi qu'Esther, fille de Shmuel Zohar et de Sal'ha Cohen, fut délivrée de l'être qui l'oppressait depuis des années et devint l'épouse de Mordechaï Zohar, son cousin germain, avec lequel elle s'était mariée le 18 septembre précédent.

C'est aussi ce 21 septembre 1918 que le général Edmund Allenby livra en Palestine la bataille de Megiddo qui décida du sort de la Première Guerre mondiale au Levant, chassant les Turcs de la région. Dans les jours qui suivirent, Élie rappelait gravement que c'est la nuit que se décident les destinées, car, comme dit le Talmud, chaque événement est enfant de la nuit. L'Égypte devint de plus en plus anglaise et Motty s'installa avec Esther dans l'entresol de l'épicerie que tenait son oncle Élie à Darb el Nasir, tout près de la synagogue Haïm-Capucci, du nom de ce kabbaliste qui guérissait les malades par les paroles sacrées et les amulettes.

Motty prit aussitôt la mesure de ses responsabilités. Devenu chef de famille, il lui fallait gagner sa vie. Comme il l'avait confié à son oncle, cette fameuse nuit du vacarme du démon, les chiffres étaient des gens qu'il voyait s'agiter devant ses yeux. Il leur attribuait des couleurs, des odeurs, des façons de se mouvoir, de s'accoupler, d'engendrer. Le zéro était un point presque invisible, l'extrémité d'une lance, un sexe. Zéro, que l'on dit *sefr* en arabe, d'où la langue française a tiré le mot « chiffre » et l'hébreu le mot *sefer*, qui signifie « le livre », était rouge et dégageait la même odeur que le sang. Zéro était le démiurge, l'origine de tous les nombres ; celui par qui les chiffres ont été capables de constituer la structure de l'univers. Sans le zéro, les autres chiffres seraient restés séparés, seulement des chiffres, jamais des nombres. Un était l'épouse de Zéro, son complément, qui ne jouissait d'aucune existence en son absence et devenait une totalité sitôt qu'il apparaissait. Un était unique parce que Zéro le précédait ; Un se transformait en infinité lorsque Zéro lui succédait. C'est pourquoi la première lettre de l'alphabet, celle que l'on associe à l'unité, l'aleph, passe de un à mille lorsqu'on lui retire une lettre. En arabe, « mille » se dit *alph* alors qu'*aleph*, première lettre de l'alphabet, est un. Un était jaune, comme l'or, et son odeur forte comme la résine. Zéro était donc le père et Un, la mère ; ensemble, ils avaient huit enfants. Le plus malin, Cinq, était un serpent et il était vert. Il exprimait la source car la main, avec ses cinq doigts, est l'origine de toute chose et lorsqu'on a fini de compter ses doigts, on ne sait rien faire que recommencer. Cinq protégeait toujours, sous la forme d'une main qu'on opposait à l'œil.

Les chiffres, qui tenaient compagnie à Motty depuis l'enfance, peuplaient ses longues heures de réflexion solitaire. Il s'excitait à leurs combinaisons, se réjouissait de leurs alliances, tentait de médiatiser leurs conflits et d'éviter leurs ruptures. C'était bien plus qu'une passion, une manière d'obsession. Tout ce qui concernait les chiffres était province de son royaume ; il régnait en secret sur un peuple de nombres. Ainsi était-il capable de retenir des listes infinies après les avoir entendues une seule fois, ou de réaliser mentalement les opérations les plus complexes, plus vite que n'importe quelle machine. Il avait longtemps utilisé ses capacités pour amuser la famille ; après son mariage, était venu le temps de les mettre à profit. Il devint le comptable des artisans juifs du souk des orfèvres. En quelques semaines, il avait retenu les chiffres d'affaires de chacune des cent boutiques qui fabriquaient les bagues et les bracelets d'or des femmes, les décorations d'argent des rou-

leaux de la Torah et les amulettes d'airain qui écartaient l'œil torve des ennemis. On disait que la tête
de Motty était une pyramide ; sur ses parois étaient
gravés les comptes des orfèvres du souk, comme
en des cartouches, pour l'éternité. Tous les matins,
Esther le conduisait dans les échoppes, et il passait de l'une à l'autre, discutant des ventes et des
achats, des bénéfices et des pertes. Et il finissait
en donnant un chiffre. Certes, les commerçants
continuaient à noter les entrées et les sorties dans
leurs livres, mais ils ne les regardaient plus guère,
tant la mémoire de Motty était fiable. Oh, on ne
le payait pas bien cher ; d'ailleurs, il ne réclamait
jamais d'argent. En fin de semaine, le vendredi à
l'heure du déjeuner, après avoir conduit Motty à
la synagogue, Esther s'enfonçait dans le Khan el
Khalil jusqu'à l'allée des bijoutiers. Elle entrait
chez chacun, s'asseyait un moment, attendant la
maigre rétribution du travail de son mari. Et la
vie allait ainsi son cours, l'or ciselé des mains des
orfèvres partait pour la parure d'une riche promise, quelques piastres revenaient à Esther, serrées
dans son mouchoir, et la mémoire des échanges se
retrouvait inscrite dans l'esprit de Motty.

Dès la première nuit qu'ils passèrent dans le
même lit, Esther aima Motty, le mystérieux. Dans
l'obscurité, également aveugles, ils se parcouraient des doigts, s'égarant aux parfums de leurs
corps. Dès la première nuit, Motty aima Esther,

la sauvage. Ils parlaient peu, se murmurant leurs noms. Il expirait dans son cou, elle respirait sur sa bouche, déposant chacun un fragment de souffle aux frontières de l'autre. Elle l'appelait « mes yeux », elle qui était ses yeux. Il l'appelait « mon âme », lui qui était son nom. Au réveil, elle embrassait ses mains, remerciant Dieu de l'avoir faite femme pour lui. Le soir, elle se couchait la première. Il approchait du lit, prenait son visage entre ses mains pendant qu'il récitait un passage du Cantique et terminait toujours en déclinant son nom : « Esther, la reine Esther »… « Esther, la divine Ishtar »… « Esther, Astarté de mes nuits »… Le matin, ils étaient joyeux à l'idée d'un jour gagné sur les ténèbres. Au coucher du soleil, ils sentaient leurs corps vibrer à l'idée de s'étendre l'un près de l'autre.

Lorsque Motty travaillait aux comptes des orfèvres, Esther, une fois terminées ses tâches ménagères, s'installait sur la première marche, à l'entrée de la maison. Pour quelles raisons les femmes venaient-elles lui parler ? Sans doute étaient-elles sensibles à cette quiétude étrange qui émanait d'elle depuis son mariage – peut-être pressentaient-elles la force de la terre qui précède toute chose ? Et les femmes rapportaient un cornet de pépins grillés, de pastèque ou de tournesol, s'installaient là et lui racontaient, à elle qui venait à peine de quitter l'enfance, leurs problèmes de femmes. Elles épluchaient les graines avec leurs dents et recrachaient les écorces entre leurs lèvres, sans s'aider de leurs mains, comme des perroquets. Esther souriait dans son cœur car les mêmes questions se répétaient. « Comment faire revenir le désir quand il s'est usé aux dégoûts des grossesses, aux frictions du quotidien, aux angoisses des levers du jour ? » Elle répondait toujours avec méthode. « D'abord le toucher, disait-elle, le toucher ! » En arabe, le mot signifie à la fois « toucher », « sensation » et « sentiment » ; la langue sait que celui qui touche est aussi touché et que l'on ne peut toucher sans amour. « Il te faut prendre sa colombe dans ta main. Tous les hommes sont des enfants. Ils ont eu une mère qui les a lavés, n'est-ce pas ? » Et les femmes de glousser, le nez dans leurs casseroles de zinc, qu'elles appelaient « zingo ».

Un matin, l'une des voisines, la regardant d'un air de défi, lui rétorqua : « Tu crois que je ne sais pas transformer le cou du poulet en bâton, comme notre père Moussa le fit autrefois des serpents devant le pharaon ? » Et toutes de rire alors. Esther s'avança plus loin. « Et sais-tu mettre les épices rouges dans la sauce dont tu arroses le riz le soir du shabbat ? — Les épices rouges ?... Mais de quelles épices parles-tu ? — Les épices rouges, voyons ! — Tu veux dire du safran ?... ou du curcuma ? — Ou peut-être du piment rouge ? » rajoutait une autre... Et l'une d'elles, comprenant à mi-mot : « Non ! Il s'agit de l'épice qui sourd des femmes quand la lune est pleine, n'est-ce pas ? »... Et une autre, la plus âgée, qui exprimait sa répulsion : « Ekhss... Arrêtez de parler de ces saletés... » Et les voilà qui éclataient de rire à nouveau. C'est alors qu'Esther énonça sa prescription :

— Le dernier des cinq jours, vous devez prélever les dernières gouttes, lorsque le sang est au plus noir, et les exposer au premier soleil du matin.

— Dans une assiette ?

— Mais comment pouvez-vous parler de choses pareilles ?

— Dans une assiette, oui, bien sûr ! Il faut en recueillir autant que le marc restant au fond de la tasse après avoir bu le café.

Elles se rapprochèrent d'Esther, lui demandant de poursuivre à voix basse :

— Et alors ?

— Tu laisses sécher jusqu'à ce que tu puisses réduire le sang en poudre, aussi fine que du curcuma. Une journée suffit. Puis tu gardes la poudre dans un endroit sombre. Il ne faut pas qu'elle voie la lumière. Et puis voilà !

— Comment ça « voilà » ? Ça veut dire...

Et Esther se laissait supplier. Car elle avait beau expliquer que la suite leur était connue ; qu'il suffisait d'inclure la poudre ainsi obtenue – qu'on appelait, précisait-elle, « poudre de lune » – dans la sauce... les autres exigeaient une description précise. Quelle sauce ? Avec quels ingrédients ? Faut-il d'abord frire les oignons ?

Elle consentit à quelques détails supplémentaires. Il fallait bien relever la sauce, pour que le mari ne soupçonnât rien. En plus des oignons, de la tomate, bien sûr, et du piment rouge, et du safran...

— Et alors ? demandaient-elles encore.

— Au moment d'ajouter la poudre de lune, vous devez prononcer la phrase...

— La phrase ?... Et quelle phrase, ma chère ?

Elle restait silencieuse. Et les femmes de se rapprocher d'Esther qui finit par lâcher à voix basse :

— La phrase de la Torah : « Tu es pour moi un époux de sang... »

Et elle la répéta en hébreu. Silence respectueux, silence de mort... Une femme qui citait la Torah, c'était ou bien un homme ou bien une sorcière.

Et les femmes avaient expérimenté la recette d'Esther, bien sûr ! Le vendredi, elles avaient préparé le plat sans l'aide de personne, en se cachant des filles et des belles-mères. Puis, elles étaient parties au 'hammam où elles avaient passé plus de temps qu'à l'accoutumée. Elles s'étaient longuement fait épiler au caramel, avaient frotté leur peau à la rude éponge végétale, la lifa, elles avaient lissé leurs cheveux au henné, puis s'étaient parfumées jusqu'aux recoins les plus intimes de leur peau aux vapeurs de myrrhe, d'oliban et de 'oud.

Lorsqu'elles avaient entendu l'appel du muezzin à la prière musulmane de l'après-midi, elles avaient revêtu leur robe bleue et avaient encensé leur maison. On raconte que, la nuit qui suivit, les serpents dressèrent fièrement leur tête sous les galabeyas des maris. L'expérience, répétée à plusieurs reprises, valut à Esther une solide réputation de sorcière. Bientôt, nombreuses furent les femmes qui venaient bavarder, à l'heure où les lézards s'animent, sur les marches de la maison d'Esther. On lui soumit des problèmes plus inquiétants. La cousine Tayeba, qui avait successivement mis au monde cinq filles, craignait une nouvelle grossesse. S'il lui venait encore une fille, le mari la répudierait à coup sûr…

— Mais non ! s'écriait l'une, il n'osera jamais. Il craint trop son oncle…

Car son oncle était aussi son beau-père.

— Bien sûr qu'il le fera, répliqua l'autre, n'as-tu pas vu comme il lorgne sur la petite Narguess ? Elle m'a raconté qu'à plusieurs reprises il a essayé de la coincer dans le corridor qui mène à la cuisine. Le corridor, tu te rends compte ? Sous le nez de sa femme. Certainement qu'il pense déjà à se remarier.

Et, se retournant vers Esther, sa plus jeune tante, Tofa'ha, «la pomme», lui demanda si elle pourrait faire venir un garçon dans le ventre de Tayeba. Quelle question ! Les autres semblèrent scandalisées. Comment cela ? Si elle avait demandé un tel prodige à des hommes de Dieu, comme ceux que l'on croisait parfois le jour de Kippour, qui passaient la journée et la nuit à prier en se lamentant... Peut-être qu'à de tels hommes, Dieu pouvait accorder une faveur particulière. Mais à des femmes, qui ne connaissaient de la religion que ces relents qui transpiraient des vieilles pierres... et dont les actes, si l'on croyait le rabbin Mourad, n'étaient qu'idolâtrie et services aux Baals... « C'est 'haram ! » dit la première, ce qui signifie « péché, interdit »... « 'Haram, totalement 'haram », surenchérit l'autre. Et Tofa'ha de conclure : « C'est parce que c'est 'haram que ça peut marcher, non ? »

Elles ne savaient plus s'il fallait rire ou bien s'il fallait avoir peur. Alors, les femmes se rapprochèrent d'Esther. Elle tira sa chevelure en arrière et respira profondément. Il se dégageait d'elle un sentiment de force physique. Pour imposer le sexe à l'enfant, leur expliqua-t-elle, il faut s'adjoindre la force des animaux et celle des morts.

Les morts ? On ne prononçait pas de tels mots. On ne disait pas « les morts », encore moins « la mort », ça ne se faisait pas. Et lorsqu'on évoquait le nom d'un défunt, on ajoutait toujours une protection. On disait par exemple : « Mon grand-père Soli, que Dieu prenne soin de son âme », ou même « Notre-père-Soli-que-Dieu-nous-protège »,

42

comme si, depuis sa mort, son nom s'était modifié, recomposé, avait augmenté, s'était transformé en formule... Il fallait une sorte de démon comme Esther pour lâcher des phrases aussi sauvages, qui contenaient les morts et la mort, et sans sourciller, sans craindre le courroux de Dieu. Demander l'aide des morts ? Utiliser la force des animaux ? Et d'ailleurs, comment diable savait-elle cela, elle qui n'avait jamais rien appris ? C'est que la terre pense ; le quartier, la 'hara, la « ruelle aux Juifs », pense ; les ancêtres pensent et il existe des âmes sensibles qui perçoivent toutes ces pensées. Voilà ce qui traversa la tête de Tofa'ha.

— Je ne suis pas certaine d'y parvenir, répondit Esther ; il faudra m'aider...

Les femmes furent effrayées. Elle leur demandait d'être ses complices en sorcellerie... Elles cherchèrent d'autres solutions.

— On dit qu'il faut changer l'emplacement du lit.

— Oui ! J'ai entendu dire que la tête du lit devait regarder la première étoile...

Et Tayeba de hausser les épaules.

— Et qu'est-ce que tu crois ? Des dizaines de fois, ma chérie, des dizaines... que j'ai entendu cette histoire de tête du lit. Chez moi, le lit regarde l'étoile, mon mari regarde l'étoile et moi je cherche toujours le garçon...

— On dit aussi qu'il faut aimer sur le côté...

— Oui ! Sur le côté droit si on veut un garçon, sur le gauche pour une fille…

— Aimer sur le côté… quelle bêtise ! Lorsqu'on bouge dans le lit (c'était leur façon de désigner l'acte d'amour), on roule de tous les côtés… Et tu finis toujours par te lever, non ? Alors, tout se mélange, tu ne crois pas ? Le chaud, le froid, le sang et le lait, et tout… Ce ne sont rien que des bêtises…

— Moi, j'ai entendu qu'il fallait se procurer le prépuce d'un garçon juste après la circoncision…

— Oui ! Je l'ai entendu aussi ! Un enfant de la famille. Tu le trempes dans l'eau chaude et tu en fais un bouillon. Tu ne rajoutes rien, pas de sel, pas d'épices. Et tu avales le bouillon juste avant d'accueillir ton mari…

Les femmes acquiescèrent à cette nouvelle proposition en hochant la tête. Une telle recette, elles ne savaient trop pourquoi, elles sentaient qu'elle devait être efficace. Mais elle exigeait certaines conditions, et, avant tout, de se procurer la matière première.

— Et comment avoir ce prépuce ? demanda Tayeba. Je vais le voler, peut-être ? Tu as vu comment les grands-mères entourent l'enfant après la circoncision ?… C'est à peu près aussi facile que de voler le tapis sacré destiné au tombeau du Prophète, le jour de la cérémonie. Peut-être que cette façon d'avoir un garçon est efficace, ça, je ne dis

44

pas, fille de je-ne-sais-quoi… mais elle est impossible à réaliser – plus difficile encore que de se procurer le pénis d'un loup ou d'une hyène. Non !… Il faudrait que la mère de l'enfant me donne le prépuce, comme un cadeau. Et je ne vois pas laquelle accepterait de le faire…

— Elle aurait trop peur que son enfant ne se marie jamais…

— Ou bien qu'il devienne un « adepte de Loth » (elle voulait dire un « homosexuel »)…

Alors, les femmes se tournèrent une nouvelle fois vers Esther.

— Toi, Sett Blila…

C'était ainsi que les femmes appelaient Esther lorsqu'elles voulaient obtenir d'elle une faveur. Sett Blila, « Madame Bouillie-de-blé », parce que, disaient-elles alors, sa soupe de blé au lait était la meilleure du quartier.

— Sett Blila, tu as bien une solution…

— Oui, répondit Esther, mais je ne suis pas certaine du résultat. Je ne l'ai jamais fait.

— Et alors ? Et si tu ne l'as jamais fait ? Est-ce que ça veut dire que tu ne le feras jamais ?

— C'est vrai, ô mon œil ! Qu'est-ce que ça coûte d'essayer ?

Un jeudi, peu avant midi, à l'heure où elles savaient les hommes réunis à la synagogue pour la lecture de la Torah, elles partirent pour le cimetière, Esther en avant, le pas décidé, suivie de sa tante Tofa'ha et de Tayeba, la demandeuse. Elles avaient annexé Mahmoud, le chiffonnier, qui les suivait, en retrait, un bon pas en arrière. Il ne convient pas que des femmes se promènent seules à travers la ville. Elles portaient sur la tête de grandes bassines d'eau pour nettoyer les tombes. Esther semblait connaître l'endroit. Les deux autres murmurèrent entre elles :

— Ce n'est certainement pas la première fois qu'elle vient dans le cimetière... Tu as vu comme elle n'a pas hésité une seule fois.

— On dit qu'elle y vient la nuit...

— Tu crois ? Eh bien moi, je ne m'aventurerais pas seule ici en pleine nuit.

Il y avait des enfants partout, noirs de peau et de crasse, qui couraient pieds nus sur le sable brûlant. Des femmes surgissaient des caveaux, qui leur étaient demeures. Elles étalaient le linge et le fixaient sur les tombes à l'aide de grosses pierres. Cet endroit était peuplé d'autant de vivants que de morts. Curieusement, personne ne parlait. Malgré l'agitation, il régnait un silence insolite.

— Ici, dit Esther.

— Où ?

— À l'endroit où tu te tiens. C'est une tombe sans nom.

— Est-ce qu'il s'agit de la tombe d'un Juif, au moins ?

— Bien sûr, répondit Esther, c'est celle de

l'oncle maternel de ton grand-père, Saad le Long. Il était maigre et raide comme un roseau. On dit qu'il est mort debout, adossé contre un mur et qu'il est resté là jusqu'à la nuit. On le croyait en train de rêver, perdu dans ses effluves de haschisch. Et lorsqu'on a fini par comprendre qu'il était mort et qu'on a voulu le porter, on s'est rendu compte qu'il s'était transformé en statue de bois. Vrai, il était raide comme un os. En voilà un qui est mort sans vivre et sa vie n'a servi à rien, lui qui n'a pas laissé d'enfant.

Les deux femmes regardèrent alentour. Elles sentaient des dizaines d'yeux qui suivaient le moindre de leurs mouvements. Même si la tombe n'était pas celle de Saad le Long, ce devait être un carré juif. Sur les quelques stèles de guingois, elles pouvaient distinguer des écritures en hébreu.

— Allez, les filles, au travail !

Elles se mirent à frotter la pierre recouverte de terre et de sable. Et Esther de chantonner en un sabir judéo-arabe : « Toi qui soutiens les boiteux, qui ouvres les portes des prisons, toi qui donnes la vie et la mort et qui peux ressusciter… »

Une heure passa ainsi. Peu à peu, la pierre avait retrouvé un peu de sa couleur crayeuse. Elles versèrent l'eau qui restait au fond de leurs bassines et restèrent ainsi, immobiles sous le soleil, à regarder les taches s'évaporer. Tayeba pensait qu'il y a bien plus de gens sous la terre que dessus. Tofa'ha ressassait dans sa tête cette phrase de la Bible : « Tu étais poussière, tu redeviendras poussière… » Dieu devait connaître l'Égypte, c'est sûr, ce pays où l'on avait du mal à séparer les hommes de la poussière. Et Esther regardait fixement un trou sous la pierre. Elle le montra du doigt.

— Là ! dit-elle… Là ! On voit sa langue…

Les deux autres firent mine de s'approcher. Elle les tira en arrière.

— Non ! Attendez… Vous allez l'effrayer.

On distinguait en effet, sortant du trou, une langue, agile et longue, peut-être celle d'un serpent, qui s'avançait par saccades, comme pour goûter l'endroit avant de s'y aventurer.

— J'ai peur ! dit Tayeba.

Mais Tofa'ha ne put s'empêcher de plaisanter.

— De quoi as-tu peur ? L'enfant sort aussi d'un trou, n'est-ce pas vrai ?

— Et lui aussi, il vient de chez les morts, ajouta gravement Esther. C'est pourquoi nous lui donnons le nom d'un grand-père.

Et elles virent apparaître une tête, une grosse tête casquée, large comme un poing.

— C'est un guerrier ! s'écria Esther, qui se saisit de la bassine.

Attiré par l'eau, le caméléon sortit lentement, un pas après l'autre. Il avait exactement la teinte de la pierre, jusqu'aux marbrures et aux taches. Ses yeux, montés sur tourelles comme les canons

d'un char d'assaut, exploraient les points cardi-
naux.

— Ton fils sera un guerrier. C'est certain.

Il faut savoir que « guerrier » est le nom du
caméléon en arabe, et celui qui sortait de la
tombe le portait bien, avec son casque bien plus
gros que sa tête. Lorsqu'il parvint au centre de la
pierre, Esther plongea et le recouvrit de sa bassine. Tofa'ha l'aida à envelopper sa prise dans un
linge, et les voilà reparties toutes les trois pour
rejoindre le Mouski. En chemin, elles étaient
joyeuses d'avoir surmonté leur peur des morts et
des serpents. Elles chantaient une sorte de ballade,
une histoire d'amour, et le caméléon sautait dans
la bassine, comme un fœtus dans le ventre de sa
mère. Le soir même, Esther donna l'extrémité de
la queue à Tayeba et lui recommanda de l'avaler
crue. Les deux femmes ne furent pas étonnées par
la prescription ; elles se demandaient seulement
comment Esther s'y était prise pour tuer le caméléon. L'avait-elle égorgé, comme on le fait d'un
mouton, ou décapité, comme une colombe ?

— Dans un mois, tu seras enceinte, dit-elle à
Tayeba, et ce sera un garçon. Rappelle-toi, il faudra
l'appeler Saad, comme l'oncle de ton grand-père.

Par la suite, les deux femmes interrogèrent
Esther à plusieurs reprises, lui demandant ce
qu'elle avait fait des restes du caméléon. Elle
répondait toujours par la même formule : « Le

caméléon est comme une femme. Il chasse avec la langue. Vous feriez mieux de tenir la vôtre ! »

Esther était la plus jeune de celles qui se réunissaient sur les marches de la ruelle dite « du jeudi », dans 'Haret el Yahoud. Les autres l'aimaient un peu, la critiquaient beaucoup, en son absence, la craignaient, aussi, dans leur cœur. Il faut dire qu'il y eut un événement étrange, cette même année qui connut la grossesse de Tayeba – un événement qui aiguisa leur peur. Un vendredi, Esther s'en revint de sa visite au souk des orfèvres en serrant fort sa jupe. Elle courait, cheveux au vent, comme un lévrier. Lorsqu'elle atteignit son quartier, elle tomba nez à nez avec Adina, la deuxième de ses tantes.

— Où cours-tu ainsi ? Aurais-tu croisé un Satan en plein midi ?

Et Esther eut la naïveté de raconter à sa tante que le vieux Amine Lichaa avait donné une livre – oui, cent piastres ! – pour le travail de Motty. C'était cette monnaie qu'elle serrait ainsi dans le creux de sa robe.

— Une livre ? Ne me dis pas... Lui qui est si avare. Mais qu'est-ce qui lui a pris ?

Esther haussa les épaules en éclatant de rire...

— Et dire que c'est un karaïte, persifla la tante, qui se prétend juif et retire ses chaussures pour se prosterner comme un musulman, quelle honte ! Ne lui aurais-tu pas consenti une autre faveur ?

Adina, qui avait l'esprit mal tourné, avait imaginé que sa nièce s'était laissé pincer les fesses ou même caresser la poitrine par le vieux grippe-sou. Esther ne comprit même pas l'allusion, elle qui ignorait la sexualité, qui ne connaissait que l'amour ; qui ignorait le désir, qui ne connaissait que l'appel de Dieu dans les vallons de son corps…

— Donne-moi cet argent ! exigea la tante. Je vais te le garder. Que pourrais-tu faire d'une aussi grosse somme ?

Et pourquoi le lui donnerait-elle ? Tout le long du chemin, Esther avait imaginé la toile de coton soyeux qu'elle irait acheter au marché pour confectionner une nouvelle galabeya à Motty. Peut-être qu'il lui en resterait assez pour un tarbouche, un fez ; sa vieille calotte était mangée aux mites. Elle haussa les épaules une seconde fois et s'engouffra dans l'entresol.

Durant la soirée du shabbat et le lendemain, elle chantonnait seule, joyeuse. Elle accepta même d'entrer dans la synagogue et de se tenir tranquille dans l'espace réservé aux femmes. Elle n'eut pas de malaise, ne fit aucun signe aux hommes, ne bavarda pas avec sa voisine, ne bâilla ni n'éclata de rire. Mais, le lendemain, le dimanche (qu'ils appelaient le « premier jour »), lorsqu'elle revint du souk aux orfèvres après y avoir conduit son mari, l'argent avait disparu. Elle poussa un cri et tomba. Depuis son mariage, c'était la première fois que ses diables se manifestaient, et c'était plus fort encore que la fois précédente, lors de ses premières règles. Elle se roulait sur le sol en hurlant, se débattait, se relevait en roulant des yeux et retombait en poussant le même cri. Un cri profond, sorti des entrailles, celui d'un animal sauvage. La vieille Mass'ouda, la femme de l'oncle Élie, sortit de la maison en criant : « Venez à moi ! » Et elle répétait : « À moi ! À moi ! » Les autres femmes accoururent. Mais que pouvaient-elles faire, sinon assister impuissantes à la crise d'Esther ?

— Que le malheur tombe sur moi… Que je meure ! hurlait Mass'ouda, manifestement choquée. Je n'ai rien fait. Je ne lui ai même pas parlé. Je me tenais dans la cuisine. Elle est entrée dans la chambre. J'ai entendu un cri. Et lorsque je suis arrivée, elle se roulait par terre comme si elle se battait avec un diable.

— La pauvre enfant, se lamentait la tante Adina. Je suis certaine que c'est à cause de ce bijoutier karaïte, ce Lichaa, ce fils de chien.

— Chien, fils de chien ! ajouta une autre en crachant par terre.

Les femmes envisageaient de partir chercher le rabbin Mourad, mais la crise ne dura que quelques minutes. Esther se releva, arrangea sa robe d'un geste machinal, se démêla les cheveux avec les doigts. Sa tante Maleka lui tendit un verre d'eau. Elle l'avala d'une traite. Puis elle se colla contre le mur de la maison en tournant le dos à la petite assemblée. Que faisait-elle ainsi ?

— Esther ! appela la vieille Mass'ouda, Esther !

Elle ne réagissait pas ; elle semblait prier. Tout le monde savait pourtant qu'elle ignorait les prières et qu'à la synagogue elle ne faisait même pas semblant en bougeant les lèvres comme les autres femmes. Soudain elle frappa le mur du plat de la main en disant :

— C'est inscrit sur ce mur ! Ce qui était caché aujourd'hui dans la nuit apparaîtra demain avec le soleil !

Elle se retourna, les yeux exorbités et injectés de sang. Elle dévisagea les femmes une à une, s'attardant sur chacune. L'ambiance était si tendue que les enfants interrompirent leurs jeux. Les matrones, en demi-cercle, la regardaient bouche bée. Puis, se détournant, elle pénétra dans son entresol pour préparer le déjeuner. Peu à peu, la vie reprit son cours. C'est la tante Maleka qui rompit le silence.

— Elle a toujours été comme ça, la pauvre.

Et elle précisa :

— Vibrante.

— Vibrante ? s'étonna Adina. Habitée, plutôt.

— Oui, habitée ! renchérit Tofa'ha, et même enfilée par un guenn qui se sert d'elle comme d'un vêtement.

— Ne dites pas ça ! supplia Mass'ouda. Que Dieu nous protège. Qu'il en soit selon sa loi !

Le récit des événements circula aussitôt dans la petite communauté. On sut qu'Esther était tombée après avoir constaté la disparition de l'argent que lui avait donné Lichaa, le bijoutier. Quelqu'un avait volé ses cent piastres cachées sous son matelas. Telle était l'explication de sa crise. C'était impossible, pourtant, il ne pouvait y avoir de voleur dans la ruelle. Les Juifs vivaient tellement les uns sur les autres, qu'on connaissait le contenu de la poche de son voisin mieux que celui de sa propre poche. Non ! Ce ne pouvait être qu'une ruse des esprits, des 'afrit. On les savait taquins. Quelquefois, ils changeaient l'emplacement des objets. On les cherchait, et lorsqu'on finissait par se résigner, par accepter qu'ils fussent perdus, ils réapparaissaient ailleurs, dans un endroit inattendu. Et l'un de raconter la disparition d'une chaussure, l'autre d'une cafetière. « L'argent réapparaîtra ici ou là ; ne vous en faites pas ! » Mais tout de même : une livre, cent piastres… On n'avait jamais entendu une chose pareille ; on n'avait jamais entendu que les esprits s'intéressaient aux pièces d'argent… enfin d'argent moderne, des pièces qui avaient cours.

Le lendemain matin, la tante Adina ne put quitter son lit. Elle était couverte de boutons, de la tête aux pieds. On appela sa mère, la vieille 'Helwa, que tout le monde appelait Ommi, qui signifie « ma mère ». C'était la grand-mère d'Esther. Elle devait bien avoir quatre-vingts ans et elle s'y connaissait en remèdes. Quand elle vit les boutons elle s'écria :

— Malheur ! Ça ne peut être la rougeole, elle l'a attrapée quand elle était toute petite. Elle a même failli en mourir.

Rien que sur le visage, elle avait une bonne vingtaine de boutons. Mass'ouda fut la première à remarquer leur forme.

— Regardez ! Quel malheur ! Regardez !

— Mais quoi ? demanda Maleka.

— Vous n'avez pas remarqué ?

— Tu vas finir par parler ? Qu'est-ce qu'il faut regarder ?

— Les boutons, là…

— Eh bien, quoi ! Les boutons ?…

— Regardez ! Ce sont des piastres.

Les femmes s'approchèrent, observèrent attentivement. Certes, les boutons avaient l'allure de pièces de monnaie, parfaitement circulaires avec une sorte de motif en relief, mais, sur le visage, ils étaient trop petits. Lorsqu'elles examinèrent les jambes d'Adina, elles découvrirent une rougeur de la taille d'une pièce de monnaie, et, cette fois, on distinguait parfaitement, en relief, le profil du roi. Elles lui demandèrent de se retourner. Au bas du dos, une rougeur de taille semblable portait en son centre le chiffre un. Une piastre ! Les cent piastres que la tante Adina avait volées à Esther réapparues sous forme de boutons sur son corps ? Elles les comptèrent. Il y en avait bien cent – exactement cent ! La première poussa un cri ; la deuxième poussa un cri et Mass'ouda perdit connaissance.

Les tantes, les premières, comprirent qu'il n'était pas possible de faire du mal à Esther, qu'elle était protégée (elles disaient : « enveloppée »). Plus encore, le mal revenait à l'agresseur, en miroir, l'attaquant et le dénonçant tout à la fois. Adina crut qu'elle guérirait en restituant l'argent ; ce qu'elle s'empressa de faire. Mais l'éruption dura plus de trois semaines, presque un mois entier. Et pendant ce temps, l'histoire circulait dans le quartier. On la racontait aux enfants, on la racontait aux employés, on la racontait même aux Arabes. Beaucoup essayèrent de se glisser dans la chambre d'Adina pour apercevoir ces pièces de monnaie qui étaient venues s'inscrire sur son corps. On disait qu'on pouvait s'enrichir rien qu'en les touchant… Mais la famille montait la garde. Il aurait été logique qu'Esther en tirât prestige et influence. Ce fut plutôt le contraire. Certaines s'écartèrent, évitant de se trouver seules en sa présence ; d'autres se méfiaient, s'interdisant la moindre parole qui aurait pu l'offenser. Dans les deux cas, les relations se distendaient et Esther retrouvait peu à peu cette place de paria qui avait été la sienne durant son enfance.

— Qu'as-tu ? lui demanda un soir Motty, son mari. Je te sens morose. On dirait que la joie a quitté ta poitrine. Les soucis du jour ou bien ceux de la nuit ?

Il lui caressait les mains, les approchait de son visage. Esther ne put retenir un sanglot.

— Tu pleures, ma fille ?

On pouvait cacher bien des choses à Motty l'aveugle, mais certainement pas les émotions.

— Ce n'est rien, « mon oncle »...

Elle utilisait rarement ce mot en hébreu, qui signifiait à la fois « mon oncle » et « mon chéri », seulement lorsque tout son être se tendait vers lui pour l'appeler.

— Ta joie me donne la force, répondit Motty ; ta tristesse efface l'existence du monde.

— Tayeba est enceinte, dit simplement Esther, elle que l'on disait destinée à vieillir entourée de cailloux, abandonnée de son mari et de Dieu. Ce sera un garçon ; elle l'appellera Saad. Parce que, dit-elle, sa venue dans son ventre l'a remplie de bonheur. (Car Saad signifie « heureux » en arabe.)

Motty ne répondit pas. Il gardait les mains d'Esther dans les siennes. Savait-il que c'était elle qui avait tiré le petit Saad du monde des ancêtres ; elle qui avait su l'apprivoiser, le convaincre de quitter l'air confiné des tombes pour venir rejoindre la famille, dans 'Haret el Yahoud, la ruelle aux Juifs du vieux Caire ? Sans doute pas, mais il savait ce que les femmes racontaient sur leur couple. Jusque-là, il n'y avait guère prêté attention. Souvent il se répétait cette phrase du Talmud que lui avait apprise l'oncle Élie : « Dieu a déversé dix mesures de paroles sur le monde. Les femmes en ont pris neuf et les hommes une seule. » Alors, il fallait les laisser parler, les écouter de loin, comme les chants des oiseaux. Mais certaines paroles pénétraient le cœur comme des aiguilles. Celles-là, il ne fallait pas s'en détourner, mais les affronter, au contraire, annuler leur effet, et même leur répondre. Les femmes racontaient qu'Esther était une sorcière ; c'était pour cette raison qu'elle n'avait pas d'enfant. Son vrai mari, ajoutaient-elles parfois, n'était pas Motty aux yeux morts, mais un démon aux quatre yeux, deux devant et deux derrière, un 'afrit. Il était vrai qu'ils étaient mariés depuis sept années et jamais le ventre de sa femme ne s'était arrondi.

Au début, on avait attribué cela à la jeunesse d'Esther, âgée d'à peine quatorze ans. Une enfant ne peut avoir d'enfant. Mais lorsqu'elle en eut dix-sept et que ses seins devinrent comme deux grenades bien mûres, l'enfant ne vint pas. Et lorsqu'elle en eut dix-neuf, que son corps s'était affermi et que son odeur acquit la force du jasmin, il se prit à penser que lui, Motty, était l'enfant qui ne viendrait jamais à Esther. Et le temps continuait de s'écouler comme l'eau du Nil sous le pont El Gezirah. Aujourd'hui, elle avait vingt et un ans

et certaines femmes prononçaient des paroles terribles. Elles disaient qu'Esther dévorait les enfants
dans son ventre. Elles ajoutaient que c'était ce qui
lui donnait cette force étrange qui lui permettait
d'inverser le destin.

— Demain, dit Motty, j'irai voir Mourad, le
rabbin, et je lui demanderai un remède.

— Un remède ? s'exclama Esther. Je ne suis pas
malade ; tu n'es pas malade.

— J'irai lui demander qu'il intercède auprès de
Dieu pour que nous ayons un enfant.

Motty se rendit à la synagogue rencontrer le rabbin en compagnie de son oncle Élie. Ils n'osèrent
pas parler, mais Mourad savait que quelque chose
pesait sur leur cœur. Ils commencèrent à déambuler à travers les ruelles en devisant. Et les enfants
les suivaient en leur posant des questions. Alors,
ils s'aventurèrent hors du ghetto. Ils franchirent les
portes du Mouski et s'engagèrent dans la ville. Ils
marchèrent longtemps, les deux qui disposaient de
leurs yeux encadrant celui qui regardait avec son
cœur. Lorsqu'ils atteignirent le fleuve, ils s'installèrent par terre, sur la rive. Ils n'avaient toujours
pas abordé la question. Gêné, le rabbin décrivait
ce qu'il voyait. Il dit à Motty :

— Entends-tu comme la brise fait trembler les
feuilles ? Elle emporte les felouques qui traversent
à la vitesse des oiseaux.

— Oui, répondait Motty, je le sais ! Je peux

voir le vent; je peux voir les odeurs et le temps qui passe. Tout cela, je peux le voir.

Élie fit des grimaces au rabbin pour lui conseiller de ne pas prêter attention aux paroles de son neveu. Dans 'Haret el Yahoud, on répondait à la tristesse en redoublant de plaisanteries. Et pour détourner l'attention, il dit:

— Il voit la nuit comme les chats, et les femmes lui tirent la queue.

— Comment voulez-vous que Dieu nous envoie un jour le Messie si vous parlez comme des bateliers? répondit Mourad en faisant mine d'être sévère.

Au bout de quelques heures, après avoir épuisé les blagues qu'ils connaissaient pourtant tous les trois, déroulé toutes les grossièretés que recelait leur langue, cet arabe mâtiné de quelques expressions d'hébreu et de mots de bien d'autres langues, Élie finit par dévoiler l'objet de leur visite. Voilà sept ans que son neveu était marié avec la belle Esther au ventre de feu, mais aucun enfant n'était venu, ni même n'avait fait mine de venir. Le couple respectait pourtant le shabbat et les règles de pureté et, comme le rabbin le savait, Motty était toujours le premier à l'office. S'ils faisaient partie des plus pauvres du quartier, ils ne manquaient jamais de donner une pièce. Car, comme on dit, Dieu fait en sorte qu'il y ait plus pauvre que toi pour que chacun puisse donner l'aumône, qui est une obligation. Alors, si l'enfant ne venait pas, sans doute que Dieu nourrissait quelque dessein. Ils savaient, bien sûr, que notre père Abraham n'eut son premier enfant de son épouse Sarah qu'à l'âge de cent ans, et Motty en avait à peine trente-cinq. Alors, ils ne se plaignaient pas. Mais ils s'interrogeaient... Et ils n'étaient pas assez savants pour déchiffrer l'énigme qui leur était posée. C'est pourquoi ils s'en venaient questionner le rav Mourad. Lui saurait leur indiquer ce qu'il convenait de faire pour guider l'enfant de ces deux-là jusqu'à son foyer.

Mourad réfléchit un long moment.

— Nous savons, ajouta Élie, que tu connais certaines prières susceptibles de chasser les démons. Sans doute en connais-tu d'autres pour guider les âmes dans leur chemin vers nous.

— Attendez, dit le rabbin, attendez ! Il nous faut poser le problème dans tous ses détails. Et d'abord, Motty connaît-il l'usage de son épouse ?

— L'usage de son épouse ? s'étonna Élie. Ça veut dire ? Est-ce qu'une épouse est comme ces automobiles que l'on voit parfois dans la rue le long du Nil, du côté des îles, par là-bas ? Certainement que si c'est ainsi ni Motty ni même moi, qui suis pourtant son oncle, ne connaissons l'usage de l'automobile.

— L'usage de sa femme..., se reprit le rabbin, l'usage de sa femme... ça veut dire... Écoute Motty, puisque nous sommes entre hommes, je vais te parler comme un homme. Tu vois, il ne s'agit pas seulement de pénétrer ta femme avec ton pigeon…

— Mais qu'est-ce que tu racontes, rav Mourad, se fâcha Élie, tu ne parles pas comme un sage. Peut-être que tu abuses du zbib, de l'anisette, ou bien quoi ? Nous venons te demander une prière et toi tu nous parles de pigeon.

— Écoutez ! Écoutez-moi, enfin, espèce de bétail… Dieu vous a donné trois façons de comprendre : par la pensée, par le sentiment et par la raison. Je vous propose d'user de votre raison. Alors, si on veut savoir pourquoi une machine ne fonctionne pas, on se demande d'abord si on sait la faire fonctionner.

— Ça veut dire ?

— Alors maintenant, je m'adresse à toi. Motty, mon prince, mon pacha, de grâce, réponds-moi. Je te disais qu'il ne s'agit pas seulement d'entrer ton pigeon dans le secret de ta femme, il faut aussi bouger, le sais-tu ?

C'en était trop ! Ce rabbin qui voulait toujours faire appel à la raison, il aurait peut-être fallu vérifier qu'il en disposait pour son propre usage. Motty savait bien qu'il fallait bouger. Il était aveugle, mais pas demeuré. Et même que, lorsqu'il bougeait, Esther bougeait aussi, et il était toujours étonné de constater combien ils étaient à l'unisson, que le mouvement de l'un épousait celui de l'autre.

Il haussa les épaules et partit seul en pressant le pas. Élie le poursuivit en boitant. Et Mourad qui restait là, sur la rive, les bras ballants...

Le soir, tout le monde était au courant de la question qu'il avait posée à Motty. Et la discussion allait bon train. « On dit que c'est avec son mari 'afrit qu'Esther a des enfants, disait Doudou, le mari d'Adina. Et cet idiot qui est aveugle ne se rend compte de rien. » Élie répondait : « Motty est un hakham, c'est un sage, un vrai. Il est aveugle et voyant. Il voit mieux l'envers des choses que vous l'endroit. » Mais Doudou insistait : « Il faudrait que Motty donne le get à sa femme, qu'il la quitte. Ne pas avoir d'enfant, c'est la preuve d'un adultère. » Le get ? Comme ils y allaient ! Nous ne sommes quand même pas des pharaons pour répudier une épouse qu'on aime parce qu'elle ne nous a pas donné de descendance. Et Mourad ne parvenait pas à calmer les hommes qui emplissaient la ruelle de leurs grosses voix. Réfugié chez lui, Motty était assis par terre, la tête tournée vers le mur. Esther s'occupait comme elle pouvait, n'osant interrompre ce qu'elle prenait pour une méditation.

N'y tenant plus, elle s'agenouilla devant lui, embrassa ses mains.

— Motty, ô mes yeux, ô mon âme...

Il ne répondait pas.

— Pourquoi y attacher de l'importance ? Les hommes parlent. Et alors ? Sait-on toujours pourquoi les chiens aboient ? La plupart du temps ils ne le savent pas eux-mêmes.

Il finit par lâcher ces paroles qui restèrent gravées dans le cœur d'Esther :

— Ma sœur, ma douceur, qu'avons-nous fait pour qu'un tel malheur nous assaille, celui d'enfanter le néant ? Qui sommes-nous donc, nous qui avons reçu la vie et ne savons pas la donner à notre tour ?

Esther fut saisie par cette voix plaintive, à peine murmurée, qu'elle ne lui avait jamais entendue, comme si les souffrances qu'il avait traversées durant sa vie, ses humiliations d'aveugle, les pierres que lui jetaient les petits Arabes lorsqu'il marchait seul dans la ville, les moqueries des méchants et des peureux, étaient venues s'exprimer en une douleur, brute, totale... Son cœur se serra, mais elle ne pleura pas. Elle se crispa, au contraire, décidée. On ne lui prendrait pas son Motty. C'était sa vie, son âme et son nom. Elle se jura qu'elle trouverait les moyens d'avoir un enfant puisque c'était ce qu'il souhaitait, ce que toute la famille attendait. Pour cela, elle ferait n'importe quoi ; elle se rendrait même nue dans la synagogue, comme le fit Hanna, la mère du prophète Samuel, qui se désespérait de sa stérilité...

L'occasion de faire quelque chose (ses tantes dirent par la suite que c'était n'importe quoi), cette occasion se présenta le samedi suivant. Elle avait

64

accompagné Motty à la synagogue, mais n'y était pas entrée. Elle se tenait debout, contre le mur. Par les fenêtres ouvertes, elle entendait la voix de ténor de son mari qui initiait chaque strophe du psaume. Lorsque Motty chantait, on pouvait le savoir à des kilomètres car les milans venaient par dizaines se poser sur la coupole de l'édifice. Certains disaient que ce n'étaient pas des oiseaux, mais des âmes, celles des générations de Juifs d'Égypte enterrés à Bassatine, qui venaient réclamer leur retour à Jérusalem. Alors, lorsqu'on levait les yeux au ciel et qu'on voyait les milans descendre en planant harmonieusement au-dessus du Mouski, on se disait : « Aujourd'hui, Mordechaï Zohar s'est levé pour chanter. »

Esther se tenait à l'ombre, tête baissée, perdue dans ses sombres pensées. Passa une pauvre femme arabe, couverte, malgré la chaleur, de plusieurs couches d'étoffes sales, la tête enveloppée d'un large foulard. La femme s'approcha en tendant la main. Elle était accompagnée d'un jeune homme d'une vingtaine d'années, le pied nu, vêtu d'une galabeya déchirée, la tête couverte d'une drôle de petite calotte bariolée ; son fils, sans doute. Il semblait simple d'esprit ; de sa bouche toujours ouverte s'écoulait un filet de bave.

— Le pauvre... Il ne parle pas ? demanda Esther.

— Pas avec les enfants d'Adam, répondit la

femme, mais il a l'esprit vif, et méfie-toi, sa main est agile. Ne viens pas te plaindre qu'il t'a volée. Il a faim.

— Je n'ai rien. Tu sais que le jour du shabbat, nous autres Juifs ne transportons jamais d'argent sur nous. Mais je vais lui donner le pain aux fèves que j'ai préparé pour mon mari.

Et Esther l'offrit au garçon. Il s'empara délicatement du paquet enveloppé dans un vieux journal, le renifla, s'en caressa le visage.

— Tu peux ! lui dit sa mère. Prends-le !

Les yeux du jeune homme brillèrent de joie, deux grands yeux clairs, soulignés de noir, comme ceux d'une gazelle. Il mangea le pain. La femme prit les mains d'Esther.

— Que Dieu bénisse tes mains, ma sœur ! Le pain est la chair des plantes et les fèves que tu as données à mon fils seront autant d'enfants que Dieu t'accordera.

— Hélas ! se plaignit Esther. Voilà sept ans que j'ai connu mon époux et mon ventre reste triste jusqu'aujourd'hui.

— Oh, la pauvre ! répondit la femme. Sais-tu seulement comment on m'appelle ?

— Dis-moi ton nom, que ton jour soit de lumière.

— Sett Oualida, « Madame Maman », c'est ainsi qu'on m'appelle, parce qu'il me suffit de regarder la bufflonne et je n'ai pas encore tourné le dos que déjà la voilà pleine. Je connais les plantes, les pierres et les paroles qui font venir les enfants ; je connais aussi les gestes qui les font repartir. C'est pourquoi on m'appelle « Madame Maman », moi qui préside à la venue des enfants lorsqu'on les souhaite ; à leur départ, lorsqu'ils sont venus pour empêcher la vie. Les gens me craignent et colportent de mauvaises paroles. Il ne faut pas y prêter attention. Ils m'accusent d'être une sorcière. Ne les crois pas ! Je délie les ventres et je sais aussi dénouer les lacets des bourses des maris. Regarde !…

La femme souleva le bas de sa robe, exhibant ses cuisses au regard d'Esther méduseé.

— De tous les enfants qui sont passés par ce ventre, il ne me reste que celui-là…

Elle laissa retomber sa robe et tira l'oreille du jeune homme, qui fit une grimace.

— Lorsque je passe près de Bab el Zouweila, le quartier qui m'a vue naître, les mamans disent aux enfants : « Voici la Baboula qui va vous emporter et vous dévorer. » À ma vue, les enfants courent se cacher. Tu te rends compte comme ils sont injustes, moi qui suis la reine des enfants, qui leur donne leur âme (le mot arabe signifie aussi « l'envie ») et qui la fais repartir.

Esther observa plus attentivement la femme. Elle était grande comme un homme, la peau foncée des gens du Sud. Une certaine douceur émanait de son visage. Esther eut confiance en sa parole. Elle se dit : « Dieu a répondu à mes supplications. Il ne veut pas qu'une âme pure comme celle de Motty soit envahie de tristesse. »

— Tu peux faire quelque chose pour moi ? demanda-t-elle.

Le marché fut vite conclu. Esther viendrait la retrouver là-bas, dans son monde. Sett Oualida vivait dehors, dormait sous les porches et passait ses journées à déambuler dans la vieille ville.

— Tu me trouveras devant l'atelier d'un fabricant de matelas. Les artisans me donnent parfois une bouchée de pain ; parfois je les aide à nettoyer le coton.

Esther devrait rapporter sa robe et son mandil, son mouchoir de tête. La femme lui promit qu'il ne se passerait pas une année avant qu'un garçon vienne reposer contre ses seins. À ces mots, le jeune homme posa son visage contre la poitrine de sa mère. La femme regarda alentour. La ruelle était vide. Tous les Juifs priaient à l'intérieur de la synagogue et les Arabes évitaient de passer par là le jour du shabbat. D'un geste, elle sortit un sein. Il était gros et ferme, l'aréole presque noire, le téton proéminent. Le jeune homme y posa délicatement les lèvres. Puis il se mit à le sucer en fermant les yeux. Dans la synagogue, on entamait la lecture du Cantique des cantiques. C'était le passage : « Tes deux seins sont comme deux faons, les jumeaux d'une gazelle qui paissent parmi les lys… »

— Presse-toi, idiot ! lui dit sa mère, accompagnant sa recommandation d'une petite tape sur sa tête.

Esther restait interdite, contemplant la scène, qu'elle ne cherchait pas à comprendre. Après tout, lorsque l'ânon tète sa mère, il est debout et vigoureux comme l'est ce jeune homme.

Après quelques minutes, la femme repoussa son fils et recouvrit son sein.

— Dieu donne à chacun, dit-elle. Heureux sont ceux qui acceptent ses présents. Je peux lui assurer le paradis cinq fois par jour, lui qui ne sait pas prier.

Elle repartit en boitant légèrement, appuyée sur le bras du jeune homme, laissant planer derrière elle un fort parfum de musc.

— Que ta journée soit pour le bien ! lui lança Esther.

Sans se retourner, la femme répondit :

— Que notre père te garde, ô ma sœur !

Déjà, les enfants commençaient à sortir de la synagogue.

Bab el Zouweila

Le lendemain, à l'heure de la lessive, n'y tenant plus, Esther relata sa rencontre à ses trois tantes. Maleka, à la langue pendue, s'écria :

— Je la connais, cette sorcière ; elle s'appelle Khadouja. Gare si tu l'approches ! Elle dévorera tous tes enfants, malheureuse.

Les sorcières ne sont pas assez bêtes pour manger l'absence, pensa Esther, et elle haussa les épaules. Adina, la perfide, lâcha une de ces paroles empoisonnées dont elle avait le secret :

— Va donc la voir ! L'enfant qui te viendra sera comme le sien. On dit que le jour elle le nourrit de son lait et que la nuit c'est lui qui la nourrit de sa semence.

Et elle se mit à glousser en enfouissant son visage dans le creux de ses mains. Il n'y eut que

Tofa'ha, la plus jeune, pour soupirer, compréhensive :

— Les enfants naissent de la victoire sur les forces du mal. Si la médecine des Juifs n'a pu libérer l'enfant qui t'est destiné, peut-être celle des Arabes parviendra-t-elle à ouvrir ton ventre...

Esther sourit alors, pénétrée par cette parole. Elle se sentit confortée. Il lui était souvent arrivé de penser : « Nous vivons près des Arabes comme un homme vivrait près de son foie. Leur Coran contient nos histoires et notre bouche est emplie de leur langue. Pourquoi ne sont-ils pas nous ? Pourquoi ne sommes-nous pas eux ? » Elle lui demanda :

— Tu viendras avec moi, ma tante ?

— Est-ce que je laisserais ma fille, la fille de ma sœur aînée, seule face à une bête sauvage à Bab el Zouweila sans même lever le petit doigt ? Bab el Zouweila...

Et elles éclatèrent de rire toutes les quatre, tant le mot « Bab el Zouweila » leur était agréable à l'oreille.

Il se passa encore quinze jours avant que Tofa'ha, un matin, ne vînt chercher sa nièce, lui rappelant de prendre avec elle, comme le lui avait recommandé Sett Oualida, une robe et un mouchoir de tête.

Tout près de la porte de la tribu Zouweila, elles la trouvèrent assise par terre, le dos appuyé contre le mur d'un des minarets. Son fils dormait à même le sol, la tête sur les genoux de sa mère. Elle fredonnait sans cesse les mêmes paroles d'une chanson qui débutait par ces vers : « L'amour m'a-t-il trompée qui me le fait espérer chaque jour, et me fait rêver de lui chaque nuit ? » Lorsqu'elle aperçut Esther, elle secoua son fils. Il s'écarta vivement, se protégeant le visage de son bras. Il connaissait l'agilité de la main de sa mère. Et la femme invita les deux Juives à prendre place sur le chiffon sale, comme s'il s'agissait de fauteuils dans un salon bourgeois.

— Que votre jour rayonne de lumière !

— Que ton jour ait la blancheur du jasmin ! répondit Tofa'ha. Je t'ai apporté du gâteau de semoule au miel pour ton fils.

— Mon fils, cet âne, connaît-il autre chose que le plaisir de sa bouche ?

Esther perçut des étincelles dans le regard du gamin. Elle se souvint des paroles de sa tante Adina et se demanda si c'était seulement l'évocation du gâteau ou bien s'il pensait à d'autres plaisirs moins avouables.

— Ton fils, que Dieu le garde, nous ne connaissons pas son prénom.

— Est-ce qu'il le connaît lui-même ? s'exclama la mère. Pour moi, c'est Nadji. Allez savoir comment l'appellent ceux à qui il parle en dormant.

Elles devisèrent ainsi un moment, à l'ombre des

deux minarets qui gardaient l'entrée de la ville sainte des musulmans, parlant de familles qui n'existaient pas, d'un passé qu'elles imaginaient, d'un avenir qui n'arriverait jamais. Philosophie de l'instant, qui sait que la parole est libre de signification. Parole pour laisser dériver le temps, parole pour respirer, pour prendre sa part dans la cacophonie de la ville. Lorsque la conversation sembla s'épuiser, Tofa'ha tira d'un pli de sa robe le mandil d'Esther et le tendit à Khadouja.

— Voici ce que tu nous as demandé.

— Elle a dormi avec ce mouchoir sur la tête ?

— Oui !

— Et la robe ?

— La robe nous l'avons aussi ! répondit Tofa'ha en désignant le paquet qu'Esther portait sous le bras.

La femme prit le mandil et le saupoudra d'une poussière rougeâtre tirée d'une boîte de métal rouillé. Puis elle frotta une allumette et y mit le feu. L'étoffe crépita en projetant des étincelles multicolores.

— Regardez ! disait la femme. Les couleurs…

Les flammes changeaient sans cesse de couleur, passant du bleu au rouge, quelquefois jaunes, quelquefois vertes, aussi. Un véritable feu d'artifice. Puis Khadouja jeta le mouchoir sur le sol et il se mit à avancer en crépitant. On aurait dit un animal, une sorte d'araignée, qui rampait en direction d'Esther.

— Oh maman ! sursauta Esther qui fit un bond en arrière.

Le feu s'était consumé et l'étrange chose, affaissée. Il ne restait qu'un petit tas carbonisé. Esther s'approcha et lorsqu'elle avança la main, le feu reprit soudain. Elle recula vivement. Et la chose finit de se consumer jusqu'au dernier fil en dégageant une odeur nauséabonde.

— Vous avez vu ? demanda Khadouja la sorcière.

Les deux autres la regardaient les yeux ronds.

— Vous avez vu, n'est-ce pas ?... Ils sont sept ! Et ils ont un chef. Je le reconnais, celui-là (et elle ricana) : à son odeur... Il s'appelle Nofal le rouge. C'est pourquoi il nous faudra une plaque de cuivre.

Lorsqu'elles revinrent à 'Haret el Yahoud, la tante et sa nièce n'en menaient pas large. Aux questions des deux autres tantes, elles répondaient évasivement, n'osant raconter leur expédition. La vérité était qu'elles avaient eu peur des étranges propositions de Khadouja. Elles avaient honte, aussi, de révéler leur naïveté au grand jour. Elles lui avaient laissé la robe. Qu'allait faire Khadouja ? Tout le monde sait qu'il est facile de jeter un sort sur un vêtement encore imprégné de la personne. Le remède qu'elles étaient parties chercher n'allait-il pas se révéler pire que le mal ? Si les hommes apprenaient où elles étaient allées, ce qu'elles avaient fait, ils administreraient une belle correction à la mendiante et à son demeuré de fils. Elles gardèrent le secret.

La nuit qui suivit, Motty sentit une odeur étrange qui provenait de la cuisine. « Va donc vérifier s'il n'y a pas un rat crevé dans la poubelle... » La poubelle était vide ; tout était parfaitement propre. Esther lava cependant le sol à grande eau. Elle brûla ensuite de l'encens. Mais l'odeur persista. Le lendemain, ce fut pire encore. La nuit suivante, un feu se déclara soudain dans les toilettes de Tofa'ha, un feu bizarre où l'on ne distinguait pas ce qui brûlait, comme si l'air lui-même s'était enflammé. Le jour suivant, lorsque les femmes montèrent étendre le linge, des pierres s'abattirent sur la terrasse, qui ne provenaient de nulle part, comme si elles tombaient du ciel. Chaque jour, chaque nuit, un nouveau phénomène apparaissait, tantôt chez Esther, tantôt chez Tofa'ha. Les objets les plus usuels disparaissaient, les ustensiles de cuisine, notamment... Les gargoulettes, ces petites amphores de terre dans lesquels on laissait l'eau se rafraîchir, se vidaient mystérieusement de leur contenu. Un matin, lorsque Tofa'ha voulut enfiler ses babouches, elle perçut une sensation étrange. Elles étaient devenues immenses au point qu'on aurait pu y loger deux pieds dans chacune. Les phénomènes se répétaient ainsi, jour après jour. L'eau remontait des siphons, les portes et les fenêtres s'ouvraient à l'envers, les verres se

brisaient seuls, sans que nul ne les approchât...
Au bout d'une semaine, n'y tenant plus, les deux
femmes s'entretinrent enfin. Jusque-là, elles
n'avaient pas échangé une seule parole au sujet des
recommandations de Khadouja.

— Il nous faudra bien y retourner, bredouilla
Esther.

— Elle a dit : « le premier soir de la lune ».

— C'est demain !

*

Elles s'y rendirent au crépuscule. Elles entendirent le chant de loin...

« Ô la beauté, la langueur de la nuit. J'ai vu son
sein à la lueur de la lune. Et son visage se reflé-
ter dans l'eau du Nil. Ô Nofal, ô Nofal, ô Nofal...
Rouge, ta couleur est ta force ; c'est le guide de nos
vies. »

La voix sortait de nulle part, une voix d'homme,
puissante, profonde, au timbre parfait, en un
moment de musique absolue. Et la note durait,
seule, *a cappella*, des minutes entières... « Ô... Ô
Nofal, ô Nofal, ô Nofaaaa... » Soudain, la voix se
tut, laissant dans l'espace un vide inquiet. Et ce fut
la tanbura, la lyre traditionnelle à six cordes, qui
égrena la mélodie avec virtuosité... Puis le rythme
battu dans des dizaines de mains, et bientôt, à
contretemps, les tarabokas, les tambours – les

graves d'abord, le grand bendir, puis la tabla villageoise. Arriva le second rythme, des taks et des doms des tablas, puis le cliquetis des crotales, et les voilà embarqués. Une caravane qui s'ébranle, le rythme lancinant des chameaux, le mouvement des cavaliers sur les selles. Et lorsque le rythme se fut installé, la voix revint, un peu éraillée, souffrante, aussi, celle d'un travailleur, d'un paysan qui, au déclin du jour, se plaît à honorer sa terre et à chanter sa mystique... « Ô Nofal, ô Nofal, ô Nofal... Ô Nofal, ô Nofal, ô Nofal... J'ai vu la lune éclairer sa poitrine... Une telle beauté n'existe que dans les rêves. »

En capturant les paysans à ses mirages, la ville du Caire engendrait des milliers de poètes nostalgiques dont les pleurs sortaient à la lune, comme les nuées de moustiques, escortés d'invisibles chameaux. C'est ainsi, dans leurs chants aux esprits, que les paysans du Nil supportaient la ville où la misère les avait conduits ; c'est ainsi que la ville tirait sa force du limon millénaire.

La femme, Khadouja, la sorcière, celle qu'on appelait Sett Oualida, « Madame Maman », les avait conduites dans une cour, une sorte de patio. Une trentaine de femmes s'affairaient en tous sens. Contre le mur, une dizaine de musiciens, debouts, accordaient leurs instruments. Aux quatre coins brûlaient des torches.

Ce soir, Khadouja était presque élégante, entièrement vêtue de noir. La nuit, la mendiante se transformait en vestale. Elle avait souligné ses yeux d'un trait de khôl. Ici, elle était l'assistante de la kudiya, la maîtresse de cérémonie, une vieille aux bras musclés, plus forte qu'un homme. Lorsqu'elles franchirent la porte de la cour, la kudiya montra Esther du doigt et demanda d'une voix qui semblait celle d'un homme :

— C'est elle qui voit, qui touche et qui retient ?

— Ta parole est douceur, ô toi qui gouvernes ! répondit Khadouja.

Et la kudiya mesura Esther. Elle parcourut son corps d'un bâton, long d'une coudée, en donnant des chiffres… cinq, puis sept, douze et enfin dix. Elle déploya la robe que Tofa'ha avait confiée à Khadouja une semaine auparavant et qui avait visiblement été préparée, parfumée. Elle ordonna :

— Enfile ce vêtement. Nous allons lire les signes…

Ah, lire les signes !… Chercher dans les substances impalpables, dans l'air qui brûle, dans le rythme des tambours, dans les pas des danses, les traces laissées par les invisibles… C'était cela, lire les signes !

C'est alors que la kudiya leva la main en direction des musiciens et que la voix de l'homme, un paysan sans âge en galabeya rayée, s'éleva à nouveau en imposant le silence.

« Aaaaa… Ô Nofal, ô Nofal, ô Nofal… Ô Nofal,

ô Nofal, ô Nofal… Ceux qui descendent sont heureux dans les profondeurs ; ceux qui montent s'épanouissent dans le ciel. Comme elle est belle, ses yeux noirs comme ceux du faon. J'ai vu la lune éclairer sa poitrine. Chaque maître de cérémonie possède sa propre vision. Aaaaah… Ô Nofal, ô Nofal, ô Nofal… »

C'est ainsi que débuta la danse, la transe, la cérémonie des présences. C'est ainsi que débuta le rite aux seigneurs, ceux qu'on appelait parfois les « zars »… Une première femme s'élança au milieu de l'assemblée. Ses pieds volaient, guidés par les tambours. Sa masse avait disparu par enchantement. Elle était devenue vent, odeur, essence… Khadouja se glissa derrière elle, ses pieds s'accordant au rythme de la danseuse. Lorsqu'elle la vit haleter, la sentant prête, elle recouvrit sa tête d'une étoffe noire. La femme se mit à tournoyer au rythme des instruments. Un joueur de taraboka s'avança en un interminable solo. Et les musiciens de l'accompagner de leurs cris : « Joue, mon fils, joue encore ! » Les femmes poussèrent des youyous. Et la danseuse accélérait son pas en tournoyant. Une strophe vint alors au chanteur. Il ne s'agissait pas de ce qu'ils nommaient les « moments », les chants déjà connus, répétés semaine après semaine, mais d'une improvisation :

« Regarde, Abdallah, la beauté qui surgit de

la femme et se répand sur le monde… Joue, joue encore ! »

Et les musiciens lui répondirent en chœur :

« Donne-moi la beauté, donne-la-moi ! Je joue pour toi jusqu'au bout de la nuit. Donne-moi la beauté, que je jette son voile sur la terre. Chaque maître de cérémonie possède sa propre vision… Aaaah… »

Et la femme tomba. Elle était étendue face contre terre, prise de soubresauts. Les autres femmes s'approchèrent tout en dansant, lui caressèrent la tête, le dos, avec tendresse. Elles l'aidèrent à se relever et l'emmenèrent hors du cercle. Elles la conduisirent dans une autre cour où elle put reprendre son souffle, choyée par les mains des femmes.

Nuit des présences, nuit des folies. Une deuxième femme s'avança alors. Celle-ci était bien plus jeune. Sa petite robe légère trempée de sueur laissait voir ses formes mieux que si elle avait été nue. La voix du premier chanteur reprit le refrain : « J'ai vu son sein à la lueur de la lune… » Elle aussi dansa ; les musiciens essayèrent des couplets, les tambours rivalisèrent de virtuosité. Elle aussi finit par tomber. Sa voix était grave, la voix des vendeuses de légumes au marché. Elle se roulait au sol en appelant : « Ô Nofal, ô Nofal, ô Nofal… » Et les musiciens répondirent : « Aaaaah… Tu t'es mariée aux ténèbres de la nuit et tu as approfondi la noirceur de tes yeux. » Elle se roula au sol, grogna, déroula des phrases incompréhensibles. Les vieilles vinrent l'extraire du centre pour la porter, presque inconsciente, dans l'arrière-cour.

Ce soir, elles furent plus de dix à tomber successivement pour Nofal, à être baignées des paroles des musiciens, à offrir leur voix aux esprits. La musique les avait conduites au mitan de la nuit et les âmes des humains s'étaient assemblées en un être composite, à la sensibilité exacerbée. Elles n'étaient pas plusieurs ; elles n'étaient plus chacune ; ensemble, confondues, elles étaient devenues Nofal ! C'est lui qu'on sentait vibrer, bondir, sentir, jouer... Nofal était leur assemblée et s'il prenait possession de chacune, il résidait dans leur danse, dans leur musique. Nofal était présence ! Et lorsque chaque son, chaque respiration, chaque parole fut devenue rite, Esther se mit soudain à trembler. Ses bras tremblaient, son ventre tremblait, sa bouche tremblait aussi et un étrange sourire éclairait son visage. Sa tante la saisit par les épaules pour la retenir. Mais elle se dégagea d'un geste et fila à son tour au milieu de l'assemblée. Les musiciens quittèrent leur mur et s'approchèrent de la novice.

« Chaque maître de cérémonie possède sa propre vision. Ô Nofal, ô Nofal, ô Nofal... Aaaaah... La beauté a quitté le rêve. Elle a mis un pied sur la terre. Viens à moi, ô la beauté, viens à moi. Toi qui ressembles aux esprits de la nuit. Toi qui as la grâce de la gazelle. Ô Nofal, ô Nofal, ô Nofal…»

De sa vie, Esther n'avait jamais dansé, mais ce soir, la musique s'empara de ses pieds, de ses hanches, de son ventre. «Non!» s'écriait la tante Tofa'ha qui, à chaque tour, tentait de la saisir, de l'extraire du cercle enchanté. Rien à faire! Esther se dirigea vers le mur des musiciens, s'approcha du joueur de lyre, lui arracha la cigarette qui pendait au coin de ses lèvres et, la portant à sa bouche, aspira une longue bouffée. Les hommes grognèrent. L'un d'eux s'écria: «Ô le vaillant! Ô le seigneur…» Et cette fois, ils avaient utilisé un mot ancien. Lorsqu'ils utilisaient le mot «seigneur», c'était dans le sens de «maître de la nuit», de «maître du caché»… Les zars descendaient visiter les vivants.

Les femmes poussèrent des youyous. «Ô Nofal, ô Nofal, ô Nofal…» Les solos de taraboka se succédaient, vertigineux, calmés à chaque fois par la voix posée du premier chanteur qui, indéfiniment, invoquait Nofal, réclamant sa présence, lui à qui l'on offrait la beauté des femmes. Esther tirait encore sur la cigarette. Puis elle fut prise d'un mouvement d'avant en arrière, jetant ses cheveux contre sa nuque, les ramenant en avant jusqu'à lui cacher la vue, en avant, en arrière, en avant, en arrière… Le joueur de taraboka s'avança, adopta d'abord son rythme, l'accompagna quelques minutes avant de l'accélérer. Esther avançait d'un pas, se jetait en avant, reculait, se jetait en arrière. Ses cheveux accompagnaient le mouvement des flammes de la torche.

« Regarde comme elle jette ses yeux, la fiancée ; comme ses yeux jettent des flammes, la fiancée. Je chante, je chante, je chante, jusqu'au matin des amoureux. Je chante, je chante, je chante, pour le plaisir dans leurs yeux. »

Et l'ensemble des musiciens reprit en chœur :

« Chante, chante, ô chante, l'amour des fiancés. Ô Nofal, ô Nofal, ô Nofal… C'est la première fois qu'ils se voient avec leurs yeux. Ô la beauté, la beauté, la beauté… »

À ces mots, Esther fila jusqu'au coin de la pièce, se saisit de la torche, qu'elle brandit devant elle tout en dansant. Elle tournoyait, maintenant toupie, devenue flamme, au point que l'on ne pouvait distinguer ce qui provenait du feu de ce qui brillait dans les reflets de ses cheveux. Elle approchait la flamme de son visage à le toucher. Tofa'ha agrippa le bras de Khadouja :

— Tu ne vas pas la laisser se brûler, fille de rien !

Khadouja se glissa alors derrière Esther et, doucement, lui retira le feu des mains. Puis elle étendit, au-dessus de sa tête, un foulard rouge qu'elle laissa flotter comme un étendard. Les mouvements

83

d'Esther se firent plus évocateurs. Son bassin se mit à onduler ; elle ahanait en poussant de petits cris.

« Je chante, je chante, je chante, jusqu'au matin des amoureux. Je chante, je chante, je chante, pour le plaisir dans leurs yeux. »

Les mouvements de ses hanches devinrent de plus en plus rapides, saccadés, suivant le rythme des tambours. Et tout son corps se mit à trembler comme si elle avait été traversée par un courant électrique. Et elle s'affaissa sur le sol en soupirant. Khadouja la recouvrit de l'étoffe rouge. Et les hommes poussèrent des cris en chœur, comme s'ils pleuraient :

« Ay, ya, yay ; Ay, ya, yay ; Ay, ya, yay. On a jeté le temps. On a perdu l'éternité. Ô Nofal, ô Nofal, ô Nofal… Ô la beauté, la beauté, la beauté… »

Les musiciens s'interrompirent tout net. Le silence voleta un moment avant de tomber sur l'assemblée comme une étoffe. Au centre, Esther, étendue sur le sol, respirait avec peine, essoufflée. Malgré la chaleur brûlante, elle semblait trembler de froid, ou de fièvre. Les femmes s'avancèrent, une à une, pour déposer des voiles sur son corps, des voiles rouges, quelques jaunes, aussi. Khadouja approcha le brasero où fumait l'encens et parcourut le corps d'Esther de sa fumée. La kudiya, la maîtresse, assise dans son vieux fauteuil de bois comme en un trône, fit un signe à Tofa'ha, qui vint auprès d'elle. Elle lui parla à l'oreille.

— Tout cela, vois-tu, provient d'une erreur très ancienne. Le sultan des djinns, amoureux de la fille du pharaon, voulait l'épouser. Il demanda sa main à son père. Mais le pharaon refusa de laisser partir sa fille dans le royaume des djinns. Alors, le djinn prit possession du corps de la fille. Il n'accepta d'en sortir que si on lui organisait une nuit, comme celle à laquelle tu viens d'assister. Et plus le pharaon lui offrait de cadeaux et plus le sultan des djinns l'honorait, mais repoussait toujours plus loin la délivrance de la jeune fille.

Tofa'ha écoutait ce récit les yeux écarquillés, ne sachant l'accepter, ne pouvant le contester.

— Donne-moi de l'argent !

— Combien ? demanda Tofa'ha.

— Ce que tu as ! Qu'importe !

Tofa'ha tendit les quelques pièces qu'elle tenait serrées dans un pli de sa robe. Ce n'était pas grand-chose, à peine de quoi acheter quelques galettes de pain. La kudiya se leva, tourna l'argent sept fois au-dessus de la tête d'Esther et s'en fut l'offrir aux musiciens. Les femmes poussèrent des youyous.

C'était le premier soir.

Dans les semaines qui suivirent, Tofa'ha accompagna Esther à plusieurs reprises à Bab el Zouweila pour d'autres rituels de danse. Chaque fois, Esther tombait plus tôt, plus vite ; chaque fois, sa danse était plus belle. Elles n'en parlaient pas. Jamais elles n'évoquaient ensemble les gestes impudiques des danseuses, les chansons à l'érotisme endiablé, les regards des musiciens chargés de désir ni l'ambiance de feu qui les pénétrait jusqu'au tréfonds. Elles partageaient un secret dont elles avaient honte et dont pourtant elles tiraient fierté. Elles avaient certes la sensation de transgresser les limites de leur communauté, celles de la bienséance, aussi, mais la certitude d'agir pour le bien.

Un soir, elles trouvèrent la cour vide de musiciens. Elles entendaient seulement le bruit répété d'un marteau qu'on frappait en cadence. Un homme roux, à la longue galabeya blanche, un turban sur la tête, se tenait dans un coin, devant un feu qu'un jeune assistant animait avec un soufflet. Il travaillait une plaque de cuivre en transpirant. Esther et Tofa'ha reculèrent, effrayées.

— Ne crains rien, dit la kudiya à Esther. Ce soir, je vais te délivrer !

Et ce soir-là, on lui scella à la cheville un bracelet de cuivre, semblable, sans doute, à celui que l'on fixait en un temps révolu aux pieds des esclaves. La kudiya ne lui expliqua pas comment un bracelet d'esclave libérait les captives des zars. Elle ne lui fit aucune recommandation. Elle prononça seulement des bénédictions musulmanes accompagnées de mots qui lui étaient inconnus, des mots des villages du Sud, probablement. Au milieu des phrases en arabe, Esther reconnut « Au nom de Dieu », bien sûr, « le miséricordieux qui accorde sa miséricorde », aussi... et une autre phrase : « La fiancée est entrée dans la maison du seigneur... » Une phrase qui résonna en elle et s'inscrivit à jamais dans sa mémoire.

De retour dans la ruelle aux Juifs, Esther dissimula son bracelet de cheville, son kholkhal. Elle prit l'habitude de porter de longues robes qui recouvraient ses pieds. Mais un tel objet ne pouvait longtemps rester caché. Il y avait le 'hammam, où les femmes se retrouvaient longuement, souvent entièrement nues, s'examinant l'une l'autre, se massant, aussi, se coiffant, s'épilant.

— Oh, ma chère..., siffla Adina qui le remarqua la première, un bijou arabe. Excuse-moi, chérie, mais moi, je le trouve vulgaire. Si ton mari le voyait...

Esther haussa les épaules avec mépris. Motty avait immédiatement senti le kholkhal. Il l'avait parcouru de ses doigts et ne lui avait fait aucune remarque, ne lui avait posé aucune question. Il avait sans doute compris sa nécessité puisqu'il lui avait murmuré à l'oreille : « Lorsque naîtra notre garçon, je t'offrirai sept bracelets d'or. » Et cette nuit, ce fut comme la première nuit. Il la caressa longtemps, lui murmurant les mots qui parlaient au ventre. « Ma beauté, mes yeux, lumière de mes jours, douceur de mes nuits... » Et, lorsqu'elle se laissa glisser entre ses doigts, des couplets de Bab el Zouweila sautillaient dans l'âme d'Esther. «Chante, chante, chante, jusqu'au matin des amoureux…» Cela, pensait-elle, non ! Elle ne pourrait jamais lui raconter.

Sa tante Maleka prit un air grave pour lui adresser des remontrances. Elle connaissait ce type de bracelet, ce n'était pas un simple bijou, elle le savait bien. Elle voulait le lui dire, mais pas devant les autres femmes, c'était trop grave. Savait-elle comment les Juifs appelaient ce qu'elle avait fait, dans ce ramassis d'ordures qu'était Bab el Zouweila ?… Parmi ces saletés, ces filles de rien… Non ! Elle ne le savait pas, parce qu'elle était une ignorante. Et elle ajouta, sentencieuse : «Comme disent nos sages, c'est par les ignorants que la méchanceté entre dans la famille…» Eh bien, elle allait lui apprendre à cette illettrée. Ce qu'elle avait fait portait un nom :

— On appelle cela : «le service aux dieux étrangers». Et c'est 'haram, c'est péché. Tu ne comprends pas. C'est grave, très grave. Il faudra que je pose la question au rav Mourad. Peut-être connaît-il la façon de se purifier après une telle ignominie…

Esther baissait les yeux, parce qu'il convient de respecter sa tante, la sœur de sa mère, mais elle ne se sentait pas coupable. Quant à Mourad, elle n'avait rien contre lui. Elle l'appréciait, au contraire, lui qui avait su la défendre durant ses crises d'adolescente, empêcher sa famille de la rejeter en la traitant de folle. Mais enfin, le rav Mourad n'était pas une femme ! Lorsque Dieu veut envoyer une âme sur terre, ce n'est pas au rabbin qu'il s'adresse, mais au ventre des femmes. Alors, il aura beau lui expliquer qu'il faut ceci, qu'il ne faut pas cela… Pour guider un cheval, il faut d'abord le chevaucher. Cette phrase qui lui était venue, elle ne savait d'où, lui semblait de bon sens. C'est donc ainsi qu'elle répondit à sa tante :

— Pour guider un cheval, il faut d'abord le chevaucher.

Qui sait ce que comprit la tante Maleka ; sans doute y perçut-elle une allusion sexuelle car elle retourna une gifle à Esther.

— Fille de putain ! s'écria-t-elle. Ces choses-là n'existent pas dans notre famille.

La dispute s'envenima. D'autres femmes s'y mêlèrent, qui toutes soutenaient la tante, à l'exception de la vieille 'Helwa.

— Vous avez une voix, c'est certain, dit la grand-mère, et vos langues s'agitent dans vos bouches. Mais y a-t-il seulement une raison qui les dirige ? Regardez-moi ! Quelqu'un m'a-t-il jamais reproché de servir les dieux étrangers ?

Les autres se turent, interloquées. 'Helwa souleva sa robe et agita son pied gauche. Un kholkhal enserrait sa cheville, mais il n'était pas de cuivre brut comme celui d'Esther... de cuivre aussi, mais ouvragé, avec des motifs en or, rougis par le temps.

— Regardez ! Moi aussi, j'ai participé à des cérémonies de présence.

— Toi, ô ma grand-mère ! s'exclama Esther. Tu as aussi dansé avec les tambours ?

— Je m'y suis rendue longtemps, durant des années.

— Mais pourquoi ?

— Pour rien ! mentit la vieille. On se sent mieux quand on a dansé, c'est tout. Mais je n'y suis pas retournée depuis la naissance de Tofa'ha. Tu vois, ça fait longtemps...

Et 'Helwa esquissa un pas de danse pour montrer que son corps s'en souvenait encore.

— Chante, chante, chante..., fredonnait-elle.

Esther sourit en reconnaissant la mélodie qui trottait dans sa tête depuis des semaines.

Malgré ce coup de théâtre, Maleka ne lâcha pas prise. Elle traîna sa nièce chez le rabbin. La vieille les accompagnait.

— C'est certain ! dit Mourad, c'est certain ! La danse avec les tambours, les feux et les couleurs, ah oui ! C'est bien un « service aux dieux étrangers ». C'est même le pire de tous. Puisque, en hébreu, pour désigner cet acte impie, nous disons : *'avoda zara*. Et vous savez comment se nomme cette cérémonie à laquelle a participé Esther ?

— Le zar ! répondirent les trois femmes d'une seule voix.

— Le zar ! Que Dieu nous préserve… Le zar, exactement ! Zar… zara… vous comprenez que lorsque nos sages ont défini les dieux étrangers, ils ont utilisé le mot « zara » parce qu'ils avaient le zar à l'esprit. Car pour eux, de tous les dieux étrangers, le zar était le plus étranger.

Les trois femmes, impressionnées par la limpidité du raisonnement du rabbin, hochèrent la tête d'un air entendu. Mais, après un temps, elles se sentirent manipulées. 'Helwa réagit la première.

— Et dis-moi, mon fils, lui demanda-t-elle en le toisant, si on sert le dieu étranger, hein… qu'est-ce qui devrait nous arriver, ça veut dire ?

— Ah… hésita Mourad, si l'on se fie à ce qui est écrit dans la Torah, la personne qui a commis une telle monstruosité sera retirée du sein de son peuple…

— Oh, mon petit ! Retirée du sein de son peuple… ça veut dire… retirée ?

— Ça veut dire… oui ! Elle va partir et ne pas revenir. Mourir, même, peut-être…

— Ah oui… ! ricana encore la vieille avant de se fâcher. Que ta mère te retire du sein de ton peuple, fils de chien !

— Ô mère ! se lamenta Maleka. On ne peut parler ainsi au rabbin.

— Et que sa mère aille le rejoindre dans la

géhenne où ils brûleront tous les deux pendant mille ans ! On ne peut pas ?... Pourquoi on ne pourrait pas ? Est-ce qu'il a une jambe de plus que nous ? Et de son cul, est-ce qu'il sort des pétales de rose ? Tu les as vus, peut-être ? Moi, je te dis que celui-ci, dans son cul, il y a un couteau...

Mourad était jeune et ne connaissait pas encore l'intensité du vocabulaire des habitants de la ruelle aux Juifs. Mais il comprit qu'il devenait urgent de recourir à quelque diplomatie.

— Attendez ! s'écria-t-il... Attendez !

— Dans son cul, il y a un couteau, je te dis, insistait la vieille. C'est pour ça qu'il ne peut ni s'asseoir ni rester debout.

— Mais laissez-moi parler, enfin !

— Oui, laisse-le parler, ô grand-mère ! intervint Esther.

— Il y a des exceptions, bien sûr ! commença le rabbin en se contorsionnant.

— Des exceptions... ça veut dire ?

— Ça veut dire des exceptions !... Lorsqu'il s'agit de se soigner, par exemple.

— Ah... ha ! chantonna la grand-mère.

— Mais oui ! Lorsque quelqu'un est malade et qu'il est avéré que les remèdes connus ne lui font aucun bien, il est autorisé à recourir aux dieux étrangers. Mais seulement pour se soigner, hein ? Vous comprenez ?

92

— Et non pas pour aller faire la… (Maleka ne retrouvait pas le mot) la… la putain du zar.

— Tais-toi, espèce de guenon ! la reprit sa mère, choquée par l'expression.

— N'as-tu pas dit « se soigner » ? demanda Esther au rabbin.

Elle lui rappela alors qu'elle l'avait consulté à plusieurs reprises pour qu'il lui fabriquât une amulette ou même qu'il prononçât une prière afin de lever la tristesse qui affligeait son ventre. Et il avait répondu – s'en souvenait-il – que Dieu seul pouvait donner un enfant, certainement pas le savoir des hommes. Son mari lui-même, le pauvre, et malgré sa cécité, s'était humilié devant lui, lui avait baisé les pieds – c'est une façon de parler, bien sûr ! – et cet homme au cœur de pierre, « comme s'il était né dans l'île de Gezirah, ou dans l'île de Roda, ma chère », n'avait pas fait un geste… Non ! Il a dit quoi ? Vous savez ce qu'il a dit à Motty, le pauvre ? Il lui a dit de bouger ! Les mouvements, qu'il avait dit, comme si se gratter pouvait guérir une démangeaison…

La vieille 'Helwa se fit soudain plus conciliante.

— Alors, proposa-t-elle, si tu disais que c'est pour se soigner d'une maladie dont le seul traitement est celui que connaissent les femmes arabes… si tu disais que ma petite s'est rendue à Bab el Zouweila pour cette raison, hein ?… Tu serais d'accord de présenter les choses ainsi pour faire taire les paroles qui tourbillonnent dans la ruelle?

Le rabbin se gratta longuement la barbe.

— Je dirais que c'est une affaire de femmes et que les femmes connaissent la façon de traiter les affaires de femmes. Voilà ce que je dirais…

La grand-mère n'était pas satisfaite de la réponse du rabbin, trop ambiguë, qui laissait planer le doute sur la nature du traitement. Sa fille ne l'était pas davantage, qui n'avait pas obtenu une condamnation claire du comportement de sa nièce. Quant à Esther, elle pensait: «Mais qu'est-ce que ça peut faire, ce que racontent les gens, s'il naît un garçon à Motty?» Finalement 'Helwa entraîna les deux autres avec elle:

— Venez! On rentre chez nous. Celui-là, ce doit être un bâtard. Dites-moi un peu, que connaissent les ânes à la dégustation du sirop de gingembre?

Et elles éclatèrent de rire en lui tournant le dos, réconciliées en un seul instant aux dépens de Mourad.

La parole du rabbin fit un peu, et le temps fit le reste. Bientôt on ne remarqua plus le kholkhal qui enserrait la cheville d'Esther. Trois mois plus tard, son ventre s'arrondit.

«Cinq sur toi! lui disaient les femmes qui la croisaient. Je ne voudrais pas te porter préjudice mais, ma chérie, comme tu as une mine épanouie!

— C'est le souffle du printemps ! » répondait Esther.

C'était le mois de mars et, en cette année 1925, le quartier bruissait de mille rumeurs. Le maréchal Allenby, le vainqueur de Megiddo, entendant montrer l'exemple, venait de renoncer à ses fonctions de haut-commissaire britannique. Il voulait marquer, par un acte symbolique, sa foi en l'indépendance du pays. Pour la première fois depuis les pharaons de l'Antiquité, l'Égypte allait devenir égyptienne... Au même moment – était-ce hasard ? –, un géant surgissait de la terre. « Il paraît qu'on est en train de désensabler le père la terreur... » C'est ainsi qu'en Égypte, Arabes, Coptes et Juifs appelaient le Sphinx de Gizeh, dont on n'apercevait alors que la tête, gigantesque, qui baignait dans les dunes. Et chacun y allait de son commentaire ou de sa blague. On ne savait d'ailleurs distinguer l'une de l'autre. « Sous la terre, en prolongement de cette tête, il y a une immense statue, haute de centaines de mètres. Il paraît que c'est le corps du Golem qui s'est pétrifié lorsque Moïse a retiré le nom de Dieu qu'il avait d'abord glissé sous sa langue... » Et des histoires, par dizaines, mettant en scène le simplet vainqueur des puissants, le divin Goha... « Le Sphinx, qui surveille l'Égypte depuis cinq mille ans, ayant tout vu passer, connaît tout, mieux que l'ange de la mort. Sais-tu pourquoi Goha est assis devant lui jour et nuit ?… Non ?… Il attend qu'il lui révèle où est passé son âne. »

L'année où on a désensablé le Sphinx fut aussi celle où les communistes essayèrent de s'implanter dans la ruelle aux Juifs. Durant plusieurs semaines, Joseph Rosenthal, le fondateur du parti, s'installa à l'orée du Mouski, dans le café qui borde l'hôtel du Nil. Il accostait les hommes de la ruelle avec un accent allemand à couper au couteau : « Prolétaires, unissez-vous ! » Et il leur distribuait des tracts écrits en arabe, que lui-même ne savait pas lire. Et le mot « prolétaire », il le prononçait en français…

— Ça veut dire… « Brolétaires », ça veut dire quoi ? demanda l'oncle Doudou.

— Tu sais, Rosenthal, lui répondit Élie, c'est un shlecht.

— Un shlecht… ça veut dire ?

— Un shlecht, c'est un Russe ou un Allemand qui n'aime pas le gâteau de semoule au miel.

Était-il possible que quelqu'un n'aimât pas la basboussa ?

— Hein ? Mais qu'est-ce que tu chantes ?

— C'est vrai ! expliqua Élie, la tante Oro lui en a offert une part. Il l'a goûtée et puis il l'a recrachée par terre en disant : « Schlecht ! Schlecht ! » Depuis, tous ceux qui sont comme lui, on les appelle « schlecht ».

Et comme l'autre ne comprenait pas, il ajouta :

— Oui ! Ils ont des yeux transparents, ils portent des costumes dans lesquels ils se tiennent droits comme des pantins et ils ne savent pas prononcer le 'aïn.

— Ah ! Tu veux dire un wouz-wouz ?... Et « brolétaires », alors, qu'est-ce que c'est que ça que « brolétaires » ?

— Prolétaires, hein... c'est pour nous expliquer que nous sommes pauvres...

— Nous sommes pauvres ?... Ce fiche-nez, ce mêle-en-tout, que Dieu maudisse sa mère, et la mère de sa mère..., trancha Doudou ; et il ajouta : Pour dix générations !

— Ne dis pas de mal, le pauvre ! Sais-tu ce qui lui est arrivé ?

— D'où, par où, il lui est arrivé quelque chose ?

— L'année dernière, ils l'ont jeté en prison avec les communistes d'Alexandrie. Ne hoche pas la tête, tu ne sais pas ce que sont les communistes.

— Comment ? Je ne sais pas ce que sont les communistes ? Je le sais ! Ce sont des wouz-wouz, des Juifs de l'hiver, qui veulent devenir chrétiens.

— Bête ! Toi, tu es bête ! C'est un mouvement po... li... tique. Tu sais politique ?

— Bolitik ou Boliturk, tout ça, c'est comme un vent de sable. Les grains finissent toujours par retomber par terre.

— Eh bien, vent de sable ou grain de sable, ils

l'ont expulsé en Roumanie. Et tu sais quoi ? Les Roumains l'ont remis dans le bateau et renvoyé à Alexandrie. Maintenant, celui-là qui va et qui revient, on l'appelle Yoyo. Yoyo Rosenthal !

Et ils éclatèrent tous les deux de rire. Mais en cette année, il n'y avait pas que les communistes pour s'intéresser aux Juifs simples du quartier. Un homme dont la famille avait quitté la ruelle aux Juifs voilà plusieurs générations était devenu ministre de Fouad le premier, le tout nouveau roi d'Égypte. Anobli, il portait le titre de bey, mais il prononçait son nom en français, avec une particule, comme les aristocrates. Moïse de Cattaoui Pacha, banquier et Juif de cour, consacrait une part importante de sa fortune à l'aide sociale aux nécessiteux du quartier.

Ce matin, l'Hispano double phaéton, précédée de deux sayes en livrée brochée d'or lui ouvrant le chemin, s'était arrêtée devant l'entrée du Mouski. Le chauffeur avait attendu la suite du bey, laquelle arrivait à pied, hors d'haleine, avant d'ouvrir cérémonieusement la portière de l'automobile. Le pacha, vêtu d'une galabeya immaculée, les épaules couvertes d'une cape de velours et la tête ceinte d'un turban blanc, s'était avancé dans la ruelle, majestueux comme un pape. Il avait décidé de choisir une dizaine de garçons, parmi les plus vifs, pour leur accorder une bourse d'études dans son école de Sakakini où l'on enseignait en français, selon les règles édictées par l'Alliance israé-lite universelle. Il n'avait pas atteint la passerelle qui traversait la première rue qu'une foule dense l'entourait déjà, cherchant à toucher ne fût-ce que l'ourlet de sa cape. Derrière lui, deux secrétaires, eux aussi en livrée, distribuaient, une à une, des pièces de petite monnaie. Il ne devait pas être huit heures du matin lorsqu'il parvint devant l'épicerie de l'oncle Élie. Et c'est précisément à ce moment qu'Esther et Motty sortirent de la maison, elle le tenant par le bras, lui tâtonnant du pied pour évi-ter les ornières et les pierres. C'est lui qui heurta le bey. Motty palpa le costume de l'homme riche, caressant le velours de la cape, s'attardant sur la soie de la galabeya. Sa main parvint à la barbe blanche, parfaitement taillée. Il parcourut un ins-tant le visage. Un silence de plomb s'abattit sou-dain sur la foule. Qu'allait être la réaction du bey ? La colère ? Le mépris ?

— Cet homme, dit Motty, a bien des soucis avec sa fille. Il n'en comprend pas la raison, car il est droit et craint le Seigneur. Ne dit-on pas : « Celui qui est aimé de Dieu, Dieu fait en sorte qu'il soit aussi aimé des hommes » ? Il faut qu'il sache que c'est une épreuve ; il ne doit pas se pen-ser victime d'une injustice. Un peu de patience. Encore deux années et l'arbre qu'il a soigné dans son jardin lui donnera les plus beaux fruits.

Motty retira ses mains du visage de l'homme

et poussa un soupir. Les autres retenaient leur souffle. Le bey sourit et, comprenant qu'il avait devant lui un aveugle, se retourna vers Esther.

— C'est ton mari ? lui demanda-t-il.

— C'est mon frère, mon maître et mon mari, répondit Esther.

— Conduis-le chez moi demain matin, à la maison des Cattaoui, à Zamalek. Je veux encore lui poser des questions.

Le lendemain, Esther et Motty revinrent des beaux quartiers vers midi. Lorsque l'automobile arriva par Khoronfesh, se faufilant à grands coups de klaxon dans les ruelles de plus en plus étroites, les enfants surgirent de « La Goutte de lait », cette institution où ils pouvaient obtenir gratuitement un peu de pain, et se mirent à crier : « Motty Zohar est dans la voiture et la voiture avance ! » Certes, ce n'était pas l'Hispano, seulement la petite, une Oakland six cylindres, bleue, rutilante. Mais dans 'Haret el Yahoud, on n'avait jamais vu une chose pareille : un Juif de la ruelle installé comme un pacha à l'arrière d'une voiture automobile. Esther descendit d'abord, aidée par le chauffeur en livrée. Elle avait passé sa robe rouge, celle des rituels de zar. Pour une fois, elle avait arrangé ses cheveux en chignon et s'était maquillé les yeux. Elle avait même emprunté des chaussures à sa tante Tofa'ha, qu'elle s'empressa de retirer aussitôt que ses pieds touchèrent le sol de 'Haret el Yahoud. Et ils avancèrent tous les deux, bras dessus, bras dessous, d'un pas olympien, accompagnés de dizaines d'enfants qui leur faisaient la fête.

— Regarde ! dit la tante Maleka. Regarde comme elle tient son nez…

— Chérie, je l'ai toujours pensé, répondit la tante Oro. Les djinns lui ont mélangé la cervelle. Elle se prend pour la reine Nazli.

— Oh ! La queen… La reine des mouches, oui ! Quelle fille de chien !

— Il faudra bien qu'un jour quelqu'un lui rabatte son caquet, ajouta Adina.

Et les trois sœurs, Maleka, Adina et Tofa'ha, ainsi que leur cousine Oro, regardèrent passer le couple, éberluées. À ce moment, si elles avaient su que Moïse de Cattaoui Pacha, le bey, impressionné par la précision des divinations de Motty, avait octroyé au couple un don de dix livres – mille piastres, dix mille millièmes… –, l'une d'elles aurait peut-être fait une crise cardiaque, ou bien se serait jetée dans le Nil ou encore dans le feu. Adina se contenta de cracher par terre.

Une semaine plus tard, Esther se réveilla en pleine nuit, sentant un liquide visqueux entre ses cuisses. Elle alluma une bougie et poussa un cri. Elle saignait. L'enfant qu'elle avait eu tant de mal à faire venir… cet enfant allait repartir sans même apercevoir son père. Elle se mit à sangloter. Motty se réveilla en sursaut.

— Qu'as-tu, lumière dans mes ténèbres ? lui demanda-t-il, la voix ensommeillée.

— J'ai peur, ô mon âme. Le sang, dit la Torah, contient l'âme. S'il s'échappe, le souffle de vie repartira jusqu'à Dieu.

Motty réfléchit longuement avant chacune des paroles qu'il prononça alors.

— On dit : « Dieu a donné, Dieu a repris… » N'est-ce pas cela qu'on dit ? Mais nul n'a dit qu'on ne peut pas tenter de le faire changer d'avis…

— J'ai compris ! répondit Esther. Crois-tu que je peux m'y rendre en pleine nuit ?

— Reste ! ordonna Motty. Ne bouge pas ; évite de faire le moindre mouvement. Aux premières lueurs du jour, tu partiras.

Lorsqu'elle entendit s'agiter Mahmoud, le chiffonnier, elle le supplia de l'y conduire. Pour cinq piastres, il accepta de l'emmener dans sa carriole. Et les voilà partis, lui, tirant sur les bras de sa charrette, elle, répétant inlassablement la seule phrase qu'elle avait retenue des prières. « Écoute Israël, Dieu est notre dieu ; Dieu est Unité. »

À l'entrée de Bab el Zouweila, un rayon de soleil illuminait le sommet du minaret. Elle trouva Khadouja, sa sorcière, couchée sur ses chiffons, son benêt de fils dormant la tête sur le ventre de sa mère. Elle la secoua :

— Lève-toi ! Parfois le jour se lève et c'est alors que meurent les enfants d'Adam.

— Que le malheur soit sur moi ! répondit l'autre. Qu'arrive-t-il ?

— Tu dois me conduire immédiatement chez la kudiya.

Alors que Khadouja dirigeait Mahmoud et sa carriole à travers les ruelles de Bab el Zouweila, Esther contemplait le ciel. Le soleil brillait comme la veille ; il brillait comme il brille toujours en Égypte, puissant et si proche. La ville s'éveillait, pleine de force et de bruits. Le monde était indifférent à sa douleur. Ni la terre ni le ciel ne nous adressent de signe lorsque la détresse nous assaille, pensa Esther. Celui qui ne part pas à la recherche des messages, celui-là mourra dans la rue, seul, comme un chien.

La kudiya la coucha sur un sofa et lui prépara du thé.

— La jalousie, ô toi l'aimée, la fiancée... C'est la jalousie ! Et elle ajouta : Je vais arranger ton affaire.

— La jalousie ?

— Oui ! La jalousie est entrée par la grande porte, parce que tu ne sais pas cacher ton bonheur... Quelqu'un t'a regardée ? Une vieille... Réfléchis ! Elle avait un pendentif. Tu n'as pas remarqué qu'il puait, son bijou ? Il puait le pourri... tu t'en souviens ? Eh bien, je vais te le dire, moi : c'est que son pendentif était fourré avec le sang d'un mort, d'un accidenté, d'un assassiné ou même d'un suicidé. Elle a sans doute pris le sang dans un cimetière, peut-être à la morgue. Puis elle en a imbibé un mouchoir, un vieux chiffon, qu'elle a enserré dans son bijou. Elle s'est penchée sur toi. Tu as respiré la mort. C'est de là que provient ton malheur !

— Et alors ?

— On va lui renvoyer le sort à cette putain, cette fille de rien... Elle va apprendre ce qu'est une fille de Nofal ! Et d'abord on va te nettoyer. Tu me donnes tous tes vêtements, nous les brûlerons. Tu me donnes tes cheveux, nous les enterrerons. Tu me donnes tes ongles et nous irons les déposer aux pieds d'un saint. Et lorsque tu retourneras chez toi, tu demanderas à ton mari une robe neuve. Celle-là, nous l'encenserons de myrrhe... et je te fabriquerai une ceinture, un talisman que tu porteras autour de la taille. Et ton bébé, il sera si bien auprès de toi, que même après le neuvième mois il ne voudra pas sortir vers la lumière...

— Mais là ?... Maintenant..., demanda Esther, inquiète, que vas-tu faire ?

— Te laisser dormir, ô la fiancée !

Le traitement dura longtemps, près d'un mois, pendant lequel Esther ne remit pas les pieds dans 'Haret el Yahoud. Chaque jour, Gougou, un gamin du quartier, venait aux nouvelles, envoyé par Motty. Chaque jour, il s'en retournait, chargé d'exigences. Il fallait trois poulets, dix mètres de coton tissé, une livre pour acheter un mouton, des dizaines de bougies… Et Motty payait, bien sûr, si bien qu'au bout d'un mois la somme qu'ils avaient reçue du bey avait fondu comme neige au soleil. Élie lui disait : « Ton don, ta capacité à lire l'avenir, Dieu ne te l'a pas vendu, n'est-ce pas ? Il te l'a donné. Crois-tu que, maintenant qu'il est en ta possession, tu pourrais le vendre ? » Et il ajouta en hochant la tête : « Dieu est un bon commerçant. Il reprend toujours plus qu'il ne donne… C'est pour cette raison que tu devras tout dépenser et plus encore pour assurer l'existence de ton enfant. » Esther recevait des soins auprès de la kudiya, mais elle apprenait aussi… l'art de disposer sur le plateau les poudres de couleur, de tirer les cartes et d'y lire le destin, de repérer les séries de chiffres qui sortaient aux dés et de les associer aux récits de djinns que lui racontait la cheikha.

Un jour, une femme rapporta une vipère à cornes qui gigotait dans un sac de toile.

— Voilà ton talisman ! dit la kudiya en brandissant le sac. Bientôt tu pourras retrouver ton mari. Elle la saisit par la queue et la tira du sac. Les femmes s'enfuyaient en hurlant à la vue de la vipère, mais la vieille la tenait fermement en riant. Puis, d'une main experte, elle prit sa gueule entre deux doigts et la fit mordre dans un gros morceau de cuir. C'est alors qu'elle lui brisa net les deux crocs à venin.

— Ça, c'est pour la vieille qui t'a jeté le sort ! dit-elle en exhibant les crocs.

Il n'était pas difficile de deviner qu'elle comptait les utiliser pour fabriquer l'un de ces objets terribles qui agissent à distance. Elle rangea précautionneusement les crocs dans une vieille boîte en fer. Puis elle fracassa le crâne de la vipère contre une pierre. Elle fit des brochettes de la chair de cette vipère et c'est la première viande qu'Esther fut autorisée à manger depuis le début de son traitement. Devant la grimace d'Esther, elle dit :

— Allez ! Mange ! Ce n'est certainement pas de la chair licite ; rappelle-toi que c'est un remède. Et en plus, c'est bon ! ajouta-t-elle avec un clin d'œil.

Avec la peau du serpent, la kudiya confectionna la ceinture dont elle ceignit la taille d'Esther.

— Tu vois ? lui dit-elle en lui attachant la ceinture, j'ai prévu plusieurs crans. Ainsi pourras-tu l'élargir au fur et à mesure de ta grossesse. Le serpent gardera ton enfant mieux qu'il ne le ferait pour son propre trou s'il était vivant. Cela aussi, tu dois le retenir. Sais-tu comment on nomme le serpent ? « Le maître du trou » ! Abou l'khorn... Ici, nous savons chanter ses louanges ; nous savons aussi l'honorer et le servir.

Esther quitta Bab el Zouweila un vendredi matin, à l'heure de la deuxième prière des musulmans. Elle était vêtue d'une longue robe blanche, immaculée. Ses cheveux, qui avaient été tondus, repoussaient en un léger duvet doré. Le cou élancé, la tête haute, elle avait le maintien d'une princesse. Elle avançait d'un pas assuré, les deux mains posées sur son petit ventre rebondi. Une lueur dans ses yeux attirait le regard des femmes qui y voyaient – souvenir peut-être atavique – celle des vestales d'un temps oublié. Les hommes, quant à eux, détournaient la tête, impressionnés, sans doute, par l'indécence d'une grossesse heureuse. Elle traversa une partie de la ville à pied, sans qu'aucun ne se permît un sifflet, une remarque, une injure. Elle pénétra dans 'Haret el Yahoud par la rue El-Moez, le secteur le moins pauvre. Dans Darb-Mahmoud, elle s'enfonça dans l'étroit «passage du bain des Juifs» et parvint devant le rab Moshé, la synagogue qui abrita, dit-on, la dépouille de Moïse Maïmonide avant qu'on ne l'emportât pour l'enterrer là-bas, auprès de ses ancêtres, au bord du lac Tibériade. Quelque chose la poussa à y pénétrer, comme s'il lui fallait se replonger à la source. Est-ce d'être allée trop loin dans l'exploration des dieux étrangers, des zars ?

Éparpillés par deux dans la grande salle, des enfants répétaient leur Talmud. Le rav Pardo discutait pied à pied un point de doctrine avec des fidèles. Il y faisait frais. L'endroit respirait le calme. Sans rien demander, elle descendit dans la crypte, posa ses deux mains sur le tombeau vide d'où irradiait encore la présence du saint philosophe plus de sept cents ans après sa mort, ferma les yeux et promit en chuchotant : «Rab Moshé, si Dieu m'accorde d'offrir un fils à Mordechaï Zohar, mon bien-aimé, mon mari, je lui donnerai le nom de Maïmon, car sa vie sera consacrée à l'étude et son âme au bien. » Puis elle se mit à bâiller, une fois, deux fois. Ses yeux se fermaient. Une étrange torpeur s'abattit sur elle. Elle posa les mains sur son ventre et sentit une chaleur qui montait dans sa poitrine, dans sa gorge. Elle s'assit sur la pierre, bascula sur le côté droit et s'endormit. Une première image la traversa comme une fulgurance. Elle glissait sur le pavé hexagonal de la cour de la synagogue. Elle eut un sursaut, mais replongea aussitôt dans des images de rêve. Une silhouette, d'abord, se dressa devant sa tête, immense. C'était le rab Moshé... lui-même : Maïmonide, tel qu'elle l'avait vu sur les images qui circulaient dans le quartier, à la fois sévère et bon, en kaftan clair, la tête couverte d'un turban, la barbe taillée, les yeux noirs, perçants.

— Ah ! Tu es là ? s'étonna-t-elle.

Il lui montra ses mains et c'était comme si ses doigts lançaient des éclairs.

— Le feu, dit-il, je le porte ici, à l'extrémité de mes doigts.

Et il regroupa ses doigts deux par deux, écartant le couple constitué de l'index et du majeur de celui associant l'auriculaire et l'annulaire ; les deux pouces se rejoignant tout naturellement. Et les doigts continuaient à crépiter. Puis il tira la langue, et elle était bifide, comme celle de la vipère, longue aussi.

— Et le serpent, ajouta l'apparition, je le porte dans ma bouche.

De ses deux mains réunies en cette étrange position, il écarta son vêtement et découvrit son ventre. Il désigna son nombril. Elle détourna le regard, se disant qu'elle ne devait pas découvrir la nudité d'un père. Mais il insista.

— Et la danse, regarde ! La danse, je la porte dans mon ventre.

Lorsqu'elle consentit à lever les yeux, le vêtement avait repris sa place et Maïmonide tenait dans ses mains une fleur de lotus, épanouie, au bout de la longue tige encore humide.

— Cette plante, tu en extrairas le suc et tu le mélangeras à l'huile. C'est pour ton ventre.

Et soudain l'apparition se figea, redevenant gravure.

— Attends ! Ne pars pas... Je voulais te poser une question.

Maïmonide restait immobile, comme si le souffle de vie mystérieusement apparu par la force du rêve d'Esther s'était soudain évanoui. Elle insista :

— Dis-moi, ô mon rabbi, toi qui, de ton vivant, fus le médecin des rois et des princes, pourquoi t'intéresserais-tu à nous, vermisseaux rampant dans la misère de 'Haret el Yahoud ?

L'image de Maïmonide commença à se troubler, puis elle disparut. Dans son rêve, Esther voyait maintenant la pierre nue du tombeau et la crypte vide. Elle s'éveilla et ce qui apparut à ses yeux était identique, la même crypte, le même tombeau. Elle voulait encore poser une question. Elle voulait demander si Maïmonide était apparu dans son rêve ou s'il avait pris corps devant ses yeux. Mais elle entendit un bruit de pas dans l'escalier. Elle arrangea sa robe. Le rav Pardo accompagnait une femme âgée, en pleurs. Sans doute venait-elle demander au rab Moshé d'intercéder pour la guérison d'un malade, pensa Esther.

— Mais je te reconnais, lui dit-il, tu es la fille de Shmuel Zohar, que Dieu bénisse sa mémoire. Comme tes yeux brillent ! Veux-tu me raconter ce que t'a dit le rab Moshé ?

— Ô mon père, soupira Esther, que Dieu éloigne de moi le malheur !

Et elle fila dans l'escalier sans se retourner.

Motty était étendu sur le lit, profondément absorbé dans l'une de ses méditations. Il reconnut le pas d'Esther alors qu'elle commençait seulement à descendre la ruelle. Il se redressa, chercha sa canne en tâtonnant et se dirigea vers la porte qui, comme toujours, était grande ouverte. Il appela :

— Ô mon âme ! Est-ce toi dont j'entends le pas

ou seulement les battements de mon cœur qui t'appellent ?

— Souss, Motty, souss... Veux-tu aussi grimper au minaret pour annoncer mon retour ? Et elle chuchota : Oui, c'est moi, ô mes yeux. Mais je ne suis moi que parce que je te vois.

Motty retrouva Esther et ne cessa de la parcourir de ses mains. Esther retrouva Motty et passa la journée à le contempler en silence. « Que fais-tu ? » lui demandait-il. Et elle répondait : « J'emplis mes yeux de ta présence, comme Rivka s'en allant à la source, sa jarre sur l'épaule. »

Esther demanda à Khadouja de lui rapporter quelques fleurs de lotus fraîches. De la transpiration des fleurs, elles obtinrent une substance jaunâtre qu'elles mélangèrent à l'huile d'olive, selon les indications reçues en rêve. Esther se massait le ventre avec l'onguent quand elle ressentait une douleur. Et son ventre poussa jour après jour ; il était rond, il était beau et elle le portait fièrement en avant. Mais lorsque ses tantes lui demandaient : « Il bouge la nuit ? Il te donne des coups de pied, n'est-ce pas ? »... elle ne répondait pas car l'enfant ne se manifestait en rien, comme s'il avait décidé de passer inaperçu. Motty s'inquiétait : « Pourquoi notre enfant ne bouge-t-il pas comme les autres enfants ? » Et Esther le rassurait : « Je le connais. Il veut se faire oublier de peur que les gens lui fassent du mal à nouveau. »

La grossesse se poursuivit ainsi jusqu'au septième mois. Esther disait parfois : « Lorsque je
touche ce ventre rond et dur, j'ai l'impression de
porter un œuf – l'œuf d'un oiseau gigantesque
comme celui que rencontra Sindbad le marin. »
Mais à compter du huitième mois, l'enfant se mit
à frapper du pied, à cogner des poings. Il gigotait
nuit et jour dans son ventre. Rien ne le calmait
hormis les mains de Motty et sa voix qui chantait
alors des passages entiers du Cantique des cantiques.

« Là ta mère t'a enfantée. C'est là qu'elle t'a
enfantée, qu'elle t'a donné le jour. Mets-moi
comme un sceau sur ton cœur, comme un sceau
sur ton bras. Car l'amour est fort comme la mort. »

L'enfant est né dans 'Haret el Yahoud, le 15
'Hechvan de l'an 5686 ; déclaré à l'état civil du
Caire le même jour, le 7 Rabi 'ath Tani de l'an
1344 ; c'était le premier jour, un dimanche, le
25 octobre 1925. Il arriva au petit matin, après une
journée et une nuit de douleurs, dans l'entresol de
l'épicerie de l'oncle Élie.

Le destin voulut que, le même jour, l'archéologue Howard Carter finisse par ouvrir le sarco-
phage de Toutankhamon. La chambre funéraire
avait été découverte trois ans auparavant, en
1922 ; le mur de cette chambre, percé en février
1923, laissant découvrir quatre tombeaux imbriqués en gigogne. Le couvercle du premier sarco-

112

phage en quartzite fut soulevé en 1924 et l'on dut attendre octobre 1925, le conflit enfin apaisé entre les archéologues britanniques et l'administration égyptienne, pour que le visage d'or du jeune roi soit dévoilé à la face du monde.

Rue Mouffetard

Je suis né de ça… au pays des pharaons, d'une mère possédée par les diables et d'un père aveugle. Que pouvais-je faire entre ces deux-là qui s'aimaient d'une passion infinie ?

Je suis fait de musiques endiablées, de viande de vipère et d'essence de lotus. Pour me protéger, j'ai reçu des fragments du Cantique et un nom surgi de la tombe. Ma naissance valut à ma mère une robe neuve et sept bracelets d'or. J'étais leur premier ; je resterais leur dernier. Nul ne savait d'où je venais ; nul ne pouvait dire où j'irais…

J'ai commencé ce récit par le début, la grossesse de ma mère… Je me demande : est-ce bien le début ? Si on parle de l'enfant qui va naître, sans doute. Mais l'enfant n'est qu'une manifestation de l'être. L'être était sans doute apparu avant, alors que mes parents ne s'étaient pas encore connus, ou même avant leur naissance, qui sait ?

Frères égyptiens, je pense aux pyramides. On dit que nous, les Juifs, les avons bâties pour vous... Comme dans la formule des contes égyptiens, « cela fut, ou cela ne fut pas »... Ce ne sont pas des idoles, mais des rayons de soleil pétrifiés. Ne les abîmez pas. Je doute qu'il nous sera possible d'en construire de nouvelles.

On dit que l'Égypte est la mère des mondes, oum el dounia... C'est aussi la mienne ! Je veux dire : l'Égypte est ma mère ; c'est la matrice de toutes mes pensées. Je suis de là. Nous autres, Juifs d'Égypte, sommes de là, de toujours. Nous étions là avec les pharaons. Dans un lointain passé, l'Égypte a été envahie par les Perses et nous étions là ; par les Babyloniens, par les Grecs, par les Romains, par les Arabes et nous étions encore là... Nous autres, Juifs, nous sommes comme les bufflons, pétris dans la boue du Nil, de cette même couleur sombre ; des autochtones.

Nous étions multiples, nous étions tribus. Il est vrai que certains parmi nous provenaient d'ailleurs, aussi, arrivés au IIIe siècle, au XIe, au XVe ou au XIXe siècle. Nous étions de Séfarad, Espagnols chassés par l'Inquisition ; d'Ashkénaz, Russes et Allemands fuyant les pogroms d'Europe, de Mizrah, Perses, Ouzbeks ou Tadjiks, attirés par les promesses ottomanes... Il est vrai que nous étions étrangers par nature, comme les Tziganes, toujours autres des autres... Mais l'Égypte est notre substance, la matière qui nous constitue ; le Nil est l'artère qui irrigue notre corps... Aujourd'hui, nous ne sommes plus là. Frères égyptiens, locataires du pays des vestiges, il vous reste les pyramides et quelques synagogues inhabitées. Prenez-en soin ! Comment pouvez-vous vivre sans nous ?

Je m'appelle Zohar, de mon prénom et de mon nom – Zohar Zohar, c'est ainsi que je m'appelle. Si on réfléchit, le monde n'est fait que de lettres, n'est-ce pas ? De toutes les lettres... J'ai parcouru, assemblé et réassemblé les lettres de mon nom, y recherchant la clé de mon destin. Je suis né à la fin du mois d'octobre 1925. Ce n'était pas exactement hier... disons avant-hier, si vous voulez ! J'ai grandi dans 'Haret el Yahoud, « la ruelle aux Juifs », le ghetto du vieux Caire, fleur de fumier, poussée folle entre les immondices sous le soleil d'Égypte. J'ai passé mon enfance dans la rue...

L'accouchement a été difficile, très difficile. J'étais le premier ; j'ai ouvert son ventre de l'intérieur. Ils ont tout de suite compris que j'étais un problème. Je suis arrivé par les pieds, le cordon autour du cou. Khadouja, sage Sett Oualida, « Madame Maman », qu'on était allé quérir à Bab el Zouweila pour assister ma mère, a dit :

— C'est grave ! Celui-là, il vient contre sa mère.

— Qu'est-ce que tu veux dire, espèce de paysanne ? s'insurgea la tante Maleka. Un enfant qui vient de naître peut-il être contre sa mère ?

— Il vient contre sa mère, répéta Sett Oualida. Il vient pour la faire souffrir, pour lui faire du mal. Il peut même la tuer !

Et ma tante l'insulta :

— Que le sort qui suinte de ta bouche tombe au loin ! Va-t'en au diable, fille des rues ! Regarde comme il est gros. Tu verras qu'il sera fort comme un lion.

Ma mère, la pauvre, souffrait tellement qu'on entendait ses cris jusqu'au quartier karaïte, au souk el Na'hassin, le marché au cuivre, et à Khoronfesh. Sett Oualida lui enduisait le ventre de l'huile de lotus du rab Moshé, ce qui la calmait un peu, et puis les contractions reprenaient et les hurlements terribles déchiraient de douleur l'âme de Motty, mon père. On fit venir dix hommes qui savaient prier et on leur demanda de chanter des psaumes pour fléchir la sévérité de Dieu qui voulait rappeler l'enfant et sa mère auprès de lui. Et ma mère criait. Et les hommes priaient. Et mon père pleurait. Finalement, au bout de vingt-quatre heures de souffrances, Motty, mon père, qui se tenait dans la poussière de la rue, finit par entrer. Il posa ses deux mains sur le ventre de ma mère et se décida à chanter le passage du Cantique :

« Là ta mère t'a enfantée. C'est là qu'elle t'a enfantée, qu'elle t'a donné le jour. Mets-moi comme un sceau sur ton cœur, comme un sceau sur ton bras. Car l'amour est fort comme la mort. »

Et les hommes répétèrent après lui, en changeant seulement un mot : « L'amour est plus fort que la mort. » Et, selon ce qu'on m'a rapporté, c'est à ce moment précis que je me suis retourné et que j'ai surgi du ventre de ma mère, la tête en avant, d'un seul mouvement. La tante Maleka n'attendit pas qu'on me lave. Elle m'accrocha immédiatement une ficelle rouge autour du cou, avec un œil bleu, en pendentif. Et elle dit, en crachant trois fois par terre :

— Partez d'ici, fils de la nuit. Cet enfant nous appartient !

Sett Oualida, prêtresse des zars, pouffa de rire.

— Tu crois vraiment qu'un œil de verre va impressionner les seigneurs ? Allez donc chercher un mouton et offrez-leur son sang avant que la nuit vienne relayer le jour.

Tout le monde s'interrompit, les hommes tout comme les femmes, pour une fois réunis dans le même espace, dans l'entresol de la boutique de l'oncle Élie. Une question flottait au-dessus de l'assemblée. Qui fallait-il remercier pour protéger la mère et l'enfant ? Le dieu des Juifs, attendri par les chants des dix prieurs réunis autour de mon père, Motty l'aveugle, ou les seigneurs, les propriétaires du sol, les 'afrit de Sett Oualida, qui m'avaient autorisé à quitter leur monde ? On résolut d'offrir des actions de grâce aux deux puissances. Au crépuscule, on sacrifia un agneau selon le rite des seigneurs et les hommes passèrent la nuit à lire des psaumes et à prier dans la synagogue du rab Moshé.

Mes problèmes n'étaient pas résolus pour autant. Il fallait maintenant me nourrir ; et ma mère n'avait pas une goutte de lait. Ses seins étaient aussi secs qu'une branche de balsamier.

— Attendez ! dit 'Helwa, ma grand-mère, demain, ses seins gonfleront comme une outre. Laissez-la donc se reposer.

Mais le lendemain, elle n'en avait pas davantage et le surlendemain non plus. On essaya le lait de vache, dont on imbibait un linge qu'on me faisait sucer, mais je le recrachais aussitôt. Vingt-quatre heures après ma naissance, je n'avais toujours rien avalé. Si on voulait que je survive, il fallait trouver une nourrice, une femme qui allaitait son enfant. Et vite !

Rue Ma'rouf

Au deuxième jour, la tante Tofa'ha partit sitôt
soleil levé avec Khadouja la sorcière, celle qu'on
appelait Sett Oualida, et Nadji, son fils simple
d'esprit (le pauvre !), pour un long périple jusqu'à
la rue Ma'rouf. Il allait leur falloir marcher trois
bonnes heures avant d'atteindre ces ruelles malfa-
mées, cachées au cœur des quartiers riches, avec
leurs bouges sombres où une femme ne s'aven-
turait pas seule. Un vent venu du nord soufflait
depuis la veille. Elles hâtèrent leur allure pour se
réchauffer de la froidure de l'aube. Elles arrivèrent
par la place Isma'leya, ne se lassant pas de contempler les beaux immeubles, les cafés luxueux, les
hommes en costume européen, la tête surmontée
du tarbouche, le fez de feutre rouge. « Tu as vu
celui-là ; il balance les bras comme un fanfaron.
On dirait que sa mère le tient par la barboteuse

pour lui apprendre à marcher…» Parvenues rue Champollion, le spectacle changea brusquement. Elles reconnurent d'abord les odeurs, ce mélange d'épices et de crottin, les effluves de friture, mélangés aux relents d'égout. Ça sentait à nouveau l'Égypte, la vraie, celle qu'elles connaissaient, à l'odeur forte, étouffée par le sable. Puis le bruit ; les cris des marchands de légumes, le grincement des roues des charrettes, les sabots des chevaux sur les pavés ronds, le passage des chameaux sous le regard méprisant des ânes. Certains immeubles étaient effondrés et l'on avait élevé à l'intérieur, en plein milieu des ruines, des murs grossiers, faits de briques de terre, surmontés de tôles ou de bois de récupération en guise de toit. Elles surent qu'elles n'étaient pas loin du but. Elles abordèrent une pauvre femme accompagnée de deux enfants.

— Connais-tu l'auberge de Hassan el Shebab ? lui demanda Khadouja.

— L'auberge ? Pourquoi dis-tu l'auberge ? répondit l'autre.

— N'est-ce pas une auberge ?

— Je te défie d'y dormir, ma fille…

— Il me faut seulement rencontrer une femme. Elle s'appelle Oum Jinane. La connaîtrais-tu ?

Elle ne la connaissait pas. Elle savait seulement que les hommes se réunissaient chez Hassan. Ils y passaient une grande partie de la nuit, certes, mais elle ne pensait pas que c'était pour y dormir.

— Les seules femmes que l'on rencontre dans ces endroits sont des prostituées et des danseuses. La femme que tu cherches... ta Oum Jinane, est-ce que c'est une danseuse ?

— Qu'elle danse, qu'elle chante ou qu'elle grimpe au palmier pour détacher les dattes, je veux seulement lui parler, répondit Khadouja, et c'est urgent !

La femme lui indiqua un passage entre deux maisons. Elle n'avait qu'à le suivre. Il allait serpenter, se rétrécir, revenir en arrière... jusqu'à une petite place avec une fontaine. Là, elle apercevra un porche sur sa droite, comme l'entrée d'une maison. Elle traversera et, de l'autre côté, elle tombera dans la rue Ma'rouf, qu'elle empruntera à main gauche. Elle marchera quelque temps encore. «Chez Hassan», c'est ainsi que se nomme la fumerie.

On pouvait à peine y reconnaître une maison, une ruine, plutôt, ouverte aux quatre vents, avec une porte, néanmoins, qu'elles trouvèrent fermée. Khadouja la poussa énergiquement. Personne ! Elles s'engouffrèrent dans un long couloir troué de fenêtres ouvertes sur un terrain vague. Elles durent enjamber des poteries cassées, des bassines sans forme, une roue de charrette, des morceaux de bois. Les poules en liberté s'égaillaient à leur passage. Elles parvinrent dans une grande salle au sol de terre battue. Là, les volets étaient fermés. Un brouhaha de murmures leur parvenait, une rumeur. Elles s'arrêtèrent un moment, laissant leurs yeux s'habituer à la pénombre. Khadouja reconnut l'odeur âcre et envoûtante. Peu à peu, des silhouettes se détachèrent, des hommes assis en silence par groupes de trois ou quatre, chacun tirant sur le bambou de sa gôza, la pipe à eau traditionnelle, une noix de coco pour récipient. De jeunes garçons s'agitaient en tous sens en un ballet silencieux, apportant aux fumeurs leur ration de tabac au miel, ajustant leur roseau, déposant parcimonieusement, du bout des doigts, les poussières bleues de haschisch. Elles avancèrent de quelques pas timides. Une femme surgie de nulle part leur barra le passage. Lourdement fardée, la peau luisante, enveloppée d'un grand voile transparent qui laissait deviner ses formes pleines, elle dandinait ses hanches. Sous le voile, elle portait une sorte de caleçon bouffant avec, à l'emplacement du sexe, un papillon doré. Ses seins étaient recouverts de deux cônes d'écaille auxquels étaient accrochées des guirlandes de perles, si bien qu'à chacun de ses mouvements les breloques brinquebalaient, interminable cliquetis. On pouvait deviner qu'en dansant elle savait les faire tournoyer, fascinantes roues du désir. Et sa voix, surtout, cette voix aiguë, faite pour héler les hommes, leur faire dresser le poil et ériger le pigeon.

— Ooooh !... D'où sortez-vous, oiseaux de

nuit ? Ici, nul ne vient chercher son père ou son frère. Les hommes n'ont qu'une famille, celle de la fumée bleue.

Elle avait sans doute pensé que les deux femmes recherchaient un mari égaré.

— Nous ne venons pas faire d'histoires, ma sœur, nous sommes parties de notre maison la paix au cœur, répondit Khadouja en avançant les deux mains vers la femme et en les ramenant jusqu'à sa bouche en un geste de soumission.

— Que la paix soit avec vous ! dit l'autre.

— Et que notre père te garde en vie, ajouta Tofa'ha.

La femme prit un gobelet de métal et puisa de l'eau dans la grande amphore de terre, posée sur un trépied de fer. Khadouja y trempa ses lèvres.

— Que Dieu bénisse tes mains !

Elle tendit la timbale à Tofa'ha qui but à son tour.

— Même le chameau s'apaise lorsqu'on lui présente de l'eau.

Et elle tendit le gobelet à Nadji, l'arriéré, le pauvre... Ne parvenant à détacher ses yeux des breloques de perles pendues au bout des seins, il mit quelques instants à réaliser. Les femmes commencèrent à parler. La danseuse était l'épouse du Caire du Maalem Hassan el Shebab. Elle avait précisé « du Caire », car il en avait une autre restée à Kafr el Amar, leur village, près de Damanhour,

124

en basse Égypte, dans le Delta. Dans la journée, elle dirigeait le service et surveillait les garçons – « Vous savez, il est si facile de cacher sous l'ongle une dose de kif »… Et le soir, elle dansait pour bercer les rêves des hommes.

— Et la nuit ? demanda Khadouja avec un clin d'œil…

L'autre frappa dans ses mains en roulant des hanches.

— Ô ma sœur ! Notre maître est comme un grand singe. Quand le Maalem est réveillé, ses femmes se prosternent en lui tournant le dos ; quand le Maalem est fatigué, ses femmes le massent à l'huile parfumée, mais quand le Maalem est endormi… alors, ses femmes peuvent gagner un peu d'argent.

Voyant Khadouja pouffer de rire, la femme ajouta :

— Ne néglige pas les nuits de plaisirs ! Comme on dit, elles ne se rattrapent jamais…

Elles se sont bien trouvées, ces deux-là, pensa Tofa'ha qui baissait les yeux, faisant mine de ne pas comprendre les allusions grivoises. La conversation roula ensuite sur les personnes qui peuplaient la maison. Il y avait au moins cinq garçons qui préparaient les charbons pour les gôzas et les recharges de tabac. Ils gagnaient beaucoup d'argent, essentiellement en pourboires et aussi en organisant un trafic parallèle contre lequel elle tentait de lutter.

Les hommes, les consommateurs, étaient pour la plupart des habitués. Certains se procuraient leur kif en face, chez le cheikh Ahmed. Ici, chez Hassan, c'était plus cher, mais de meilleure qualité. Beaucoup étaient des khawagates, des « messieurs » des quartiers riches, d'Isma'leya, des clubs Risotto ou Mehemet Ali, de la place Soliman-Pacha, et même de Gezirah. Il y avait des hommes sérieux, des pères de famille, des employés de banque, mais aussi des artistes, des journalistes et des étudiants. Quant aux vrais, ceux qu'elle appelait les « 'hachachins », ceux qui étaient totalement imprégnés, au point que l'air de leurs poumons était devenu bleu, ils vivaient là, dormant la nuit sur la paille, accomplissant le jour toutes sortes de petits travaux pour payer leur ration.

Elle en toucha un du pied :

— Ce sont des loques, répandues sur le sol comme des serpillières. Vous pouvez essuyer vos pieds sur leurs visages, ils n'ouvriront pas un œil.

Il y a aussi les musiciens, mais ils n'arrivent pas avant la nuit…

— Et les femmes ? demanda Tofa'ha.

Le soir tombé, des femmes de passage se postaient à la porte ou aux fenêtres. Il leur fallait saisir le moment furtif, après la deuxième ou la troisième prise, où l'envie vient aux hommes. Avant, ils sont trop occupés à obtenir leur pipe. Dépassé cet instant critique, ils plongent dans leurs rêves et ne sont plus bons qu'à se traîner de la chaise au tapis. Lorsqu'ils sont pris de désir, elles les emmènent dehors, dans les ruelles qui bordent la mosquée du cheikh Ma'rouf. Ces femmes sont connues du Maalem, bien sûr, de son épouse et des petites domestiques qui peuplent la cuisine, surtout. Quelquefois, elles viennent dans la journée pour bavarder ou aider au ménage. «C'est trop tôt. À cette heure-ci, elles dorment encore…» Il y a aussi une chanteuse, mais elle ne travaille plus depuis les derniers mois de sa grossesse. Elle vient de donner naissance à une fille.

— Oum Jinane ? demanda Khadouja.
— Tu la connais ?

Oum Jinane était âgée de vingt-six ans. Apparentée au Maalem, elle était née dans ce même village de Kafr el Amar. Chanteuse, elle le fut d'abord là-bas, en cachette, épiant son père, l'imam, appelé dans les familles pour les circoncisions, les mariages et les enterrements. Dès l'âge de sept ans, devant les trois bufflons de la famille qu'elle emmenait paître, elle répétait le récital des chants pieux de son père, qu'elle connaissait par cœur. Elle était fine, brune comme une datte bien mûre et courait partout tel un garçon. Chacun s'étonnait de la beauté de ses yeux blonds.

Un jour, ayant surpris la petite bergère chantant des psaumes avec sa voix d'ange, la femme du propriétaire l'apostropha : «Si tu chantes pour les animaux, tu finiras par leur ressembler. Regarde comme ils sont tristes et sales. Viens donc avec moi, je te ferai chanter dans les maisons des riches et tu deviendras riche et belle, comme eux. » Pour commencer, la femme obtint des parents qu'elle fût inscrite au kottab, où elle apprit à réciter le Coran, seule fille parmi les garnements du village. Et lorsqu'elle chantait la Fati'ha, répondant aux phrases de son père, lorsque sa voix s'élevait, cristalline, emmenant d'un seul mouvement celle des autres enfants, les hommes interrompaient le travail des champs, les femmes lâchaient le linge pour tendre l'oreille. On dit même que les chèvres venaient s'accroupir devant la porte de sa maison.

Elle grandit ainsi, parmi les garçons, rossignol englué dans le limon, la tête instruite en religion, mais les jambes nerveuses comme celles du faon. À quatorze ans, ses hanches s'étaient arrondies et sa poitrine, deux poires pointant en liberté sous sa robe, attirait les regards. On lui interdit l'accès du kottab. C'est alors que la femme du propriétaire la prit comme domestique dans sa maison de Damanhour, en échange de quelques piastres qu'encaissait son père. On pourrait dire que cette femme tint parole, car le soir, après le travail, elle invitait les musiciens et Jinane chantait pour les riches, les invités de la maison. Elle chantait des sourates du Coran, seuls airs qu'elle connaissait alors, mais sa voix était si limpide que les invités ne se lassaient pas de l'entendre. Sa patronne lui dit alors : « Tu ne peux seulement chanter la religion. C'est l'amour qui rapporte l'argent, pas les prières ! Demain, Gergess Hakim, le poète de Port-Saïd, viendra dîner chez nous. Je lui demanderai de t'écrire une chanson. »

Cette idée tourna toute la nuit dans la tête de Jinane qui ne parvenait à trouver le sommeil. Et lorsqu'elle finit par s'endormir, elle entendit une voix d'homme dans son rêve, grave et profonde, qui répétait : « Chante !... Chante !... Oh chante !... » Et c'était cette même voix le lendemain, lorsqu'elle servit le dîner, la voix de Gergess Hakim, qui lui dit à l'oreille : « Tu es ouverte comme une fleur du matin. » Il était grand et gros, la tête découverte, vêtu à l'occidentale, d'un costume de lin blanc, les yeux cachés derrière des lunettes de soleil, y compris la nuit. Il parlait fort, buvait du whisky, fumait des cigarettes de tabac blond qui embaumaient et racontait sans cesse des plaisanteries grivoises. À la fin du repas, elle débarrassa la table et se réfugia dans la cuisine, le souffle court. De là, elle entendit les trois musiciens qui accordaient leurs instruments. Comme chaque fois, la simsimiya, la petite lyre qui égrenait les triolets, l'atteignit au cœur. Sitôt qu'elle entendit les premières notes, elle se dressa. Elle tremblait d'excitation. Son corps vibrait, son âme vacillait. Les musiciens jouèrent leur introduction longuement. Puis elle entendit sa patronne l'appeler : « Jinane ! Viens enchanter la nuit… » Elle se présenta devant eux, la fille du Delta, au teint cuivré, le visage rond comme une lune et les yeux d'or, campée sur ses deux jambes écartées. Assemblée de notables se rêvant européens, ils voyaient surgir de l'arrière-cuisine une ancêtre gamine.

La voix de Jinane épousait celle de la lyre, comme les lignes de la main droite viennent se superposer à celles de la gauche. On dit qu'il est un ange dont les fibres du cœur sont les cordes d'une lyre ; de toutes les créatures de Dieu, sa voix traverse les cieux. C'est lui qui rend les hommes amoureux.

Et elle attrapa la note la plus haute et s'y maintint… une minute, peut-être davantage puis, fermant les yeux, s'aventura dans le texte comme en une forêt. « Il n'y a de dieu que Dieu… » On ne peut dire que quiconque ignorât les paroles, mais, modelées par sa voix, devenues substance, elles s'insinuaient dans leur être jusqu'à les posséder. « Il n'y a de dieu que Dieu… Il n'y a de dieu que Dieu… » Et leurs lèvres se mettaient à les mimer, et leurs pieds les scandaient et leur cœur battait au rythme exact du bendir. La profession de foi que les croyants répétaient cinq fois par jour, transfigurée par la grâce d'une sauvageonne, ouvrait dans leur âme un chemin inconnu. Épousant la musique, le corps de Jinane frémissait et les paroles

lancinantes se faisaient matière. Ces paroles, entendues des milliers de fois depuis l'enfance, ont surgi
ce soir-là du tréfonds de leur rêve pour prendre
vie, et Dieu était majesté, et le Prophète se dres-
sait devant eux, et tout devenait possible, vrai, et
chaque seconde transpirait de beauté.

Elle ne chanta pas longtemps, pas plus d'une
demi-heure, jusqu'à épuiser son maigre répertoire. Les musiciens se figèrent instantanément,
les doigts encore sur les cordes, la main contre
la peau du tambour. Il se fit un profond silence.
Conscients qu'ils venaient d'assister à un événement magique, les invités n'osaient applaudir. Le
poète, Gergess Hakim, passablement éméché,
déclama un vers qui lui était venu sur le moment :
« Ô la belle, ô l'embellie, ô toi qui donnes sa couleur au monde... Ô toi, tu devrais t'appeler "Le
Monde". » C'est alors qu'ils applaudirent et applaudirent encore. Jinane, rouge de honte et de plaisir,
mit une main sur son cœur et, maladroitement,
se courba pour saluer. Puis elle fila rejoindre les
domestiques dans la cuisine.

— Il faudrait qu'elle parte chanter au Caire, dit
une femme avec autorité.

— Et la prochaine fois que tu viendras dîner
ici, est-ce toi qui enchanteras la soirée ? lui répondit la patronne.

La discussion s'attarda quelque temps sur l'avenir de Jinane. Puis ils retrouvèrent leurs préoccu-

pations habituelles, le prix du coton qui ne cessait de grimper, les canaux qu'il fallait à nouveau creuser, envahis comme chaque année par le limon de la crue, les terrains disponibles à l'achat, la question de la réforme agraire qui émergeait à chaque nouveau gouvernement...

Le poète s'était éclipsé, cherchant le chemin de la cuisine. Il trouva Jinane seule, affalée sur la table, la tête entre les mains. Elle pleurait.

— Ma fille, sers-moi un verre d'eau, lui demanda-t-il.

Elle releva la tête, effrayée.

— À tes ordres, lui répondit-elle en se levant. Et elle ajouta : Ô mon prince...

Il s'assit avec difficulté sur le banc, peinant à caser ses jambes. Elle se tenait devant lui, oiseau aux ailes brisées.

— Pourquoi pleures-tu, ô la belle ?

— Je suis loin de ma famille, mon prince, et une fois achevé le chant qui emplit mon âme, je reste seule dans ma nuit.

— Viens ! Approche-toi...

Il installa sur ses genoux cette jeune fille qui n'était pas parvenue à sa seizième année. Elle tremblait de tous ses membres. Il lui caressait les cuisses ; il lui caressait les seins. Et les oreilles de Jinane bourdonnaient et les bruits du monde se faisaient lointains. Il lui demanda où elle dormait. Lorsqu'il apprit qu'elle devait se rendre dans la cour, dans la cabane des domestiques, il comprit pourquoi elle s'attardait ainsi, seule dans la cuisine. Mieux vaut une solitude triste qu'une compagnie qui vous rabaisse.

— Viens me rejoindre dans ma chambre ! ordonna-t-il.

Elle ne répondit pas. Il se leva lourdement, le pas incertain.

— Ta voix est plus pure que celle de la lyre et ton chant est la musique des anges.

Elle le regarda s'éloigner en chaloupant. Elle ne savait ce qu'elle pensait, Jinane. En cet instant encore l'enfant du village, l'amie des vaches impavides, mais déjà transparaissait, dans le flou, la jeune femme mûrie en secret.

Le lendemain, Hakim lui écrivit une chanson qui commençait par cette phrase : « Approche, ô l'aimée. Approche, viens à moi. » Car ce furent les mots qu'il prononça lorsque, à l'heure où chasse le hibou, Jinane entra sur la pointe de ses pieds nus, dans sa chambre, au premier étage. « Approche, ô l'aimée. Approche, viens à moi. » C'est ainsi qu'il l'accueillit, le poète.

L'amour vint au cœur de Gergess Hakim, le copte, pour la petite musulmane, la fille de l'imam de Kafr el Amar. Il l'aimait, ému de l'amour qu'il ressentait, qui lui faisait penser la musique et les mots. Il se mit à lire les poètes, les anciens, Abou Nouwas, Ibn el Roumi... et surtout le moderne

Ahmed Chawki… Il déambulait un livre à la main, récitant des passages entiers de *Majnoun Leïla*, «le fou de Leïla». Et, pour le copier, il jouait volontiers de l'ambiguïté du nom de Jinane, qui pouvait signifier «le paradis» ou «la folie». Fou d'elle, du moins dans ses chansons, il se faisait appeler Majnoun Jinane et la déclarait «sa douceur, sa folie, son paradis». Durant une année, Hakim écrivit des chansons pour Jinane. Elle enfermait les textes dans un coffre qu'elle cachait dans un coin du grenier, sachant qu'elle détenait un trésor. Ils se retrouvaient l'après-midi, dans le salon de musique où il venait la faire répéter. Ils se retrouvaient parfois la nuit, dans la chambre qu'il occupait de plus en plus souvent au premier étage de la villa de Damanhour. Il lui achetait des cadeaux, des robes, des parfums, mais pas trop! Il la voulait servile; à la fois vulgaire et divine, irruption inattendue de l'ange au cœur de lyre dans la voix d'une bergère crottée. La patronne n'ignorait pas leur relation, mais elle fermait les yeux à condition que Jinane continuât de travailler à son service le jour et de chanter pour ses invités la nuit.

Durant une année, Jinane chanta pour les riches propriétaires terriens de Damanhour. Ils venaient chaque fois plus nombreux. Sa réputation grandit et s'étendit aux autres villes du Delta. Sa patronne accepta de la «louer» jusqu'à deux ou trois livres par soirée. On venait la chercher en auto; elle partait donner des récitals dans les maisons de Tanta, de Mahalla, de Mansoura. Hakim ne l'accompagnait pas. Il ne voyait pas les hommes coller des billets de banque sur son front, les glisser dans le corsage de sa robe. Et cet argent allait rejoindre les textes des chansons dans le coffre secret de Jinane.

Bientôt sa patronne prit conscience de son effet sur les hommes. Elle ne leur inspirait pas du désir comme une danseuse ou une courtisane, pas de l'amour comme une fiancée, mais une sorte de passion mystique, l'envie incontrôlable d'une plongée vers le mystère. Ils venaient supplier la patronne de les laisser guider la jeune fille dans les chemins de la vie. « Confie-la-moi ; je lui donnerai tout ! Elle sera mieux que ma fille ; je la traiterai mieux que ma mère. Que te dire de plus ? Et pour toi, pour compenser la perte, je te donnerai cent livres… Deux cents… » Ils la voulaient fille et maîtresse ; épouse et idole. Et jusque-là, Jinane se laissait seulement faire, ne sachant ni désirer ni refuser. Non qu'elle fût passive, mais curieuse, plutôt, de connaître la sentence de Dieu. Allait-il lui faire connaître la gloire ? La richesse ? Le bonheur ?… Elle n'alla jamais jusqu'à penser qu'il lui réservait peut-être la déception et l'amertume.

Un jour, sa patronne demanda tout de même à Hakim :

— Tu ne vas pas l'épouser, je le sais ! Elle n'est pas de ton monde ; elle ne partage pas ta foi. Les gens commencent à parler, tu les connais… Les paroles sont un poison qui agit lentement. Bientôt le scandale tombera sur toi et il m'éclaboussera. On dira que j'ai laissé l'immoralité s'installer dans ma maison. Peut-être m'accusera-t-on de l'avoir organisée, qui sait ? Ton père augmente chaque jour la fortune qu'il te léguera. Vous autres, riches écrivains, vous n'avez que faire de l'opinion des gens. Pour nous, commerçants, il n'est jamais bon de traîner une mauvaise réputation. Alors dis-moi : que comptes-tu faire ?

Hakim s'éveillait difficilement après une nuit de beuverie. À la chaleur des dalles de la terrasse, il pensa qu'il était aux alentours de midi. La question de la propriétaire s'abattit sur son cerveau comme la foudre. Jinane était sa liberté intérieure, l'espace qu'il s'était créé où il circulait en artiste. Que lui voulait cette vieille matrone avare ? De l'argent, sans doute !… C'était cela, oui !… Il lui en donnait, pourtant, payant largement son silence et l'hébergement dont il bénéficiait presque chaque nuit. Il imagina qu'elle allait en exiger davantage. Après tout, il en avait les moyens. Mais la manière lui déplaisait. L'attaque était sournoise ; par le biais de la morale, il était impossible d'y répondre. Allait-il argumenter ? Expliquer que, sans les chansons qu'il lui avait données, Jinane continuerait à coasser devant les crapauds des marécages ?… Non ! Il considéra qu'il y allait de sa dignité. Il faut dire aussi qu'il commençait à se lasser de cette petite paysanne inculte et silencieuse. Il rangea ses affaires sur-le-champ et disparut.

Il ne fallut pas attendre plus d'un mois avant qu'on apprenne que Jinane était enceinte. On tenta d'abord de résoudre le problème sur place, à Damanhour. Mais les hommes, qui peu de temps auparavant se pressaient en pygmalions, fuirent devant la perspective de se retrouver époux d'une primitive, père d'un bâtard, probablement dégénéré.

Et ce fut le retour au village, à Kafr el Amar, d'une Jinane partie naguère princesse à la voix d'or, aujourd'hui perverse et putain. Son grand frère la gifla à son arrivée ; son père, l'imam, la bastonna en public, sa mère ne cessa de pleurer et l'une de ses tantes lui fit avaler un breuvage d'armoise, de safran et de persil. Elle fut prise de fièvre, de dysenterie. Elle vomit, elle pleura et nul ne vint la consoler. Lorsqu'une nuit elle perdit son bébé, il n'y eut qu'une vieille, une matrone édentée, pour l'assister. Elle resta longtemps incapable de marcher. Elle se terra seule dans une hutte, honteuse, humiliée. Mais l'Égypte est la terre de l'oubli. On ne lui pardonna pas, certes, mais l'histoire de son inconduite et de sa grossesse disparut peu à peu des mémoires.

Quelque temps plus tard, elle rejoignit ses bufflons dans les marais du Delta. Elle ne parlait presque plus aux êtres humains, ses semblables. Des enfants qui partaient jouer dans les champs rapportaient qu'on l'entendait chanter parfois, à l'heure des prières, mais c'étaient des hymnes d'amour lancinants qui se confondaient avec les bruits de la nature. On dit que les oies et les canards offraient le rythme, percussions spontanées ; les grues reprenaient en écho, comme un chœur, et les cris des corbeaux claquaient en cadence, comme des battements de mains.

Elle allait pieds nus, en toutes saisons, les cheveux défaits, recouverte d'une grande étoffe dont elle s'enveloppait comme le font d'un pagne les femmes du Sud. Une légende se développa autour d'elle. On disait que, tel Suleiman qui leur parlait, Jinane chantait avec les animaux, qui pouvaient à sa demande lui devenir une armée. Et on la craignait un peu, lui attribuant des pouvoirs maléfiques. Lorsqu'un serpent se glissait dans une maison, on se demandait si la maîtresse avait offensé Jinane ; et lorsqu'un chat sauvage dévorait une poule, on préparait un repas à base de poulet que l'on offrait à Jinane afin qu'elle en fût rassasiée, comme si l'on pensait qu'il lui était possible de se métamorphoser en félin de la nuit. On la plaignait aussi ; on la disait condamnée à la solitude des êtres dépourvus d'âme. Lorsqu'on prononçait son nom, on disait toujours : «Jinane, à l'esprit vide, la pauvre»... et l'on ajoutait parfois :

« Voilà ce qui arrive à ceux qui osent défier Dieu. »
Quelques années plus tard, tout le monde au village avait oublié le merveilleux don de Jinane pour
la musique et pour le chant, à l'exception de son
cousin Hassan, qui avait acheté une fumerie de
haschisch au Caire.

Et la femme expliquait : « Vois-tu, tout l'argent
que gagne le Maalem Hassan el Shebab, l'éternel
jeune homme – et je te prie de croire qu'il en gagne
beaucoup ! –, tout cet argent, il le rapporte au village pour acheter des terrains. Là-bas, il a fait bâtir
la plus belle maison – et en dur ! –, il y a installé
l'autre femme et tous ses enfants. Regarde comme
il nous fait vivre ici, dans la misère. Notre maître
est malin, tu sais ! Voulant attirer la clientèle, il a
décidé d'introduire la musique dans sa fumerie. Il
lui a fallu un orchestre, j'ai fait la danseuse. Les
hommes ont fumé, envoûtés par les litanies du
luth, les yeux flous sur mon ventre nu. L'amateur
de kif aime avoir des supports à ses rêves bleus. En
quelques mois, nous avons raflé tous les clients de
la rue Ma'rouf. La fumerie de cheikh Ahmed s'est
vidée et même celle d'Abou Ali, la grande de la rue
Champollion. Mais ça ne lui suffisait pas. Il voulait attirer les clients de Gezirah et de Roda ; il lui
fallait aussi une chanteuse. Un jour, il est revenu
du village avec la petite Jinane. J'ai d'abord cru
que c'était une de ces femmes des rues qu'il rame-
nait de ses expéditions dans les villages du Sud et

qu'il installait dans les gourbis des alentours. Mais quand je l'ai entendue chanter… »

Huit ans avaient passé depuis son départ malheureux de Damanhour. Jinane avait alors vingt-cinq ans, le visage d'une enfant et le corps hâlé aux vents brûlants. Hassan l'a installée dans la petite chambre au sommet de l'escalier. Si le chemin pour y parvenir était périlleux, semé de poteries brisées et de ferraille traîtresse, l'endroit était accueillant, avec un lit au matelas de coton et des tentures à la fenêtre. Elle a cherché longtemps où cacher son trésor, les chansons de Hakim et les billets de banque qui avaient échappé aux fouilles de sa famille. Elle trouva une cavité, sous une dalle de la petite terrasse qui courait devant sa fenêtre.

Elle avait accepté de chanter sur le tumulus de terre qu'avait aménagé Hassan et qu'il appelait pompeusement «la scène», mais elle ne voulait pas apparaître comme une femme. Il n'était pas bon d'avoir un don lorsqu'on était de sexe féminin. Sa petite taille, ses jambes musclées pouvaient la faire passer pour un jeune garçon. On serra sa poitrine dans des bandelettes de coton. On coupa ses cheveux à ras. On lui trouva un costume de sayes, ces pages en livrée qui précédaient les attelages des riches et des puissants, un pantalon bouffant, une ample tunique et un gilet rouge brodé d'or. Sur la tête, elle portait un petit tarbouche aplati, comme celui d'Ismaël le Magnifique, et tenait à la main un long bâton, qu'elle frappait contre le sol pour donner le départ aux musiciens.

C'est ainsi qu'elle apparut pour la première fois sur la scène de la fumerie. Hassan la présenta sous le nom d'Ibn Ali, «le fils d'Ali», ce qui n'était qu'à moitié faux puisque son père, l'imam, se prénommait bien Ali. Lorsque après la longue introduction de la simsimiya, elle se saisit de la note et la modela de sa voix, il se fit un silence absolu. Les femmes interrompirent leurs bavardages, les fumeurs lâchèrent leur pipe, les garçons s'immobilisèrent, la bouche entrouverte. Elle commença par la première chanson de Hakim… «Approche, ô l'aimée. Approche, viens à moi. Ton absence est une douleur. Te regarder est une douleur. Te toucher est une douleur. T'embrasser est encore une douleur. Approche plus près. Approche plus près encore…»

Avec sa nouvelle chanteuse, le tripot de Hassan ne désemplissait pas. Tous les soirs, Jinane donnait deux récitals ; le premier vers dix heures, le second à minuit. Certains, qui étaient seulement venus pour l'écouter chanter, restaient ensuite pour bavarder et commandaient une gôza.

Elle évitait de rencontrer les clients. Hormis les moments qu'elle consacrait à la musique, les répétitions de l'après-midi et les exhibitions des soirées, elle refusait de quitter sa chambre, restant étendue sur son lit à rêvasser. L'image de son enfant disparu l'accompagnait en secret, une fille, elle en était certaine. Elle la pleurait parfois, imaginant qu'elle aurait pu être une artiste extraordinaire, une chanteuse, une diva, comme celles dont lui avait parlé Hakim. Mais la plupart du temps, elle s'adressait à elle comme à un ange, lui demandant de la protéger de la méchanceté des vivants.

Elle pensait se préserver par son isolement, mais on n'échappe pas à son destin. Lorsque une première fois il a mordu votre mollet, il vous retrouvera quel que soit l'endroit où vous êtes réfugié. Ce fut à nouveau un homme riche, mais, cette fois, ce n'était pas un artiste.

Depuis qu'il avait plongé dans la politique, Abdel Wahab Mazloum Pacha s'était installé dans un appartement cossu de la rue Abdine, à proximité du palais royal, laissant dans sa villa d'Alexandrie sa femme et ses trois enfants. Il avait défrayé la chronique en novembre 1924 en se rattachant au Wafd, le parti nationaliste qui faisait la guerre aux Britanniques. Son chef, Saad Zaghloul, sous la pression du gouverneur anglais, avait été contraint de démissionner de son poste de Premier ministre. Auparavant, Abdel Wahab s'était longtemps opposé au leader adulé par le peuple, mais, révolté par la mauvaise foi britannique, il avait décidé de s'engager dans le combat pour l'indépendance de l'Égypte. Mince, de grande taille, d'une élégance recherchée, il était toujours vêtu d'un costume trois pièces, un col dur fermé par une lavallière de soie blanche, et portait son tarbouche légèrement incliné sur le côté gauche. Ce souci maniaque de l'apparence compensait à l'évidence un visage ingrat. La peau grêlée, les joues tombantes, les sourcils épais, de petits yeux noirs et perçants, il aurait pu incarner les assassins dans les films muets projetés au Gaumont-Palace ou au Métropole. Sa réputation rejoignait du reste son apparence puisqu'on le disait dur avec les subalternes, sévère avec ses amis et féroce avec ses rivaux politiques.

Voilà peu de temps, il avait commencé à fréquenter la fumerie de Hassan, où les garçons redoutaient d'avoir à le servir. Il arrivait peu avant minuit, s'installait, toujours seul, près d'une porte, et exigeait sa pipe et son whisky sans attendre. Était-ce l'action de la fumée bleue, ce soir-là, surpris par cette voix qui semblait descendre des cieux, il vit défiler, les yeux fermés, des images de paradis. Une forteresse imprenable au sommet d'une montagne escarpée, un jardin ombragé avec d'immenses parterres de fleurs... Il reniflait ses doigts qui exhalaient des senteurs subtiles de jasmin et d'orchidée... Et alors que Jinane reprenait une seconde fois, à la demande du public, cette chanson lancinante : « Te regarder est une douleur. Te toucher est une douleur. T'embrasser est encore une douleur. Être dans ton corps est la plus grande des douleurs… car je me rends compte, ô l'aimée, que je ne suis pas toi, totalement, jusqu'aux mouvements de ton ventre… » Abdel Wahab, les yeux clos, eut une apparition, celle d'une femme brune à la peau cuivrée, totalement nue, qui avançait vers lui. L'ombre avait une telle réalité qu'il ouvrit brusquement les yeux.

Jinane était descendue de scène, comme elle le faisait quelquefois pour honorer un public enthousiaste. Elle se tenait devant lui dans son costume de page oriental. Tout en chantant, elle parcourait de son bâton la silhouette d'Abdel Wahab. Il cligna des yeux, ne sachant, durant un moment, s'il s'agissait encore d'images oniriques. Il se saisit brusquement du bâton. Réel, ce bâton ; plus encore cette petite main fine qui le tenait et ce garçon à la voix d'ange qui le troublait.

Le public réagit vivement en criant : « Laisse-le !… Laisse-le ! » Les yeux dans ceux de Jinane, comme hypnotisé, il restait pétrifié, incapable de réagir. Et dans sa tête, il se vit se levant, prenant ce garçon dans les bras, le baisant sur la bouche. « Laisse-le ! Laisse-le ! » criaient les hommes dans la salle. Et Jinane continuait de chanter en balançant doucement ses hanches au rythme des tambours… « Ô l'aimée, je ne suis pas toi… totalement toi, jusqu'aux mouvements de ton ventre, jusqu'aux battements de ton cœur… » Abdel Wahab secoua la tête, pour chasser les images

144

de rêve. Il se leva, prit son portefeuille dans sa poche arrière, en sortit une livre qu'il tendit au jeune garçon. Jinane prit délicatement le billet entre deux doigts et le présenta au public sur la dernière phrase de sa chanson : « L'amour est une souffrance que rien n'apaise jamais. » Puis elle tourna le dos et marcha vers la scène en frappant le sol de son bâton.

Après cette nuit, le pacha tomba amoureux du jeune garçon qui n'en était pas un. Jinane, quant à elle, commença à nourrir des pensées étranges. Cet homme, pensa-t-elle, redonnera vie à sa petite fille disparue. Elle s'adressa à la femme de Hassan, la danseuse au corps généreux. « Ô ma mère, connaîtrais-tu les plantes qui permettent d'avoir un enfant ? »

— Et moi, dit la femme qui racontait l'histoire à Khadouja, moi qui n'avais pas compris ce que Jinane préparait, je lui ai répondu : « Avant de penser aux plantes, ma fille, tu ferais bien de t'enquérir d'un fiancé ! » Idiote que je suis… Il était déjà là ; installé dans son cœur, peuplant chaque rêve de ses nuits !

Le Maalem, son mari, fut bien plus avisé. Il vendit au pacha à prix d'or une nuit de chansons pour son seul usage. En échange de cinquante livres, il lui promit de lui amener Ibn Ali, le jeune page, chez lui et s'engagea à ce que ce dernier y restât jusqu'au lendemain.

— Tu verras, ô pacha, tu ne seras pas déçu. Tous tes sens seront satisfaits et même au-delà…

— Mais le garçon ne saurait chanter ainsi, sans musiciens…, protesta Abdel Wahab.

Le Maalem s'offrit le luxe de la naïveté.

— Tu veux donc aussi les musiciens, ô mon prince ?… Je pensais que le garçon te suffirait. Pour vingt livres de plus, tu auras les trois musiciens, et si tu acceptes de payer encore dix livres, je t'amène aussi la danseuse.

— Non ! répondit l'autre, qui n'apprécia pas la plaisanterie. Ta femme pourra rester dans ta souille à danser pour les rats. Et je ne garderai les musiciens que jusqu'à minuit. Pour le tout, tu auras trente livres. Et si tu protestes, demain, compte sur moi, tu verras ici même une descente de police. Bien malin qui pourra dire quand tu sortiras de prison, idiot !

Le Maalem baisa alors la main du pacha en se courbant.

— Ô pacha, ô mon prince, la somme que ta présence acceptera de me donner sera toujours bien supérieure à celle que je mérite.

Nuit du Caire, nuit d'éternité. C'était la pleine lune. Repas de gala, Abdel Wahab avait commandé les mets les plus luxueux. Ambiance de fête, il avait encensé son appartement, disposé des bougies dans toutes les pièces, aménagé une estrade pour les musiciens. Il avait convié deux amis, des militaires à la solide réputation de coureurs, et leur avait payé deux filles parmi les plus belles. Il fallait bien un public pour son chanteur !

Chemins sinueux du destin, Jinane s'était préparée, elle aussi. Suivant les conseils des femmes, elle avait choisi son jour, un jeudi. L'après-midi, elle s'était rendue au 'hammam, avait transpiré, s'était laissé épiler, masser, parfumer, maquiller. Tous les soirs de la semaine qui avait précédé, elle avait bu une tisane préparée par une vieille, à laquelle elle ajoutait des cuillerées de miel pour en supporter l'amertume. Avant de revêtir les habits de sayes, elle s'était longuement examinée dans le miroir. Sa poitrine et ses hanches s'étaient épanouies, sa peau, lustrée à l'huile, embaumait le jasmin et la rose. Son visage était crispé par l'attente. Elle se força à sourire, recommença, et encore… Pour finir, elle passa une main sur le miroir et murmura : « Avec l'aide de Dieu… »

Les musiciens jouèrent d'abord seuls pendant qu'Abdel Wahab et ses invités buvaient du whisky. On attendait le chanteur, qui tardait. Avec l'aide de l'alcool, la conversation devint plus épicée.

— On dit que tu es très attiré par le jeune chanteur, dit le général. Il ne faut pas en avoir honte. Connais-tu ces vers d'Abou Nouwas : « Lui dit-on : "Que bois-tu ?" Il répond : "Dans mon verre !" Lui dit-on : "Qu'aimes-tu ?" Il répond : "Par-derrière !"

"Et que délaisses-tu, alors ?" La réponse est évidemment : "La prière !" »

— Abou Nouwas est un grand poète, j'en conviens – l'un de nos plus grands ! Mais je ne partage pas sa critique de la prière. Je dois dire que prier me fait toujours beaucoup de bien, surtout le soir.

Abdel Wahab frappa dans les mains. Un serviteur apparut.

— Apporte-nous trois chichas, ordonna-t-il.

Et les trois hommes s'installèrent devant leurs narguilés. Les bulles tourbillonnaient dans les réservoirs d'opale. Des senteurs de caramel et de haschisch envahirent le salon. Les militaires, voulant sans doute honorer leur hôte, firent l'apologie de l'homosexualité.

— Pour en revenir à notre conversation, je dirais que les garçons sont supérieurs aux filles. Ils ont l'intuition de nos plaisirs bien mieux qu'elles, dit le colonel, qui avait posé sa main sur la cuisse d'une des filles.

Ils burent ensemble ; ils fumèrent, réclamèrent de nouvelles doses de tabac aromatisé, fumèrent encore ; ils rirent de plus en plus fort. Les musiciens jouaient. Les femmes s'éclipsèrent. Elles revinrent seulement vêtues d'un pantalon bouffant et d'un soutien-gorge. Faisant tournoyer leur long voile transparent, elles se mirent à danser. Elles s'approchaient des hommes, flattant leurs genoux de leurs hanches, s'agenouillaient devant eux, prometteuses et soumises, les frôlant de leur bouche, les invitant de leurs gestes aux passions de leur corps.

La soirée était avancée lorsque les musiciens jouèrent l'introduction de « Malheur d'aimer », la chanson fétiche de Jinane. Les conversations s'interrompirent. On entendit, d'abord de loin, écho de cristal, puis plus fort, une note, une seule, longue comme une douleur. Puis elle apparut dans un coin de la pièce, dans un halo de lune, petit page doré, appuyé sur son bâton. Et sa voix emplit la pièce, comme une poussée venue des entrailles du monde. « Approche, ô ma douleur, approche-toi ! » Et les musiciens, et les convives, de scander par un râle, en harmonie, un soupir, une plainte : « Aaah... » Elle répéta le vers : « Approche, ô ma douleur, approche-toi ! » Et les autres de reprendre : « Aaah... » Cinq fois, dix fois... Elle aurait pu le reprendre encore cent fois ; cent fois le public aurait répondu en soupirant, comme une jouissance sans fin. Tandis que la lyre égrenait ses arpèges en solitaire, elle avança vers Abdel Wahab, et lorsqu'elle fut tout près, parcourut son visage de sa main : « Approche, ô l'aimée. Approche, viens à moi. » Il ferma les yeux et poussa un râle : « Aaah... » Elle répéta le deuxième vers en s'éloignant de lui. « Aaah... » Et lorsqu'elle eut rejoint les musiciens, elle chanta : « Ton absence est une douleur. » Soumis à la puissance insupportable de la beauté, le public, n'y tenant plus, applaudit. Elle répéta le vers, et encore, et le public soupira, chaque fois, plus fort, plus présent, pénétré des mots du poète. Jinane se courba légèrement en avant, les remerciant d'un geste de la tête, et reprit : « Te regarder est une douleur. Te toucher est une douleur… » Et le parcours des souffrances de l'amoureux dura longtemps, scandé par les soupirs du public, très longtemps.

Abdel Wahab avait fermé les yeux, se balançant lentement d'avant en arrière, assailli par des visions de paradis. Des jeunes femmes nues dansaient devant ses yeux. Elles n'étaient pas deux mais soixante et dix. La peau blanche, elles étaient libres, vierges d'hommes et vierges de djinns. Elles voletaient dans les airs, portées sur des coussins de velours verts ou des tapis aux chemins infinis. Et il soupirait, Abdel Wahab ; les yeux fermés, il soupirait. Et lorsque Jinane prononça une fois encore : « Te regarder est une douleur. Te toucher est une douleur. T'embrasser est encore une douleur… », il ouvrit soudain les yeux, surgit d'un seul mouvement de son fauteuil, se saisit du page et l'embrassa sur les lèvres. Sa bouche avait un goût d'oranger en fleur.

Dans la chambre, il faisait nuit noire. Dehors, les musiciens avaient rangé leurs instruments et les deux militaires, chacun avec sa courtisane, avaient disparu. Dernier rythme encore vivant, le tic-tac de la grande pendule, auquel se calait le pas du domestique qui rangeait en silence les reliefs des plaisirs. Abdel Wahab, debout, le cerveau embrumé d'alcool et des fumées de l'insouciance, caressait le visage du petit page capturé en plein chant. « Cette nuit, tu chanteras pour moi, une musique qui vient du ventre. » Il retira le gilet brodé et le jeta au loin. Jinane retenait son souffle. Il retira l'ample tunique de fin coton. Jinane ramena vivement ses mains pour cacher sa poitrine. Surpris, Abdel Wahab déroula la longue bande de coton qui l'enserrait sous son vêtement. Il caressa sa poitrine, sensations de ses mains, trouble de sa pensée. Ce garçon avait de beaux seins, larges et pointus. Hermaphrodite ?... Survinrent les images de paradis. Parmi les vierges, avait-il appris autrefois en ses cours de théologie, étaient des démones, des djenneyas... Certains diables portent un sexe mâle sur la cuisse droite et une vulve de femme sur la gauche. Et lorsqu'ils s'ennuient, ils frappent la jambe droite contre la gauche pour se donner du plaisir. Le Sheytan ? Pris d'une angoisse soudaine, il se mit à trembler. L'effet des substances revenait par bouffées. Le Sheytan ? Et le tic-tac de l'horloge s'était amplifié au point de se confondre aux battements de son pouls. Il ferma les yeux, serrant les paupières pour chasser les terreurs. Courage ! se raisonna Abdel Wahab...

Il retira le pantalon du garçon, caressa ses cuisses. Jinane, debout elle aussi, si petite devant lui, eut un soupir de plaisir. Ils s'étendirent tous deux sur le lit. Nouveau retour des substances. «Qui es-tu ?» balbutia-t-il. Et le petit page répondit : «Jinane», qui signifie aussi «paradis»... Et les images devant les yeux d'Abdel Wahab ; au-dessus de lui pendaient des fruits gorgés de suc, des raisins. Magie du chanvre, il voyait dans le noir comme un chat. Et ses yeux, les yeux blonds de Jinane... Elle lui dit des mots apaisants. «Jinane, je suis Jinane, aucun homme, aucun génie ne m'a jamais conquise. Mon cœur est une perle enfouie dans un coquillage que nul n'a ouvert.» A-t-elle même prononcé ces paroles ? Ou s'est-elle contentée de guider son sexe, rendu timide par la fumée bleue, jusqu'à sa corolle ? Le haschisch renforce les liens d'amour. Ralentissant le plaisir de l'homme, il accroît celui de la femme. Ils s'aimèrent longtemps, en silence, sans autre parole que leurs noms qu'ils s'échangeaient en murmurant. À l'aube, les premières lueurs coloraient les murs de la chambre. Le plaisir d'Abdel Wahab, jusqu'alors entravé par les substances, éblouit son regard. Jinane le ressentit au travers des spasmes de son ventre.

— Pourquoi ? lui demanda-t-il. Pourquoi t'es-tu travestie en garçon ?

— Le don de Dieu ne convient pas aux femmes. La femme qui sait chanter attise la convoitise et finit détruite et humiliée.

— Tu es donc une femme…

Elle sourit :

— Une fallaha, une paysanne, une femme simple du Delta.

— Le Nil nous vient de loin, de très loin. Ses torrents ont dévalé les montagnes d'Éthiopie, ses tumultes se sont faufilés dans les défilés soudanais et, après avoir déferlé sur la moitié de la terre, enfin fatigué, parvenu au ventre de la vache, il s'est séparé en sept branches créant un gigantesque chandelier vert qui nourrit le monde. Tu n'es pas une fallaha, tu es l'Égyptienne. Tu es la terre. Tu es l'Égypte.

À ces mots, Abdel Wahab plongea en un si profond sommeil que les serviteurs venus le réveiller le lendemain à dix heures le crurent mort. Après cette nuit, il ne remit plus jamais les pieds dans la fumerie du Maalem Hassan el Shebab, que les siens appelaient « l'éternel jeune homme ».

Sitôt l'homme endormi repu d'amour et enivré de kif, Jinane s'échappa sans bruit rejoindre le tripot des plaisirs volatils. Les jours qui suivirent, il lui envoya de l'argent, des bouquets de fleurs, mais ne chercha pas à la revoir. Quant à elle, enfin libérée de sa longue tristesse, elle écrivit sa première chanson, qui commençait ainsi : « Jinane, je suis

Jinane, aucun homme, aucun génie ne m'a jamais conquise. » Elle la chantait en toute fin de répertoire, après avoir disparu dans les coulisses travestie en page, réapparue sur scène en habits de Bédouine.

Elle attendit cinq mois, que son ventre fût rond comme celui d'un petit âne, pour lui faire savoir qu'elle était enceinte… De lui ! Il ne répondit pas immédiatement. Dans sa solitude, il pensait seulement : « De moi, sans doute, et de tous les autres… » C'est l'excuse des hommes qui laissent échapper leur semence. Mais Jinane savait que c'était de lui, rien que lui ! Elle n'avait connu aucun homme depuis Gergess et aucun après sa nuit avec Abdel Wahab.

Après quelques semaines, il se décida enfin. Il l'invita chez lui. Il lui manda son automobile et son chauffeur. Elle vint dans l'appartement de la rue Abdine, qui lui parut moins grand, moins luxueux que dans son souvenir. Il la reçut derrière son bureau, vêtu d'un costume trois pièces de fin coton gris, cravate nouée sur son col dur, le visage congestionné ; il jouait avec son stylo à plume. Il faisait chaud. Au plafond, un immense ventilateur aux palmes d'aluminium tournait, lent et puissant, avec des bruits de vent giflé, qui sonnaient comme des mots, comme des voix. Jinane y jeta un regard.

— Que ton jour respire le jasmin, ô Pacha !

C'est ainsi qu'elle le salua, et elle ajouta :

— On peut fabriquer le vent, mais le souffle de vie vient de l'intérieur.

— Que ton jour soit doré comme une coulée de miel sous le soleil, lui répondit Abdel Wahab. Le souffle de vie, ma fille, c'est le Créateur qui l'introduit dans la goutte de sang.

Puis il se lança dans un long développement politique. Les Anglais étaient des hypocrites, grimaciers sournois, qui, d'une main, offraient l'indépendance et, de l'autre, instituaient des tribunaux, géraient les finances publiques, installaient leurs soldats aux carrefours stratégiques du pays, notamment le long du canal. Et si le roi Fouad laissait faire, c'était parce que lui aussi était un étranger, un Turc, un Albanais... Pour naître enfin, il fallait à l'Égypte un patriote, un véritable Égyptien, comme «notre maître Saad Zaghloul». Il lui rappela que Zaghloul, le chef du Wafd, son parti, auquel il venait d'adhérer, était un fellah, un paysan du Delta, tout comme elle, qu'il était issu de la terre, poussé long comme un palmier, et qu'il s'était hissé par son seul mérite au niveau des plus hauts responsables, y compris ceux des pays étrangers. Sidérée, elle écoutait ce discours dont elle ne comprenait pas la signification, dont elle ne savait que penser. Qu'était-il en train de lui dire ? Que l'enfant qui allait arriver était l'incarnation de son récent ralliement au parti indépendantiste ? Pour un peu, cet enfant, il aurait fallu l'appeler «Wafd». Habitée de politesse, infinie douceur du peuple de ce pays, elle répondit :

— L'Égypte est la mère du monde, n'est-ce pas, mon prince ? Et moi, je serai seulement la mère de ton enfant.

— Ne crois pas que je me dérobe, ma fille, dit Abdel Wahab d'un air grave. Ton enfant, je veillerai sur lui, mais de loin. Sois certaine qu'il ne manquera de rien. Il arrive au moment où les forces contenues depuis des millénaires, les forces de notre pays, l'Égypte, parviennent enfin à se libérer. Le Nil, retenu dans un étroit couloir tout au long de sa traversée du désert, se libère lui aussi, en ce lieu qu'on appelle Batn el Bakara, «le ventre de la vache»... Tu le sais, la vache est grosse pour lui donner naissance...

Jinane pensa que c'était plutôt la tête d'Abdel Wahab qui était troublée et qui avait besoin d'être libérée. Elle savait que l'abus de haschisch provoquait chez certains d'étranges paroles qui persistaient longtemps après la dernière prise et parfois ne les quittaient jamais. Elle en avait vu, dans la fumerie de Hassan, prostrés des jours durant, les yeux hagards, sans manger, buvant à peine, qui, lorsqu'on les interrogeait, prétendaient qu'ils étaient rois, princes ou pachas. Ils donnaient des ordres aux souris et se battaient contre des ennemis que seuls leurs yeux voyaient. Mais lui était un vrai pacha et voilà que sa parole surgissait comme un torrent, que ses yeux étaient mobiles et incandescents et que ses mains ne parvenaient à trouver le repos.

— C'est une fille ! déclara Jinane en caressant doucement son ventre.

Il se leva vivement de son siège, franchit en deux pas la distance qui le séparait d'elle et, debout, la surplombant, immense, s'écria :

— Comment le sais-tu ? Hein ?... Qui t'a dit que c'était une fille ? Quelle sorcière es-tu allée interroger, avec quel magicien t'es-tu vautrée ? Pourquoi dis-tu que c'est une fille ? Peut-être que c'est un garçon... Eh bien moi, je crois plutôt que c'est un diable, un 'afrit, un djinn... Ce sont les êtres que les sorcières comme toi mettent au monde !

Il était si brutal, si près d'elle, qu'elle en fut effrayée. On n'allait pas à nouveau lui prendre son enfant par la violence. Se protégeant la tête de la main, elle se rua vers la porte. Il la retint par son vêtement et la tira violemment en arrière.

— Non ! Reste là ! Puis, se radoucissant, un mauvais sourire aux lèvres : Reste, ma fille, reste !

De mauvais gré, elle reprit sa place dans le fauteuil, recroquevillée pour protéger son ventre. Après quelques minutes, essoufflé, rouge de colère, il lui demanda :

— Que veux-tu ? Dis-moi franchement ; de l'argent ? C'est ce que tu veux ?

Qu'avaient-ils tous avec l'argent ? Elle n'en avait nul besoin. Elle possédait des centaines de livres, lentement amassées dans son trésor, depuis des années. Elle n'en avait pas dépensé une seule... Non ! Elle voulait sa fille ; qu'on lui rende sa fille ravie trop tôt par la méchanceté des hommes. Elle voulait être sûre qu'il la laisserait revenir. Et puis, il avait raison, elle était prête à le reconnaître : oui, elle était partie consulter une sorcière, une femme qui lit dans le sable. Elle, au moins, avait vu que sa fille était de retour ; qu'elle se tenait là, tapie dans son ventre, sa fille qu'elle protégeait maintenant entre ses bras. Elle releva la tête :

— Ma fille ! Je veux ma fille...

— Mais alors pourquoi viens-tu m'importuner ? Que veux-tu de moi ?

— Que tu la nommes ! répondit Jinane, le visage soudain ouvert.

La nommer ? Que signifiait cette exigence ? Décidément, il ne comprendrait jamais les femmes ! On ne donne le nom qu'au septième jour, et sa fille – si c'est une fille – n'était même pas née. Pourquoi fallait-il décider maintenant de son nom ? Et pourquoi cette tâche devait-elle lui incomber, à lui ? Et puis, il n'était pas certain qu'une telle action fût licite, conforme aux recommandations religieuses.

— Son nom, tu le sais, est écrit par la main de Dieu quelque part dans le ciel.

Et pour lui expliquer que Dieu écrivait le destin des hommes sur une sorte de livre, du doigt, il dessina des lettres devant lui, sur un tableau invisible.

— Quel mot viens-tu d'écrire, ô mon prince ?

— Je ne sais pas... Masr, «l'Égypte»... Je crois bien que c'est ce mot que je dessinais dans l'espace.

— C'est donc son nom ? demanda Jinane...

— Ce n'est pas un nom pour une fille. Masr est un pays ; ce n'est ni un homme ni une femme, notre pays. Mais tu pourrais l'appeler Masreya, «l'Égyptienne».

Elle se leva alors, souriante :

— Oui, mon prince ! Masreya, ce sera son nom. Et lorsqu'elle sera en âge de comprendre, je lui apprendrai qu'elle est née du ventre de la vache, lointaine fille des torrents du Nil.

Et Jinane quitta la demeure d'Abdel Wahab Mazloum Pacha. C'était quelques mois avant qu'il fût élu député à l'Assemblée.

*

La tante Tofa'ha avait le sourire aux lèvres lorsqu'elle demanda à la danseuse, l'épouse cairote de Hassan :

— C'est elle, Oum Jinane, c'est elle que nous voulons rencontrer ! Sa réputation est montée jusqu'à nous, dans le quartier du Mouski. Est-ce vrai ce qu'on nous a dit, que depuis qu'elle a donné naissance à sa fille, ses seins dégorgent de lait, au point que si on le recueillait on pourrait emplir trois grosses jarres chaque jour ?

— De ta bouche sortent des paroles de lumière, ma sœur ! Oui, c'est vrai ! Sa fille est à peine âgée de deux jours et a déjà le visage rond comme une pastèque. Le matin, la chemise d'Oum Jinane est trempée, les draps dans lesquels elle a dormi sont trempés, le matelas aussi est imbibé. On pourrait croire qu'on a arrosé son lit en pleine nuit. Et tu peux goûter, c'est du lait, rien que du lait.

La femme les conduisit à travers l'arrière-salle de la fumerie, le long de couloirs obscurs, jusqu'au premier étage, jusqu'à la chambre de Jinane. Un rayon de soleil qui filtrait à l'interstice des rideaux traçait une ligne de feu sur le mur, comme s'il était fendu. Elles se tenaient toutes deux sur le lit. La petite tétait goulûment le sein, au rythme d'un refrain que lui chantait doucement sa mère : « Je suis l'Égyptienne, enfant naturelle des torrents et du désert, je suis née du ventre de la vache, je m'appelle Masreya... Ô Masreya... »

Touchées par le spectacle, les trois femmes s'inclinèrent jusqu'au sol. Nadji, le faible d'esprit, qui poussait de petits cris d'excitation, récolta une tape derrière l'oreille. Tofa'ha salua Jinane. Il lui venait à l'esprit des images antiques. Elle remercia Dieu de l'avoir conduite jusque-là, et le remercia encore. Elle s'agenouilla et baisa les mains de la mère.

Khadouja se répandit en phrases dépréciatives sur le bébé pour lui éviter le mauvais œil : « Regarde comme elle est laide. Avec son visage tout fripé, on dirait une vieille sorcière. » Et elle tapait dans une main avec l'autre main et puis c'était dans la seconde avec la première. « Ay ya yay… Comme elle est laide, cette Égyptienne ! » répétait-elle. Et Jinane, toute à son bonheur, remerciait les femmes et remerciait Dieu à son tour (il n'était pas certain que ce fût le même dieu).

Khadouja prit alors la parole. Elle expliqua à Oum Jinane que là-bas, dans le Mouski, dans la ruelle aux Juifs, il était né un garçon à un couple de la famille des joyaux, les Gohar – chez eux, on les appelait « Zohar ». Son visage était si beau que, lorsque les femmes le regardaient, les larmes leur montaient aux yeux. Parfois la beauté est plus violente que la force. Et lorsqu'on s'approchait de l'enfant, un parfum s'en dégageait, comme de l'encens. Elle voulait lui poser une question : devait-on laisser mourir cet enfant parce que sa mère, la malheureuse, n'avait pas une seule goutte de lait ? Il fallait la croire, on avait essayé de le nourrir de celui de la vache et aussi de celui de la brebis, mais il avait refusé toute nourriture. On avait fait appel à des nourrices de chez lui, des Juives de 'Haret el Yahoud, mais il avait détourné le visage en crachotant. Depuis qu'il était né, il n'avait rien absorbé – rien du tout ! Eh bien voilà ce qu'elles pensaient :

161

sans doute attendait-il le lait de la bienheureuse, de Jinane, celle dont le nom suggère le paradis... Et Khadouja cita une sourate du Coran qui, évoquant Moïse – pour qui, comme on le sait, la fille du pharaon rechercha anxieusement une nourrice –, disait : « Allaite-le ! N'aie pas peur. Ne sois pas triste. » Et elle ajouta : « Crois-moi, il te reviendra ! »

Tofa'ha s'est alors demandé quel pouvait être le sens de cette dernière phrase. « Il te reviendra »... est-ce que cela voulait dire qu'il serait l'enfant de Jinane et qu'un jour ou l'autre il viendrait la rejoindre ? Ou peut-être qu'il épouserait nécessairement une Arabe, une musulmane ? Elle secoua la tête dans un geste de dénégation.

Et Masreya s'était endormie sur le sein de sa mère, la bouche entrouverte. Khadouja revenait à la charge, inlassable. Elle raisonnait à haute voix. « Une première fois, tu as donné la vie. Mais tu ne pouvais faire autrement. Dans ton ventre, l'enfant, attiré par la lumière et les bruits du monde, voulait sortir. Tu n'as fait que suivre sa volonté ; tu l'as seulement aidé de toute ta force. Cette fois, c'est par ta décision, ton consentement, que tu donneras la vie à un enfant qui, sans toi, retournera chez les morts. Renoncerais-tu à donner la vie par un acte volontaire ? »

À ces mots, Jinane accepta. Elle pensa que Dieu lui en saurait gré, qu'en échange de son lait il octroierait une longue vie, une belle vie, à Masreya, sa fille, la petite Égyptienne qu'elle berçait dans ses bras. Oui, répondit-elle à Khadouja, elle irait avec sa fille passer quelques semaines dans la ruelle aux Juifs, dans cette famille de joyaux, afin que l'enfant acceptât de rejoindre les vivants.

Tofa'ha frappa dans ses mains en s'écriant : « Gloire à Dieu ! » – Dieu qu'elle appelait « Allah » en arabe, comme tous les Juifs du ghetto. Et Khadouja posait les mains sur la tête de Jinane et les portait ensuite à ses lèvres en répétant : « Au nom de Dieu… au nom de Dieu… » Et les femmes pleuraient et riaient en même temps et l'idiot, Nadji, frappait dans ses mains.

Le temps d'emporter quelques affaires (il fallait faire vite !), les femmes embarquèrent dans une carriole tirée par un gros cheval roux à la crinière dorée, et Nadji prit place aux côtés du cocher. Jinane imposa cependant un détour par la mosquée de Sayeda-Zainab. À quoi servait d'accomplir une bonne action si Dieu et ses anges n'étaient pas au courant ? Si bien que, lorsque l'équipage parvint devant l'épicerie de l'oncle Élie, le soleil commençait à décliner dans le ciel.

— De toute la journée, il n'a cessé de crier un seul instant, se lamentait la vieille Mass'ouda, la femme de l'oncle Élie. Que veux-tu ? Il a faim. Et sa mère s'est retirée du monde. C'est triste de voir une mère pleurer de ne pouvoir nourrir son enfant affamé.

On installa Jinane à la belle poitrine dans un large canapé d'osier. Dans un bras, elle tenait Masreya, l'enfant du Nil, qui s'était assoupie; les tantes d'Esther installèrent le garçon qui n'avait pas encore de nom dans l'autre bras. Il s'empara fiévreusement du sein et se nourrit ainsi, une heure d'affilée, sans s'arrêter. Motty, son père, debout, appuyé sur sa canne, ne cessait de psalmodier en hébreu ce vers du Cantique: «Ton sein est une coupe arrondie, où ne manque pas le vin parfumé. Ton corps, entouré de lys, est un pain de froment.»

La nouvelle du prodige se répandit à la vitesse de la parole. Il se forma un attroupement devant la porte de l'épicerie. La tante Maleka sortait offrir des dattes en criant: «C'est un prodige, un grand prodige!» Jamais un quartier du Caire ne s'était enthousiasmé devant la tétée d'un bébé.

Jusqu'au coucher, l'enfant se nourrit encore trois fois au sein d'abondance. Il s'emparait d'un mamelon, la petite Masreya de l'autre, et les mains des deux enfants quelquefois se touchaient. On aurait pu penser à deux amants pénétrant au paradis en se tenant par la main. La nuit était avancée lorsqu'on le coucha, repu, dans les bras d'Esther, sa mère.

Jinane était hébergée dans la plus grande maison de la famille, celle de la tante Maleka et de son mari Yakoub, que l'on appelait Poupy. Elle se sentait à l'abri dans le ghetto. Elle savait que nul ne viendrait la chercher au royaume des exclus. Elle se disait que, là, sa fille ne courait aucun danger, dans l'ignorance de sa famille, les paysans ombrageux du Delta, à l'abri de l'œil envieux des femmes de la rue Ma'rouf, loin des fureurs prévisibles de la rue Abdine et de son maître, Abdel Wahab. Et les femmes juives de la ruelle, le cœur gonflé de reconnaissance, la traitaient comme une princesse. Tous les jours, elles lui présentaient des plats dont elles avaient le secret, la soupe de blé au lait, d'abord, celle qu'on réserve aux nouvelles accouchées, puis les courgettes farcies de viande, que l'on disait « italiennes », de la viande de veau en ragoût qu'elle n'avait jamais goûtée ailleurs et qu'ils appelaient « séfrito », du riz aux lentilles et à l'aneth et, bien sûr, les multiples préparations de foul, les fèves séchées, la délicieuse nourriture du petit peuple d'Égypte. Entre les repas, elles faisaient assaut de petits gâteaux, feuilletés aux noisettes dégoulinant de miel, bouchées de pâtes fourrées à la purée de dattes ou rondelles blanches de sucre, comme la pleine lune, et fendues comme les fesses des femmes.

Elles ne la laissaient jamais seule, pas un instant, veillant à chacun de ses désirs, évoquant avec elle ses parents, son enfance. Et elles la plaignaient, aussi : « Ô Dieu ! Comment peut-on ainsi accoucher seule, loin de sa mère, sans ses tantes, loin de la terre qui t'a vue naître ? » disait l'une en levant les mains ouvertes au ciel. «La pauvre! répondait l'autre. Nul ne peut remplacer sa famille absente, mais on peut la lui faire oublier...» Et Masreya, la petite Égyptienne, circulait entre les mains des tantes, qui la lavaient, la massaient, la berçaient, comme une enfant de la famille, au même titre que le garçon d'Esther.

Tofa'ha, la plus jeune tante, qui s'était prise d'une véritable affection pour Jinane, demanda au rav Mourad de lui confectionner l'amulette des accouchées, destinée à écarter Lilith, cet ange féminin de la mort. Elle le savait ergoteur, leur rabbin, mais honnête quant au fond, et surtout savant. Mais lorsqu'il voulut se dérober en disant : «Voyons, on ne peut pas lui confectionner une amulette juive; elle est musulmane!», les femmes poussèrent un cri de consternation : «Et pourquoi?», d'une seule voix. «Alors, les diables, les sorciers et les microbes examinent la foi de la personne avant de l'attaquer?»

Maleka, la plus sage, mais certainement pas la moins offensive, déclara, sentencieuse :

— Pour prier, chaque peuple est différent, mais pour se protéger de la mort, nous sommes tous semblables !

Et Tofa'ha de l'apostropher :

— Tu veux donc la mort de l'enfant de Jinane alors qu'elle a sauvé la vie de notre enfant...

Mourad finit par céder, bien sûr, mais dans

sa tête, il envoyait aux mille diables cette famille Zohar qui ne craignait ni Dieu ni les rabbins.

Dans le silence de la nuit, malgré sa mauvaise humeur, il s'appliqua. De sa plus belle écriture, il recopia, sur un large parchemin à peu près rectangulaire, la prière trouvée dans un livre de kabbale pratique qu'il tenait de son grand-père. « Il ne permettra pas que vacille ta jambe, le Dieu de nos pères. Comme il est écrit : il ne dort ni ne rêvasse, le gardien d'Israël. » Puis il dessina au milieu de la feuille une main noire aux doigts écartés, à droite un poisson et à gauche un œil, qui ressemblait un peu à l'œil d'Horus dont on pouvait voir des gravures dans les livres sur l'Égypte antique. Et il laissa aller son imagination. « Ô vous, yeux mauvais ! Œil qui regardes à droite, œil qui regardes à gauche ! Ô vous, yeux du mal ! Œil torve, œil perçant ; œil qui absorbes la vie, œil qui insinues la mort ! Ô vous yeux du malheur ! Œil de divorcée, œil de mari trompé ; œil de l'aveugle, œil du boiteux… » Suivait une longue litanie des yeux toxiques, des yeux d'envieux… qui se terminait par le dernier, le plus puissant : l'œil qui se souvient de l'œil… Mourad s'adressait donc à tous ces yeux et les mettait en garde. « Ô vous, yeux mauvais, l'œil de Dieu vous regarde et vous pétrifie. Il vous empêchera d'agir contre ces deux enfants, qu'il protège de sa main puissante. Vous ne pourrez rien, ni le jour ni la nuit, ni durant la veille ni durant le sommeil; ni dans les rêves ni par la folie. Vous ne pourrez rien contre eux, ni ici ni ailleurs, ni dans la basse Égypte ni dans la haute, ni dans ce monde ni dans l'autre… » Il en appela à la centaine d'anges dont il connaissait le nom; il en appela aux légions de démons dont il distribua les noms tout autour du parchemin. Et tout en haut, il inscrivit celui du plus puissant, Salomon, maître des esprits et des animaux. Et tout en bas, il inscrivit les dix-sept noms de Lilith, la destructrice, Shatrina, Abito, Kali… et tous les autres. Et dans un coin, encadré de belles arabesques, il raconta l'histoire du prophète Élie qui sut reconnaître Lilith et la pétrifier par ses paroles. Il consacra deux nuits et un jour à la fabrication de son amulette. Puis, il l'apporta à la maison de Maleka.

Lorsqu'il l'accueillit, Poupy, le mari, s'étonna de ses yeux d'illuminé.

— Que t'est-il arrivé, ô mon rav? Tes yeux sont plus ouverts que les portes du ciel… Aurais-tu croisé un ange, par exemple?

Mourad entra et se dirigea tout droit jusqu'à la chambre de Jinane. Assise comme une sultane dans son canapé d'osier, elle allaitait les deux enfants. Tofa'ha, qui lui massait les pieds, se leva d'un bond.

— J'espère que tu ne viens pas nous expliquer que tu n'as pas pu fabriquer l'amulette…, lui dit-elle d'emblée, l'air mauvais.

— Femme de peu de foi, lui répondit Mourad, la voici !

Et il déroula le parchemin. Elle l'examina, éba-hie. Elle ne savait pas lire l'hébreu, Tofa'ha – et même si elle avait su, cela ne lui aurait pas été d'un grand secours, Mourad l'avait rédigée en araméen. Mais elle était belle, cette amulette, une sorte de tableau complexe, à l'allure de labyrinthe, avec ces trois dessins encerclés de mots dansants et de lettres perdues.

— Maleka ! cria-t-elle, Maleka ! Viens vite voir le bouclier qu'a fabriqué Mourad.

— Mais il y a une condition, annonça Mourad.

— Non ? Une condition ? Et une condition à quoi ? le défia Tofa'ha, les mains sur les hanches.

— Une condition, c'est tout ! L'amulette protège les deux enfants, depuis leur naissance et jusqu'à toujours…

— Et alors ?…

C'était sa petite vengeance, à Mourad. Puisqu'il fallait protéger les deux enfants, ils devraient, pour que l'amulette soit active, se tenir tous deux, ensemble, sous son égide. Et Mourad ajouta :

— Cette peau est une armure, un vêtement impénétrable, mais elle n'agit que sur les deux réu-nis.

Il posa l'amulette aux pieds de Jinane et fit ses recommandations.

— Durant sept jours, l'amulette dormira sous le

ventre d'Esther, la mère du garçon ; les sept jours suivants, elle dormira sous celui de Jinane, la mère de la fille. Après quoi, il faudra l'accrocher au mur, au-dessus des deux enfants.

Poupy réagit aussitôt :

— Mais tu sais bien, Rabbi, que Jinane est seulement de passage, se plaignit-il. Elle repartira dans quelques jours avec la petite. Comment pourrait-on fixer l'amulette au-dessus des deux enfants si l'un reste ici avec sa mère, dans sa famille, et l'autre repart ailleurs, dans la sienne ?

Mourad, un petit sourire au coin des lèvres, leva les bras au ciel dans un geste d'impuissance.

Ô Mourad, tu as hérité de tes ancêtres, les kabbalistes immémoriaux, cette ruse, l'arme des démons, avec laquelle on combat les démons. Ô Mourad, quelle idée a traversé ton esprit ? Sais-tu que ton écriture a fixé à jamais le destin de ces enfants ? Que n'a-t-on réservé l'écriture aux dieux ? Pourquoi est-on allé mettre cette arme des ruses et des complots entre les mains des humains ?

Autour de la table, réunie le soir de shabbat, la famille discuta jusque tard dans la nuit de ce problème et conclut qu'elle ne savait pas le résoudre. Si Dieu avait décidé de protéger les deux enfants de cette manière, c'est qu'il avait ses raisons. Élie décréta que Jinane resterait dans 'Haret el

Yahoud, dans la maison de Maleka, durant quarante jours.

— Pourquoi quarante ? demanda Tofa'ha, qui l'aurait bien gardée davantage.

— Peut-être à cause des quarante ans dans le désert…, hasarda Poupy.

— Mais non ! proposa Adina, c'est pour la purification. Ne remplit-on pas le bassin du mikwé, le bain rituel des femmes, de quarante mesures d'eau ?

Les hommes grognèrent. De quoi se mêlait-elle, celle-là ? Et comment savait-elle le nombre de mesures d'eau du mikwé ?

Motty y alla tout de même de son commentaire talmudique :

— Quarante, c'est l'équivalent numérique du mot « eau »… en hébreu, ajouta-t-il encore devant le silence des autres.

— Et alors ? s'interrogea Maleka, qui n'avait pas compris.

— Quarante, reprit Motty, quarante mesures de *quarante*, c'est-à-dire d'eau, cela fait de l'eau totalement eau, vous comprenez ? Donc de l'eau pure, purifiée par son décompte.

On le savait intelligent, celui-là, mais cette fois, on aurait dit que son intelligence avait brouillé sa raison.

— Nooon… oon ! s'exclama Adina, tu penses vraiment qu'on va te suivre ?

C'est alors qu'Esther, qui n'avait encore rien dit, vint au secours de son mari bien-aimé :

— Mais voyons ! Quarante jours, c'est le temps nécessaire à la purification de l'accouchée. Et c'est aussi vrai pour les juifs que pour les musulmans.

C'était elle qui avait raison ! Il s'installa un lourd silence, rompu par Poupy :

— D'accord ! Mais ça ne doit pas nous empêcher de discuter, tout de même !

Le lendemain, on fixa le parchemin sous le drap du lit d'Esther et il passa sept nuits sous son ventre. Le huitième jour, les femmes examinèrent le garçon. Il n'avait pas encore reçu de nom. Motty, son père, s'y opposait. « À quoi bon le nommer s'il doit repartir ? » On en discutait, cependant. Si l'enfant vivait, Motty souhaitait lui donner le nom de son père, Abraham, d'abord parce que c'était la tradition et puis, expliquait-il, parce que ce nom convient bien à un aîné. Abraham n'a-t-il pas été le premier à reconnaître Dieu ? La mère, Esther, se sentait tenue par sa promesse de la crypte. Pour elle, il était Maïmon. C'est ainsi qu'elle l'appelait lorsqu'elle le berçait, ou parfois par les attributs du philosophe, « l'aigle de la synagogue ». Elle utilisait alors ce petit mot arabe si joli, Nasr, qui signifie « l'aigle », ou Nasr el Gam'a, « l'aigle de la mosquée », ou encore Nasri, « mon aigle » ; elle lui avait même trouvé un petit nom, Nasryouni, « mon petit aigle ». Poupy, le mari de Maleka, en stratège,

172

voulait le nommer Mourad, pour contraindre le rabbi à se sentir responsable et à tout mettre en œuvre pour sa protection. Quant à l'oncle Élie, il voulait l'appeler Élie, car tout le monde savait que le prophète Élie sauvait les enfants de la mort. Ne présidait-il pas à chaque circoncision ?

Et précisément, de circoncision il en était question chaque soir. Il aurait dû être circoncis et nommé le huitième jour. Il arrivait à son douzième jour, et on ne se décidait pas. Car l'enfant était malingre. On craignait pour sa vie. Combien avaient disparu des suites de la circoncision, qui étaient pourtant vigoureux et en bonne santé. Quant à lui, étrangement, s'il acceptait de se nourrir, il ne grossissait pas. On pouvait mesurer la différence avec Masreya, qui avait exactement le même âge, sa jumelle, pour ainsi dire, jouflue et potelée, déjà. Il avait une tête bien dessinée, les traits gracieux, d'immenses yeux ouverts sur le monde, mais le corps maigrichon, avec un gros ventre ballonné. Adina l'appelait « le petit crevard » et Doudou, son mari, semblait effrayé à l'idée de le prendre dans les bras. « Regarde comme il est... pas plus grand qu'une bouchée de pain. » Si Élie pensait que la circoncision pourrait le renforcer, Motty, au contraire, préconisait qu'on ne l'y soumette que lorsqu'il aurait pris suffisamment de force. Et il argumentait : « Les Arabes ne circoncisent pas leurs garçons avant l'âge de cinq

ans. » Et la discussion s'engageait, indéfiniment...
« Ce que font les Arabes n'est pas nécessairement
bon. — Ce n'est pas nécessairement mauvais, non
plus... » Et chaque jour, on remettait la circoncision au lendemain.

Après avoir recueilli l'amulette à l'issue de
son séjour sous le matelas d'Esther, l'oncle Élie
l'examina. Il crut remarquer que les lettres aleph
s'étaient légèrement effacées. Il en conclut que ce
devrait être la première lettre du prénom de l'enfant, donc : Élie. Motty lui fit remarquer que c'était
aussi la première lettre du nom Abraham. Il en
convint. Esther contesta, arguant que, de tout l'alphabet, la lettre Aleph était certainement la plus
fréquente dans un texte en hébreu et que cela ne
prouvait rien. Elle savait qu'il était Maïmon, elle
le sentait dans son cœur, son petit Nasr. Le cœur
d'une mère ne saurait se tromper. Poupy, dont les
remarques hésitaient toujours entre critique et
dérision, hasarda une nouvelle hypothèse.

— Ils devront toujours rester unis sous l'amulette, commença-t-il.

— Et après ? l'interrompit Maleka, sa femme.

— Et après, comme jusqu'à quand ? lui répondit Poupy ; en arabe, ça rimait. Puis il s'expliqua :
Puisque la fille s'appelle Masreya, « l'Égyptienne »,
pourquoi ne pas l'appeler Yehudi, « le Juif » ?
Hein ?...

— Ah non ! dit Élie, si on raisonne ainsi, on

devrait l'appeler Masri, «l'Égyptien». Masri et Masreya… ça ne vous plaît pas ?

On décida une fois de plus de surseoir, tant à la nomination qu'à la circoncision.

Et on fixa l'amulette sous le matelas de Jinane. Le premier jour, on ne remarqua aucun changement. Mais le deuxième, un petit jeune homme surgit hors d'haleine dans la maison de Maleka, demandant Jinane. Il avait eu bien du mal à la retrouver, mais voilà ! Il y était parvenu. Il était envoyé par la femme de Hassan el Shebab avec un message urgent à lui transmettre. Un producteur de music-hall, Marwan el Halim, la réclamait pour son prochain spectacle. Il avait été impressionné par son tour de chant à la fumerie et voulait monter une sorte de comédie musicale autour de son personnage de travesti. Il fallait qu'elle comprenne que c'était une proposition très intéressante. Elle allait connaître la gloire, elle serait la nouvelle Munira el Mahdiyya, on allait enregistrer ses chansons sur les nouveaux appareils, et tout le monde autour d'elle deviendrait riche.

Le garçon ponctuait ses paroles par de petits sauts de joie. Jinane éclata de rire. C'était la première fois qu'on la voyait rire ainsi.

— Pourquoi ris-tu de moi ? lui demanda-t-il en rougissant.

— Tu es beau à sautiller comme ça, mon garçon ! On dirait les petits singes avec des gilets qu'on voit sur les marchés. (Et elle éclata de rire à nouveau.) Le singe au gilet... au gilet rouge sur son cul rouge...

Tout le monde s'esclaffa et le garçon finit par rire à son tour.

— Faut-il rapporter une réponse au Maalem ? demanda-t-il.

Elle fouilla dans les plis de sa robe, y dénicha un riyal, une belle pièce d'argent, et le lui tendit.

— Tu peux aller dire au Maalem que je lui répondrai au bout de quarante jours !

Deux jours plus tard, d'autres émissaires inattendus arrivèrent devant la maison de Maleka. Décidément, l'amulette était particulièrement active. Ils étaient trois, vêtus de longues galabeyas rayées, un bonnet sur le sommet du crâne, chacun avec une épaisse moustache qui lui barrait le visage. Ils sentaient la sueur et la poussière. Ils avaient accompli un long voyage, depuis le village de Kafr el Amar, d'abord, jusqu'à Damanhour, à dos d'âne. Ils avaient pris le train, ensuite, pour la première fois de leur vie, dans ces wagons de bois de troisième classe qui faisaient un bruit d'enfer. Ils n'avaient pas ouvert la bouche, tant ils étaient effrayés, six heures durant. Les deux moutons qu'ils tiraient au bout d'une corde semblaient moins inquiets que les gaillards. Et ils étaient arrivés à la gare du Caire, qu'on appelait «la porte du chemin de fer». Là, ils avaient erré longtemps dans la ville, traînant les deux bêtes entre les carrioles, les automobiles et les promeneurs. On les bousculait, place Isma'leya ; ils s'étaient difficilement frayé un chemin entre des banquiers et des fonctionnaires en costume européen. Là, un policier les avait menacés de les conduire au caracol, au commissariat, s'ils ne libéraient pas immédiatement la chaussée de leurs animaux malodorants. N'y tenant plus, le plus vieux avait réagi : « Parce que tu ne sais pas, mon prince, que la viande que tu manges a une tête, des pieds et fait des crottes ? » Le policier, tout vêtu de blanc comme un amiral, avait haussé les épaules et soufflé de toute la force de ses poumons dans son sifflet. Ils étaient finalement arrivés jusqu'à la rue Mouski, qu'ils avaient longée durant une heure avant de trouver l'entrée du quartier. Mais les voilà sauvés et en santé, désirant parler à la belle Jinane, leur enfant.

— Que votre journée soit de sirop d'orgeat, les accueillit Tofa'ha, fluide et sucrée !

— Que ta journée soit pour le bien et que Dieu veille sur toi, femme de belle apparence ! lui répondit le plus vieux des trois voyageurs.

— Tu as l'air fatigué, mon oncle. Viens, entre dans la maison, boire un verre d'eau ou une tasse de thé.

Ils expliquèrent à Tofa'ha qu'ils étaient des paysans du village de Kafr el Amar, ce village où le blé pousse si haut que lorsqu'on se trouve dans le champ on ne peut apercevoir le minaret ; et où les poules pondent des œufs gros comme des aubergines. Ils étaient envoyés par le père de Jinane, le cheikh Ali, l'imam, qui avait appris que sa fille avait mis un enfant au monde. Cet enfant est leur enfant. Ne sachant si c'était une fille ou un garçon, ils avaient apporté avec eux un bélier et une brebis, l'un sera pour la nomination, l'autre pour la fête. Et ils firent mine de repartir. Lorsque, de sa chambre, Jinane entendit les paroles prononcées par ses oncles, elle ne put retenir ses pleurs. Voilà plus de dix ans qu'elle se pensait orpheline et la petite Masreya venait de lui apporter, en un jour, la chaleur de son village et la protection de son père.

— N'est-ce pas Jinane que j'entends pleurer ? demanda le vieux. Dis-lui que son père ne demande rien, seulement lui transmettre la bénédiction de Dieu.

Les trois messagers restèrent trois jours dans 'Haret el Yahoud. On égorgea la brebis pour Masreya mais le bélier bénéficia d'un sursis. On s'interrogeait toujours au sujet de la circoncision de Zohar. On se tourna vers le plus vieux de la famille, l'oncle Élie.

— Alors ? demandèrent les deux parents anxieux.

— On le circoncira l'année prochaine, en même temps que le deuxième garçon qui vous naîtra peut-être, avec l'aide de Dieu...

Et les deux poussèrent un soupir de soulagement, tant ils étaient certains que le petit crevard
ne survivrait pas à la coupure de l'alliance ; et les
tantes, aussi, et même Élie, qui venait de prendre
la décision et qui ajouta :

— La Torah nous dit : « J'ai mis devant toi la vie
et la mort. En toutes circonstances, choisis la vie ! »

C'est ainsi qu'on ne circoncit pas l'enfant.
Quelques jours plus tard, le bélier fut égorgé et
l'on organisa une grande fête pour la nomination
de Zohar. Car, pour finir, on avait renoncé à tous
les autres noms évoqués. On l'avait prénommé
Zohar – Zohar, tout simplement. Il s'est donc
appelé Zohar Zohar, que certains traduisent par
« joyau des joyaux ».

Rue du Figuier

La date de l'été est dépassée depuis longtemps ; il pleut pourtant chaque jour sur Paris, une pluie froide, grise, qui brouille les repères.

Une enfance entre la vie et la mort... Depuis ma naissance et longtemps après ; durant des années... Nourrisson, je pleurais sans cesse. Je mangeais à peine. Je ressemblais à ces gamins dénutris dont on voit parfois les photos sur les magazines, les bras et les jambes comme des allumettes et un gros ventre ballonné... Il paraît que je n'ai pas marché avant deux ans, pas prononcé ma première parole avant quatre ans... Je ne souriais jamais, refusais de regarder celui qui s'adressait à moi. Grandi dans deux pièces minuscules en entresol, l'arrière-salle d'une épicerie, je ne trouvais pas ma place entre des parents qui s'aimaient à la passion... Ma mère, Esther, de jour en jour plus sorcière, vouée aux crises d'hystérie, et qu'on venait visiter de l'autre bout du pays pour se faire dire l'avenir; et Motty, mon père aveugle, une sorte d'autiste – aujourd'hui, on le dirait peut-être Asperger... Lui, ce n'étaient pas seulement les prières qu'il connaissait par cœur, mais aussi les livres de comptes. C'était son job : comptable attitré des commerçants juifs du souk aux orfèvres. Lorsqu'il ne récitait pas des listes de chiffres, de sa belle voix, il chantait le Cantique des cantiques...

Il y a quelque chose, dans le mariage, qui le rend impossible, instituant l'idée que l'amour est un besoin naturel. L'amour n'est pas un besoin, pas davantage le résultat d'un désir ; lorsqu'il survient, l'amour est toujours une fracture dans l'ordre du monde. C'est pourquoi des époux dignes, qui s'aiment malgré le mariage, ne se touchent que rarement, et toujours selon un rite.

Depuis que j'ai compris la langue des humains – il semble que cela arriva assez tard –, j'ai entendu ma mère me répéter (le mot « répéter » est à prendre au pied de la lettre ; car c'était chaque jour) : « N'épouse jamais une fille du Delta à la peau sombre ; elle pourrait être ta sœur de lait. C'est 'haram, c'est interdit ! » Ici, je dois une précision : musulmans, coptes, orthodoxes, karaïtes ou juifs, nous sommes tous égyptiens. Une même règle présidait à nos mariages : l'interdiction absolue de la sœur de lait. On pouvait presque épouser sa sœur de sang – sa cousine germaine, par exemple –, mais en aucun cas sa sœur de lait. Naturellement, je n'avais gardé aucun souvenir de mon allaitement. Lorsque j'ai grandi, j'ai appris que j'avais été sauvé par une femme arabe, une chanteuse, qui était venue passer quarante jours dans la maison de ma grand-tante Maleka. C'est elle qui m'a nourri. Je savais qu'elle avait une fille, ma sœur de lait, donc, rien de plus. Mais c'étaient des histoires de famille. On les racontait comme ça, comme on regarde de vieilles photographies ; on en plaisantait, on en riait... Et puis on passait à autre chose. Comment savoir ce qui est réellement important chez les Juifs d'Égypte, qui ont adopté la blague, la nokta, pour philosophie fondamentale ?

Le temps avait passé. Peu à peu, la situation économique s'était améliorée. Certains, de la famille, avaient quitté la ruelle aux Juifs, étaient partis s'installer à 'Abasseya, un quartier presque bourgeois, avec des immeubles propres, de grandes portes, des escaliers de marbre recouverts de tapis, des ascenseurs... L'un des frères de ma mère, qui s'appelait Youssef – on l'appelait Soussou – y habitait. Un matin, il est venu nous chercher jusque dans la 'hara avec sa voiture, une Ford Model T, ce sont les voitures qu'on voit dans les films muets de Buster Keaton ou de Charlot. Sa Ford était noire – à l'époque, elles étaient toutes noires. Il avait décidé de nous emmener à Alexandrie, pour voir la mer.

Nous avons tous embarqué là-dedans, ma mère, mon père, la tante Maleka et son mari, Poupy. Il y avait bien sûr Nanou, la femme de Soussou, et ses deux enfants, Flore et Albert. Je ne sais comment cette vieille guimbarde nous a tous contenus. Nous avons quitté Le Caire à sept heures. Tous les vingt kilomètres, il fallait s'arrêter pour ajouter de l'eau dans le radiateur. Mon père éclatait de rire à chaque fois. Il disait à mon oncle : « Soussou, tu devrais plutôt prendre un chameau. Il boirait moins que ta voiture ! » Et tout le monde rigolait. Elle était décapotable – ou plutôt elle n'avait pas de toit, pas de capote non plus, seulement un immense pare-brise, qu'il fallait sans cesse nettoyer avec un chiffon mouillé.

Le soleil avait cogné toute la journée. Il devait être aux alentours de cinq heures l'après-midi, nous venions de dépasser un petit village qui s'appelait El Baradi, lorsque, au détour d'un virage, surgit un mouton, un petit mouton solitaire qui avait décidé de traverser la route. J'étais assis devant, sur les genoux de ma mère. J'ai crié. Mon oncle n'a pu freiner. On a entendu un bruit sourd sous les roues de l'auto. Ma mère a poussé des cris hystériques et ma tante Nanou s'est évanouie. L'animal agonisait sur le côté de la route. Soussou est descendu de la voiture pour examiner la pauvre bête qui rendait son dernier souffle. C'est alors qu'on a aperçu un paysan, vêtu de sa longue galabeya brune et qui courait vers nous en brandissant un immense couteau. « Viens ! criait ma mère à son frère. Monte dans la voiture ! Partons vite d'ici. » Mais mon oncle s'est au contraire dirigé vers le paysan. En Égypte, on n'évite jamais une discussion ! Saisis, nous observions la scène de loin. Nous avons vu l'homme gesticuler, agitant sa machette. D'autres paysans sont sortis d'un chemin, rejoignant vivement le premier. Puis nous les avons vus approcher de la voiture. Nous avons eu peur. C'est alors que j'ai entendu le premier qui disait à l'oncle Soussou :

— Que comptes-tu faire, *ya ostaz*, « ô mon beau monsieur » ?

Et mon oncle n'a pas hésité un instant.

— Que Dieu te bénisse ! Je te l'achète, bien sûr, mon ami, je te l'achète, ton mouton. Deux livres…

Deux livres, c'était de l'argent ! Peut-être quatre ou cinq fois la valeur de la bête. Ravi de l'aubaine, le paysan égorgea le mouton sur-le-champ et le tendit à mon oncle. Mon oncle est resté les bras ballants. Et qu'allait-il faire d'un mouton entier alors que nous partions en villégiature ? Il a proposé au paysan que nous le mangions, ici, maintenant, et tous ensemble… L'homme s'est réjoui. Il a longuement serré la main de mon oncle. Il est retourné palabrer quelques minutes avec les autres paysans, puis est revenu vers Soussou qu'il a embrassé.

Nous avons rangé la vieille Ford sur le bord de la route et nous voilà partis pour le village. Ils nous ont accueillis en frappant dans les mains. Les femmes poussaient des youyous, comme s'il s'agissait d'une fête. Ils nous ont d'abord servi du thé. Ils ont tué deux autres moutons et ont réuni les familles. Nous nous sommes installés. Les femmes ont parlé chiffons ; les hommes de l'élevage des animaux. Nous bavardions, nous plaisantions, nous buvions du lait encore tiède du pis de la bufflonne. Lorsque la nuit est tombée, les musiciens sont arrivés, les tarabokas, la simsimiya, les crotales et des bendirs, aussi. Et ils ont chanté, nous ne connaissions pas leurs musiques, mais c'était beau. À un moment, l'imam est apparu, qui a d'abord psalmodié un chant religieux, seulement accompagné de la petite lyre. Ce devait être inspiré d'une sourate, car les autres ont levé les mains ouvertes vers le ciel, scandant chaque strophe par des « amen ». J'ai écouté attentivement les paroles. Je comprenais l'arabe, bien sûr, mais la langue du Coran, poétique, d'une pureté parfaite… je ne saisissais pas un mot sur deux. Mon père, en revanche, semblait connaître le chant, qu'il a entonné avec l'imam. Et les villageois étaient contents d'entendre la voix de mon père, si belle, entraînée chaque jour aux psaumes, dans sa synagogue de 'Haret el Yahoud, la synagogue Haïm-Capucci.

Puis l'imam a fait venir une gamine, et là, je suis resté médusé. On néglige la passion qu'éprouvent parfois les enfants pour la beauté. Une sauvage, pieds nus, les cheveux frisés qui dégringolaient en cascades jusqu'à ses reins… Dieu, qu'elle était belle ! Elle avait une petite frimousse bien brune, des traits délicats et de grands yeux clairs, couleur d'amande fraîche. Il l'a présentée à l'assemblée, qui la connaissait, mais c'était pour donner la sensation d'un spectacle. C'était sa petite-fille. Silence. Pas farouche, la gamine se tenait bien droite, fière, au contraire, la tête levée.

D'abord la simsimiya, en une longue pluie de demi-tons, qui susurraient la tristesse d'un monde immobile. Puis sa voix a surgi d'un autre monde comme si toutes les cordes de l'instrument s'étaient mises à jouer au même instant, l'accord parfait du son et du vent… À la première parole de son chant – c'était, je m'en souviens : « Ya ro'hi… » « Ô, mon âme… » –, à la première parole, je tombai amoureux de cette fille.

Elle a chanté, puis elle est venue nous rejoindre. Nous étions assis à même le sol, arrachant avec les dents des restes de chair aux côtelettes. Un homme a rapporté une outre de peau. Il en a absorbé une lampée et l'a tendue à mon oncle. Soussou a hésité un moment, puis a bu à son tour. Puis il en a pris une seconde gorgée avant de passer l'outre à Poupy.

— Qu'est-ce que c'est ? lui a demandé Poupy.

— Je ne sais pas. Mais c'est bon !

Et il me l'a présentée ; et j'ai bu ! C'était du lait de chamelle fermenté – je l'ai su des années plus tard. J'en ai repris. Les vapeurs d'alcool commençaient à monter à l'esprit des hommes, qui se sont levés pour danser, avec les bâtons, au rythme des tambourins. Moi, cette première rasade d'alcool m'a donné le courage de parler à la fillette. Je lui ai dit :

— Tu es belle !

C'était ce qui m'impressionnait, m'expulsait de mon monde intérieur, sa beauté. La beauté... cette qualité étrange qui laisse penser que le monde obéit à un ordre invisible. Je lui ai demandé :

— Quel est ton nom ?

— Masreya ! Et toi ?

— Zohar !

— Gohar ?

— Si tu veux !

— Moi, je t'appellerai Gohar.

Elle m'a pris la main et m'a entraîné dans une étable. Nous nous sommes assis dans la paille. Au loin, on entendait la musique, qu'elle accompagnait les lèvres fermées. Je la regardais et je ne voyais rien. Je la regardais plus encore. Lorsque nos yeux

187

se sont faits à l'obscurité, hypnotisé par ses lèvres, je l'ai entendue me demander :

— Tu viens du Caire ?

Et sans attendre ma réponse, elle a poursuivi :

— J'aimerais vivre au Caire.

— Pourquoi ?

— Je veux devenir chanteuse.

— Tu chantes bien. Ta voix… Ta voix est celle d'un oiseau.

— Et danseuse, aussi… Regarde mes jambes.

Dans l'obscurité, je ne pouvais pas les distinguer, mais je l'avais admirée lorsqu'elle chantait. Ses jambes étaient fines et longues, et sa marche était gazelle. Elle a pris ma main, l'a posée sur sa poitrine, m'invitant à la caresser. Ses seins étaient une promesse, deux minuscules promontoires intenses, qui palpitaient comme un oiseau qu'on aurait recueilli au creux de la main. Mon cœur battait la chamade. Pour la première fois, j'ai fait l'expérience du mystère de l'altérité. Comment dire ?… Je percevais son plaisir dans mon propre corps. Je tremblais. Plus son souffle se précipitait et plus je me sentais là, près d'elle. J'ai fermé les yeux. Elle s'est approchée, a posé ses lèvres sur les miennes. C'était chaud, doux, c'était ce qui devait être… C'était !… Oui, voilà ! C'était ce qui devait être. Je l'ai embrassée. Je ne sais d'où m'est venue la façon de le faire. J'étais innocent. Elle l'était moins que moi. À la campagne, on grandit plus près de ses sensations. Nous étions collés l'un à l'autre, sans parler, découvrant le désir et nous découvrant l'un l'autre. Et son grand-père l'a appelée. Nous sommes encore restés un moment, sans bouger, retenant nos bouffées d'inquiétude, de curiosité, de plaisir, aussi. Il l'a appelée de nouveau.

— Je dois partir...

J'étais désemparé. Dans l'étable, la bufflonne a mugi. J'ai sursauté. Masreya a ri. Je voulais rester là, auprès d'elle. Je voulais y rester toute la vie, animal parmi les animaux ; plante s'enracinant en elle comme en une terre. D'un bond, elle se leva et fila dans la nuit.

Voyons... C'était en 1936. C'était mon premier baiser... Je veux dire : mon premier baiser d'amour. Je m'en souviens, Farouk venait d'être intronisé. Il avait seize ans. J'en avais onze.

1942

Rue Aboul-Hassan

1932. Zohar s'était arraché à la ruelle aux Juifs
avec la même violence qui l'avait expulsé du ventre
de sa mère. Dès l'âge de cinq ans, il courait partout, couvert de poussière, pieds nus, les yeux fous.
On le retrouvait parfois dans la rue Mouski, d'où
le ramenaient des habitants de la 'hara lorsqu'ils
le croisaient. Sa mère, Esther, l'accueillait en haussant les épaules. Elle ne semblait pas inquiète, seulement curieuse. Qu'est-ce qui l'appelait au loin ?
Ou plutôt qui ? Quel être, quelle force… ? Elle
disait parfois : « Laissez-le courir. On verra bien
où le mènent ses pieds. » La vieille tante Maleka
la tançait : « N'as-tu pas honte ? C'est ton fils ! En
as-tu un autre ? Non ! » Adina, vicieuse, ajoutait :
« Est-elle seulement capable d'en faire un autre… »
Car voilà cinq ans que la famille attendait en vain
une nouvelle grossesse. Et Tofa'ha de la sermon-

ner : « Tu l'as gardé dans ton ventre durant neuf mois. Ne sens-tu pas ton cœur se déchirer lorsqu'il disparaît ainsi des journées entières ? » Esther répondait par des phrases qu'aucune femme de la 'hara ne pouvait accepter : « On ne sait d'où il vient ; Dieu seul sait où il ira… » Ses tantes la savaient folle, mais ce ne pouvait être une excuse. Que cherchait-elle en abandonnant ainsi son fils à la rue ? S'en débarrasser ? Peut-être voulait-elle rester seule avec son mari ? Et elles murmuraient entre elles qu'il n'était pas bon que les parents soient trop attachés l'un à l'autre. Quand les adultes pensent trop à l'amour, les enfants vont au diable… Et quand c'est plus encore (vous voyez ce que je veux dire…), alors, c'est… c'est beaucoup trop ! Il est normal que des parents se disputent au sujet de leurs enfants. Une mère doit prendre le parti de son fils contre son père, se fâcher avec son mari à son propos. Comme dit le proverbe arabe : « Le garçon amène l'injure sur son père. »

Les affaires de Motty s'étaient améliorées. Voilà deux ans qu'il ne faisait plus le comptable pour les joailliers du souk. Avec l'argent que lui avait prêté Élie, il avait ouvert un commerce d'alcool et vendait des centaines de bouteilles de zbib, cette anisette transparente au goût de feu. Il la vendait aux Juifs du quartier, aux chrétiens, aux orthodoxes et aux Coptes, mais aussi aux Anglais qui s'aventuraient parfois jusque-là, dans le tréfonds du vieux

194

Caire. Quant aux musulmans, ils chargeaient un chrétien d'en acheter pour eux. Et lorsqu'on le critiquait, l'accusant de répandre l'immoralité parmi les hommes, Motty répondait en riant : « Pour nous autres, les Juifs, boire de l'alcool est un commandement de Dieu. Ne bois-tu pas quatre verres entiers de vin le soir de la pâque ?... Et n'est-ce pas une obligation religieuse ? »

Le matin, Esther l'aidait à tenir la boutique. Mais dès que le soleil commençait à décliner, vers quatre heures l'après-midi, elle recevait les femmes dans l'entresol de l'oncle Élie. Elle répondait à leurs questions, qui avaient souvent trait aux problèmes de couple, elle leur distribuait ses conseils ; quelquefois, elle sortait son jeu de cartes et les femmes savaient alors qu'elle allait leur annoncer l'avenir. Elle faisait moins de crises, Esther, ou plutôt, elle savait les reconnaître à leurs prémices. Certains matins, il lui arrivait de se sentir retournée – et c'était toujours à la suite d'un rêve ; et c'était toujours le même. Elle voyait le mur de sa chambre se zébrer d'une fente. Puis il s'ouvrait comme les deux lèvres d'une cicatrice et un visage grimaçant en sortait, celui d'un homme. Le personnage se détachait du mur, vêtu d'un long burnous, la capuche lui cachant le visage. Elle reconnaissait sa voix, qui lui disait : « Un fils doit se trouver auprès de son père. » Quelquefois, il était plus précis et plus insistant, menaçant, même : « Qu'as-tu fait de mon fils ? » grondait-il. Elle comprenait l'injonction. Elle prenait au plus vite le chemin de Bab el Zouweila pour retrouver les femmes arabes réunies autour de la kudiya. La plupart du temps, elle n'y restait qu'une nuit ; parfois plusieurs jours, mais lorsqu'elle s'en revenait dans 'Haret el Yahoud, vêtue de sa robe rouge parsemée de breloques dorées, ses yeux brillaient comme des étoiles.

Pendant son absence, les tantes s'occupaient du petit Zohar, le nourrissaient, l'habillaient, tentaient de l'apprivoiser. Avec elles, il semblait tranquille, jusqu'au premier moment d'inattention. Lorsqu'elles détournaient le regard, il filait comme un lièvre pour disparaître de longues heures durant. À son retour, Maleka lui demandait où il était passé. Il baissait la tête sans répondre. Une fois, il balbutia une phrase qu'elle entendit à peine : « Je cherche mes amis… » Maleka lui administra une gifle. « Tes amis ? À ton âge, on n'a pas d'amis, seulement des parents !… Idiot ! » Il ne versa pas une larme – il ne pleurait jamais ! – mais il se rua entre les jambes de Maleka et disparut une journée et une nuit entière. On le crut perdu. Que pouvait faire un enfant de six ans qui savait à peine parler, dans les bas quartiers du Caire durant tout ce temps ? Il avait dû être renversé par une carriole, piétiné par un cheval… Peut-être agonisait-il seul dans la boue d'un chemin, le pauvre !

Motty, son père, qui refusait d'intervenir lorsqu'il s'agissait de l'éducation de son fils, fut pris à partie. Les tantes lui reprochaient ce qu'elles prenaient pour de l'indifférence. Élie le supplia de faire quelque chose, de crier, de l'appeler. Harcelé par une famille en furie, Motty pleurait en se lamentant à mi-voix... « Ô mon père ! Où es-tu ? Où es-tu mon père, toi qui as fait que je survive jusqu'aujourd'hui ? Que faire, mon Dieu, que faire ? » Il était assis sur le sol, la tête dans les mains, à la porte de sa boutique. « Chante ! lui proposa Élie. Quand Zohar était dans le ventre de sa mère, ta voix l'apaisait déjà. Chante, il t'entendra peut-être... » Et Motty trouva, comme toujours, le verset du Cantique des cantiques qui convenait à la situation. Les lèvres fermées, il en murmura l'air, puis, dans la nuit, s'éleva sa voix, claire et profonde : « Où est parti ton bien-aimé, ô la plus belle des femmes ? Vers qui s'est tourné ton bien-aimé, que nous le cherchions avec toi ? » Les femmes qui avaient quitté la maison revinrent, attirées par le chant. Elles restaient devant la porte, écoutant ces paroles en un hébreu si pur ; ces vers que, dit-on, le roi Salomon composa pour glorifier l'amour du peuple pour son dieu.

Et Motty répétait le même verset, trouvant chaque fois de nouvelles modulations. Puis il lui revint une autre phrase du Cantique, et, cette fois, sa voix se fit plus forte, comme la corne du bélier dont on entend le mugissement à la fin du jeûne de Kippour : « Avant que souffle la brise du jour et que s'enfuient les ombres, reviens ! » Il se tut. Dans le silence, on entendit un petit bruit de pas qui s'approchaient. Et d'un seul coup, Zohar surgit de la nuit pour se jeter dans les plis de la longue robe de son père.

Cette histoire fit le tour de la 'hara, mais elle n'apaisa pas l'inquiétude des tantes. Si ce soir-là Zohar était rentré au son du Cantique, il n'en repartait pas moins, sitôt qu'il en avait l'occasion. Et nul ne savait où il divaguait. Les hommes reprochèrent son indifférence à Motty. « Toi, un sage, qui connais les textes par cœur, comment peux-tu laisser ton fils errer ainsi ? s'insurgeait Poupy. Tu veux que je te dise ? Ton fils, il est léger comme une plume promenée au gré du vent. Un jour on le trouve ici, le lendemain ailleurs. Une plume sait-elle où elle tombera lorsqu'elle est balancée par la brise ? C'est parce qu'il n'est pas circoncis ; parce qu'il n'est pas entré dans l'alliance... » Pas entré dans l'alliance ? Et ils le voulaient peut-être dans le cimetière de Bassatine : bien dans l'alliance, mais recouvert de terre... C'était cela qu'ils voulaient ? Doudou en rajouta : « Connais-tu seulement un seul garçon non circoncis dans toute la 'hara ?... Allez ! Il est temps ! Circoncis-le et son esprit s'ouvrira. Il aura accès à la raison. »

Ah bon ? De tous les organes que Dieu nous a

donnés, c'est dans ce petit bout de chair qu'il a fourré l'inhibition de la raison ? Certes, les autres gamins ne s'éloignaient pas de la ruelle, mais ils passaient la journée dehors à tenter de chaparder un quignon de pain ou à mendier quelques millièmes à un passant. Et lorsqu'il essayait de les réunir pour leur transmettre un peu de Talmud, notre sagesse millénaire, ils filaient comme des rats dans les labyrinthes des venelles. Ils avaient beau être circoncis, ceux-là, la perte de la calotte n'avait pas stimulé leur cervelle.

Comme toujours, l'oncle Élie prit le parti de Motty :

— Calmez-vous ! La circoncision de Zohar peut encore attendre. On ne va pas le marier demain…

L'argument sembla porter. Les deux autres se rangèrent finalement à l'avis du vieux. Il était urgent d'attendre. En Égypte, on n'aime pas ce qui vient interrompre le cours éternel du fleuve. Au temps des pharaons, ne mesurait-on pas le temps avec de l'eau dans les clepsydres ? Mais Élie ajouta :

— Nul ne sait si la raison s'est développée chez cet enfant puisqu'il ne parle à personne.

Tout le monde tomba d'accord sur ce constat. Zohar était comme un étranger égaré parmi eux. Un étranger dont ils ne connaissaient pas la langue, puisqu'ils ne parvenaient à échanger avec lui, dont ils connaissaient à peine le nom qui sonnait comme un mystère.

Élie les laissa parler, puis ses yeux s'illumi-
nèrent :

— Mais moi, je l'ai vu marcher sur les mains.

Étonnement des autres. Ébahissement du père
qui, aveugle, ne savait rien des capacités physiques
de son fils. Élie poursuivit :

— Je l'ai même vu faire des cabrioles comme
les singes à gilet que les Bédouins exhibent dans
les souks.

Poupy éclata de rire…

— Les singes à gilet, qui font des cabrioles en
arrière…

La seule évocation de ces animaux, ces humains
miniatures, tenus au bout d'une chaîne, provoquait
son hilarité. Et Doudou se rappelait qu'il avait un
jour tenté de prendre Zohar dans ses bras et comment l'enfant s'était échappé, glissant comme un
poisson :

— J'ai alors touché son ventre. Il était dur
comme le bois…

— Fort et souple, comme un singe, renchérit
Poupy, qui se retourna vers l'oncle Élie : Et après ?
S'il sait marcher sur les mains… et après ?

C'est alors que le vieux leur révéla à voix basse
un plan qu'il avait mûri en secret. Il le mit à exécu-
tion la nuit suivante.

Une fois la ruelle aux Juifs endormie, Élie et les
deux hommes partirent avec le petit Zohar pour
une longue promenade. Parvenus rue Aboul-

Hassan, devant un immeuble de trois étages, un vieil immeuble, avec des moucharabiehs en façade, ils examinèrent les alentours. Un bec de gaz éclairait faiblement l'endroit, si bien qu'à quelques mètres on ne pouvait distinguer leurs silhouettes. La rue était déserte. Élie s'accroupit, prit l'enfant dans ses bras et murmura longuement à son oreille. Lorsqu'il se releva, Poupy put voir un large sourire éclairer le visage de Zohar. «Va!» lui ordonna Élie. Et l'enfant grimpa le long de la paroi, glissant ses petits pieds nus dans les anfractuosités de la pierre. Doudou ne parvenait à retenir son plaisir de voir ainsi le petit marcher sur les murs comme une araignée.

— Ah ça! s'exclamait-il, ah ça... mais c'est un diable!... et il ajouta: Il est formidable!

C'était son mot et il le resterait. «Il est formidable!»

Parvenu au troisième étage, l'enfant pénétra par une fenêtre laissée ouverte. Et les minutes s'écoulèrent. Poupy, qui craignait sa femme plus que Dieu, rompit le silence le premier:

— S'il venait à Maleka de l'apprendre... si demain, le petit avait l'idée de lui raconter... hein?

Aucun des autres ne releva. Il insista:

— Eh bien, je crois que si Maleka l'apprenait, elle me tuerait...

— Tais-toi donc espèce de poule mouillée, lui souffla Doudou, tu vas réveiller toute la rue. A-t-on idée de penser à sa femme dans des moments pareils ?

Poupy s'efforça quelques minutes de chasser son anxiété, mais, l'enfant tardant à revenir, il dit, cette fois d'une voix à peine audible :

— Mais que lui as-tu demandé de faire, oncle Élie ?

Devant le mutisme des trois autres, Poupy se mit à trembler comme un oiseau tombé du nid.

— Regardez ! s'exclama soudain Doudou.

Au troisième étage on voyait une feuille de papier agitée vivement.

— Descends ! murmura Poupy en direction de l'enfant avec de grands signes de la main… Reviens maintenant !… Mon Dieu, mais qu'est-ce qu'il fait ?

Là-haut, Zohar, réjoui, brandissait le document.

— Qu'est-ce que c'est ? Vas-tu enfin nous dire ce qu'il t'a rapporté ?

Une fois de retour dans l'épicerie, Élie leur expliqua.

— Que voulez-vous ? J'ai acheté quatre bidons de cinquante litres d'huile. Aboul Gheit, mon fournisseur, si riche qu'il a quatre femmes et si avare qu'il n'entretient que deux ânes, m'a fait signer une reconnaissance de dette, avec des conditions terribles. Je n'ai même pas vendu le contenu du premier bidon. Et lorsque je l'ai prévenu que je ne pourrais pas le payer ce mois-ci, savez-vous ce qu'il m'a répondu ?… Que chaque mois qui passerait sans le rembourser, ma dette augmenterait de cinquante pour cent.

— C'est un usurier ! s'exclama Poupy. Et dire qu'il est musulman.

— En islam, l'usure est proscrite, ajouta Doudou. Que Dieu maudisse sa foi !

— Et la foi de sa mère ! renchérit Poupy… Et la foi du père de sa mère !

Élie défroissait méticuleusement la feuille de papier qu'il avait posée sur la table. Il passait son doigt sur le texte qu'il parcourait mot à mot.

— Eh bien, la reconnaissance de dette, la voici !

Il brandit le papier devant leurs yeux incrédules. Puis ils sourirent et ils rirent.

— Ça vaut bien un verre de zbib.

Motty, qui ne s'était pas endormi, attendant leur retour, déboucha une bouteille d'alcool. Ils burent à même le goulot, Élie d'abord, puis les deux autres et encore Élie.

— Mais dis-moi, oncle Élie…

— Oui…

— Comment ce gosse qui ne sait pas lire, qui sait à peine parler, a-t-il pu retrouver ta reconnaissance de dette parmi tous les papiers d'Aboul Gheit ?

L'oncle Élie fit un clin d'œil, l'air entendu :

— Je lui ai précisé : « un papier écrit en arabe avec une signature en français ».

— Et c'est tout ce que tu lui as dit ?

— Oui !

— Il est malin comme un singe ! s'extasia Poupy, qui se mit à répéter : Il est formidable... Il est formidable !

Trois mois plus tard, Poupy et Doudou voulurent assister à la visite qu'Aboul Gheit fit à Élie pour lui réclamer les sommes extravagantes qu'il considérait lui être dues. Élie acceptait de payer la marchandise, qu'il avait fini par écouler, mais rien de plus. Le grossiste exigeait cette somme augmentée de l'usure à laquelle Élie s'était engagé par écrit. Élie lui demanda s'il détenait une attestation, un papier, ou même simplement un objet qu'il lui aurait confié en gage... Avait-il signé une reconnaissance de dette, par exemple, ou quelque chose qui y ressemblait ?

— Quoi ? tonna le grossiste. Tu veux récuser notre convention. Espèce de menteur ! Oui !... Oui, tu as signé !

— Ah non ! prétendait Élie en souriant.

Aboul Gheit, qui avait cherché le foutu papier durant une bonne partie de la nuit, s'énervait. Le ton montait. C'est alors qu'on vit apparaître le petit Zohar, pas plus haut que le tabouret sur lequel il s'était juché d'un bond. Il brandissait à nouveau une feuille de papier.

— Le voici ! hurla le grossiste. C'est un miracle !

Dieu vient toujours au secours des hommes de bonne foi...

— Donne-moi ça ! ordonna l'oncle Élie.

Et l'enfant sauta du tabouret, courut jusqu'à la table sur laquelle il bondit. Il tenait toujours la feuille d'une main. Poupy, qui se trouvait derrière lui, arracha le papier d'un geste brusque. Ce n'était pas possible ! Il avait vu – de ses yeux vu !... et ils avaient à peine entamé la bouteille à ce moment –, il avait vu Élie brûler la reconnaissance de dette, ce fameux soir, lorsqu'ils étaient rentrés de la rue Aboul-Hassan. Ce ne pouvait être ce même papier ; c'était impossible. D'où serait-il sorti ?

Il l'examina attentivement. Il y avait bien un texte en arabe qui se terminait par une signature en français : « Élie Sroussi ». Mais Poupy ne savait pas lire l'arabe.

— On dirait bien ta signature, oncle Élie...

Doudou lui arracha le papier des mains et lut à haute voix le texte en arabe :

— « Je remercie le seigneur Aboul Gheit, grossiste en produits d'épicerie, de m'avoir consenti un délai pouvant aller jusqu'à une année pour le paiement de quatre bidons de cinquante litres d'huile d'olive, soit un total de deux cents litres. Je le remercie surtout, et de tout mon cœur, de m'avoir consenti ce délai sans aucune charge ou intérêt, par gentillesse et pour l'amour de Dieu. Fait au Caire, le 17 avril 1932... » Doudou hocha la tête avec satisfaction et répéta : par gentillesse et pour l'amour de Dieu.

— Que notre père le garde, le seigneur Aboul Gheit ! dit Poupy avec cérémonie.

— Aboul Gheit est un homme de bien ! rappela Élie. Depuis toutes ces années, je n'ai eu qu'à me féliciter de travailler avec lui. Allez donc chez mon neveu, Motty l'aveugle, chercher une bouteille de zbib. Nous allons fêter cela !

— Mais enfin…

— Qu'as-tu Aboul Gheit ? Refuserais-tu de te réjouir en notre compagnie ?

— Pas du tout ! Mais enfin…

— Eh bien, parle !

— Je suis musulman ! Vous le savez bien, espèces de filous…

— Nous savons que tu es musulman ; nous savons aussi que c'est pour cette raison que tu n'as pas souhaité prendre d'intérêts pour le prêt que tu as consenti à notre oncle Élie.

— Je veux dire… Je ne bois pas d'alcool.

— Eh bien, pour toi, ce sera seulement une tasse de thé.

Et ils éclatèrent de rire. Aboul Gheit accepta néanmoins une bonne rasade de zbib dans sa tasse de thé et en redemanda. Le litige se conclut avec la dernière goutte de la bouteille. Une fois le grossiste parti, les trois hommes s'interrogèrent sur l'origine de cette nouvelle reconnaissance de dette surgie par enchantement dans les mains du petit Zohar. Élie affirma qu'il n'avait certainement pas rédigé cette nouvelle version. Ce n'était pas lui. Ce ne pouvait être Poupy, qui ne savait pas écrire l'arabe. Doudou rappela qu'il n'aurait jamais su rédiger un tel document, lui qui ne s'intéressait qu'à la mécanique. Mais alors qui ? Qui avait rédigé ce papier et comment Zohar se l'était-il procuré ?

Ils parlementèrent longtemps, deux heures durant, et finirent par conclure que si ce n'était pas Zohar qui l'avait écrit lui-même – ce qui était impossible ! –, c'était par Zohar qu'il était arrivé. Cela, c'était certain ! Il était inutile de l'interroger à ce sujet ; il était clair qu'il ne fournirait aucune réponse.

— Comme un singe, ce petit diable ! pouffa Doudou.

— Voyons ! gronda Élie, l'affaire est sérieuse. Peut-être use-t-il de quelque magie ?

— Sa mère est une sorcière…, rappela Doudou. Cette fois, je ne plaisante pas ; une vraie sorcière !

— En tout cas, il est formidable ! conclut Poupy.

Et ils en restèrent là. Pour ce jour, tout au moins, car les capacités de Zohar allaient bientôt leur poser d'autres problèmes.

*

Dans la Bible, le nom de Guedaliah est associé à un crime qui eut, en des temps immémoriaux, des conséquences graves. Mais le temps qui passe n'avait pas de sens pour les Juifs de la 'hara, contemporains de Moïse, le prophète, qui les oublia là avant de partir pour la Terre promise, et de l'autre Moïse, Maïmonide, le philosophe, qui vint trois mille ans après le premier, leur rappeler la loi. Guedaliah, on s'en souvient, avait été nommé gouverneur en Judée en 586 avant Jésus-Christ par Nabuchodonosor II, lui-même, pour redonner vie à cette province qui se mourait après le meurtre et l'exil de ses élites. C'était un homme politique juste et courageux, resté célèbre pour avoir obtenu la libération du prophète Jérémie. Mais il ne dirigea le pays que sept mois durant, car la bande d'Yshmaël ben Netanya, excitée contre lui par le roi d'Ammon, l'attira dans un piège et l'assassina. Ce fut une perte terrible pour la Judée et pour les Juifs. Depuis ce temps, nous respectons un jeûne en mémoire de ce chef regretté, le 3 du mois de Tichri, une semaine très exactement avant le jeûne de Kippour.

Mais dans 'Haret el Yahoud, Guedaliah était le nom d'un café, où les consommateurs ne consommaient rien. Était-ce pour cette raison qu'il portait le nom d'un jeûne ? Certainement pas, mais du fait que le patron s'appelait Guedaliah et qu'il gouvernait une communauté de miséreux. Un café où les hommes se réunissaient tous les matins, pour jouer au tric-trac ou aux dominos, en colportant les histoires extraordinaires de la nuit et les malheurs du jour. C'était aussi une sorte de bureau de placement. Car c'était là qu'arrivaient parfois les riches, les khawagates (pluriel de khawaga), ceux qui avaient réussi dans cette nouvelle Égypte du roi Fouad à l'économie florissante, qui attirait les immigrants de toute la Méditerranée. Ils embauchaient deux ou trois costauds pour un déménagement, demandaient un minyane, le quorum de dix hommes pour une prière à un mort, ou bien invitaient les pauvres à un repas d'action de grâce, une séouda. Ce matin-là, Soussou, le frère d'Esther, peut-être le seul de toute la famille à chercher sérieusement du travail, revint tout excité du café Guedaliah.

— Séouda ! Séouda ! Venez vite ! Allez ! C'est dans une villa, oh là là… La villa di Reggio…

— Non ! Ne me dis pas…, s'émerveillait Poupy. Les di Reggio ?… Fils de chien ! À Zamalek ? Fils de putain, ce n'est pas une blague que tu me racontes là ? Que ta foi soit maudite si c'est une de tes farces de mauvais goût…

— Allez ! Prépare-toi. Quitte ton pyjama et, s'il te plaît, mets des chaussures à tes pieds…

Poupy n'abandonnait son pyjama que lorsque cela en valait la peine, pour se rendre à la synagogue, par exemple, une fois par semaine à la veille du shabbat ou bien pour les fêtes juives. Il enfilait alors son unique galabeya, repassée de frais et parfumée à l'eau de Cologne, et son gilet noir par-dessus, barré d'une chaîne dorée pour faire croire qu'il possédait une montre. Avec de la brillantine, il lissait ses moustaches, qui, prétendait-il, lui donnaient l'air de Garibaldi, et ajustait même à son œil droit, en guise de monocle, un vieux verre de lunettes, rayé par les ans et par les chutes. Il s'enfonçait sur la tête un tarbouche, seul parmi tous ceux de la 'hara de couleur pourpre, presque violette. Il tirait alors de sous le lit sa vieille paire de chaussures noires qu'il astiquait au moins deux fois par jour par des crachats et d'interminables actes d'amour. Puis il s'admirait dans la glace, appelait Maleka, sa femme, et lui demandait : « Et alors ? Hein… Dis-moi ! Et alors ? » De bonne humeur, elle répondait : « Exactement le cheikh de la ruelle ! » Et de mauvaise humeur, elle lui lançait : « Ce n'est pas parce que tu enduis de henné le cul de ton âne qu'il devient le visage d'une jolie fiancée… » Et ce jour-là, elle était d'humeur massacrante. Il fila sans demander son reste.

Ainsi apprêté, muni d'un bâton en guise de canne, la tête droite, le regard fier jeté au loin, Poupy passa devant Darb el Nasir où se trouve la synagogue Haïm-Capucci. Il aperçut le petit Zohar qui écoutait le chant du hazan. Zohar pouvait y passer des heures, l'oreille collée au mur.

— Que fais-tu là, mon garçon ?

Le gamin leva des yeux perplexes vers son grand-oncle. Il ne lui serait pas venu à l'idée de répondre qu'il attendait que son père chantât quelques vers du Cantique, car il ne le savait pas lui-même. C'était pourtant cette musique qu'il attendait, comme un moineau habitué aux miettes jetées après le repas.

— Viens avec moi ! Nous allons manger des gâteaux…

Et les voilà partis tous deux à la recherche de Soussou, d'Élie et des autres, en route depuis un moment pour le quartier des riches, la belle Zamalek, la fleurie, l'odorante, le jardin de tous les délices. Poupy demandait son chemin à des passants. « Connaissez-vous le tramway qui conduit à Zamalek ? » Et chacun de lui répondre : « Par ici, tout droit… Tu ne peux pas te tromper » ; et chacun de lui indiquer une nouvelle direction. Finalement, c'est l'enfant, le petit Zohar, qui, voyant passer un tramway, tira Poupy par la main et l'incita à sauter sur le marchepied. Tandis que, suspendus aux rampes de fer, ils se traînaient à l'allure d'une tortue, dans le fracas des roues et le tressaillement des pavés, il lui demanda :

— Mais comment connais-tu le tramway, fils de chien ?

Pour une fois, l'enfant répondit, mais Poupy

n'entendit pas à cause du vacarme. Il insista encore et Zohar répéta :

— Zamalek, c'est le terminus !

Poupy n'en croyait pas ses oreilles. Dans sa tête, il se répétait encore : « Il est formidable ! »

Rue Salah-el-Din, la villa di Reggio était un véritable palais de trois étages, au style italien, fenêtres ouvragées garnies de volets d'un vert éclatant, immenses portes aux ferrures dorées, et de hautes colonnes de marbre blanc à l'entrée. Deux gardes noirs, des Nubiens en uniforme blanc, barraient le chemin.

— Nous sommes invités ! annonça fièrement Poupy... Invités par le seigneur di Reggio, que Dieu reconnaisse ses bienfaits et lui donne chaque jour le double de sa richesse de la veille.

— Pour les pauvres, l'interrompit aussitôt le gardien, prenez l'escalier de service.

Et il leur indiqua un petit chemin qui contournait la maison.

— Tu te trompes, mon ami ! Toi un homme de grande sagesse, pourtant... descendu des cataractes de Nubie pour ensoleiller les tristes rues de la capitale de ton sourire éclatant... (allusion aux deux dents en or que le garde faisait scintiller au soleil). Nous ne pouvons prendre l'escalier de service, nous sommes de la famille... Le seigneur di Reggio se fâcherait ; il penserait que nous refusons d'honorer sa maison ; il se retournerait contre toi

212

qui nous as refusé le passage, te renverrait dans ton village, ô mon pauvre Abdou… Ton maître, vois-tu, c'est son oncle (il montrait le petit) ; et c'est mon cousin (il se désignait du doigt) !

Et les gardes restaient impassibles, mimant ceux de Buckingham Palace, croisant devant les deux Juifs pouilleux leurs hampes surmontées d'un fanion bleu et blanc aux armes de la famille di Reggio.

— Petit, va donc prévenir ton oncle ! ordonna Poupy.

Et Zohar fila comme une flèche entre les jambes des deux cerbères.

— Espèce d'âne, explosa le garde, si tu ne comprends pas la langue des enfants d'Adam, tu entendras celle du bâton…

Et, quittant son flegme de garde britannique, il poursuivit l'enfant dans l'escalier. Profitant de l'agitation, Poupy se glissa derrière la colonne et pénétra dans le palais. Impressionné, il cherchait ses mots : « Quelle espèce de putain de maison ! siffla-t-il. Même celle du roi Salomon, ma parole, qui pourtant avait des portes en or massif, n'était pas aussi belle que celle-ci, que Dieu me pardonne ! » Et il frôlait les velours des rideaux, il tâtait les brocarts des fauteuils, humait, le nez en l'air, les effluves de Vétiver… et il murmurait : « Cadeaux du destin aux gens bénis de Dieu… Ô Yakoub (dit Poupy) Shaltiel, premier, dernier et seul fils de Menahem Shaltiel, que Dieu accueille son âme en sa matrice, il te faut prier bien plus que tu ne le fais, si tu veux bénéficier un jour de tels bienfaits. Tu dois être loin du compte, espèce de chien galeux... » Il parvint dans la salle de réception par le grand escalier et se retrouva du côté des riches. Personne ne lui prêta attention ; hypnotisés, ils regardaient le maître de maison, le baron Ephraïm di Reggio, descendant des banquiers et des conseillers des princes de Venise, aujourd'hui banquier et conseiller du roi d'Égypte, Sa Majesté Fouad le premier. Il entrait au son des violons, tenant le bras d'une femme d'une trentaine d'années, mince, rayonnante de beauté, vêtue d'une somptueuse robe de soie blanche. Il la conduisit jusqu'à un fauteuil un peu surélevé, au premier rang, lui fit un baisemain et l'aida à s'installer aux côtés d'un rabbin en kaftan noir barré d'une écharpe de soie rouge, celle des ministres.

— Mes chers amis, commença-t-il alors à l'adresse des riches (les pauvres se tenaient derrière lui, cachés par de lourds rideaux)... Mes bien chers amis, merci d'être venus ici, dans cette simple maison, pour honorer la mémoire de mon père, le baron Abraham di Reggio, décédé il y a exactement une année, le 15 Iyar 5691, selon notre décompte, c'est-à-dire le 2 mai 1931 selon celui des chrétiens. Merci à Sa Majesté, notre reine Nazli, la bien-aimée, de présider ce repas de bienfaisance.

Vous savez tous, ici, le dévouement de mon défunt père – que Dieu garde son âme ! – pour la communauté juive d'Égypte. C'est ainsi que je m'explique votre présence, nombreuse et sympathique. Aussi, dirons-nous ensemble un kaddish, notre prière des morts, à la mémoire de mon père, et à celle de chacun de nos morts disparus dans l'année ; nous réciterons ensuite quelques actions de grâce, puis chanterons quelques psaumes sous la direction du grand rabbin d'Égypte, le rav 'Haïm Nahum Effendi, qui nous a fait l'insigne honneur de sa présence. Après cela, vous accepterez de partager le pain de cette maison, vous que je côtoie chaque jour... (Un moment d'hésitation. Il se retourna vers le rideau fermé...) Et vous aussi, nos frères déshérités de la 'hara, de Khoronfesh et du Mouski.

On entendit un murmure derrière les rideaux, puis, d'une seule voix, un bruyant « Amen » et aussitôt après : « Amen, amen et amen ! » Le baron di Reggio se tenait droit dans son costume de yacht-man, pantalon blanc au pli impeccable, chaussures blanches, blazer bleu roi. Sa casquette blanche laissait apercevoir ses mèches argentées. Il avait fière allure, raide, le menton en avant, les sourcils froncés.

— Je passe maintenant la parole à notre père, notre maître, notre guide, le grand rabbin Nahum Effendi, maître de justice, maître de savoir, aussi, distingué historien autant que théologien. Le grand rabbin d'Égypte...

À force de petits pas obliques, Poupy avait réussi à se frayer un chemin jusqu'au gigantesque buffet dressé dans la salle adjacente. En passant, il goba deux petits croissants à la viande, en fourra trois autres dans l'immense poche de sa galabeya. Dans son empressement à les avaler, alors que le rabbin commençait son discours, il fut pris d'un terrible hoquet.

— Votre Majesté, reine de beauté et d'intelligence, que Dieu illumine votre règne.

Le rabbin Nahum, sa mitre sur la tête, une curieuse barbiche au menton, fronçait les yeux derrière ses épaisses lunettes de myope. Derrière les rideaux, on entendit un tonitruant « Amen »... et le sursaut du hoquet de Poupy.

— Monsieur le baron, prince des affaires et prince du cœur, que Dieu multiplie votre richesse afin que vous puissiez, comme aujourd'hui, venir en aide à nos frères dans le besoin.

Et de la salle cachée par les rideaux monta comme un grondement. Les pauvres appréciaient : « Il est fort et il est béni ! » s'écrièrent-ils. Nouveau hoquet, double hoquet ; et le rabbin poursuivit :

— Un roi infatigable a rendu notre pays prospère et ses habitants heureux. Le hasard a fait que, dans ce pays, certains sont nés riches, d'autres sont

216

nés pauvres. Sachez que les riches s'enrichissent en donnant aux pauvres.

Dans le silence qui suivit cette phrase, Poupy eut un hoquet plus fort encore, comme un bruit de cymbale. Les gardes à qui il avait échappé à l'entrée voulurent se jeter sur lui. Un simple regard du baron les arrêta.

— Je voudrais saisir l'occasion, reprit le rabbin, pour vous rappeler que l'argent que vous donnez au temple le jour de Kippour est insuffisant. On ne peut ainsi donner une fois et se débarrasser d'un seul geste de la responsabilité que l'on a envers ses frères. Êtes-vous sans cœur, comme les frères de Joseph qui l'abandonnèrent dans une citerne en plein désert ? Oui, chers coreligionnaires, l'argent que nous récoltons est insuffisant pour financer les écoles, pour les aides alimentaires aux enfants, pour le soutien aux vieux parents dans le besoin, pour l'entretien de nos temples et le salaire de nos rabbins... Refusez de donner...

Poupy avait fini par mettre la main sur une carafe d'eau. Il but à même le goulot, déglutissant avec plaisir, rota bruyamment et ne put s'empêcher de lâcher :

— À la santé du lion !

— ... Refusez de donner, reprit le rabbin, qui fronça les sourcils plus encore... Refusez de donner, vous qui en avez les moyens, et Dieu vous retirera tout ce que vous avez acquis. Vous vous retrouverez un jour sur un quai du port d'Alexandrie, au départ pour n'importe où, à nouveau n'importe qui, jetés dans l'errance, les poches vides et vos yeux pour pleurer...

On entendit une voix, derrière les rideaux, la voix puissante de Poupy qui s'impatientait :

— Presse-toi donc un peu, ô seigneur !... Nous avons faim !

Et un grand éclat de rire.

— Allez ! Active ! insista un autre.

« Comme il est écrit : quand tu auras mangé et que tu seras rassasié, tu béniras Dieu, ton Dieu... »

Des pauvres qu'on ne voulait montrer, mais dont la présence était indispensable au repos du disparu, était montée une rumeur, comme une vague venant se briser sur un rocher... Ils chantèrent à nouveau : « Comme il est écrit : quand tu auras mangé et que tu seras rassasié, tu béniras Dieu, ton Dieu... » C'était un vers de la prière d'action de grâce que le Juif pieux récite après le repas. Ils voulaient dire qu'ils étaient d'accord pour remercier Dieu, mais après avoir mangé, pas avant ! Le rabbin, saisissant le message, s'interrompit, remercia l'hôte, sa famille, la reine, sa famille, les notables de la communauté et leur famille, le peuple, finalement, et commença à lire la prière des morts.

« Oh là ! bougonna Poupy, il y en a pour un moment. » Et, circulant à travers les tables du buffet, il raflait au passage des boulettes de viande et des croissants aux épinards. Entre deux immenses plats contenant du foul, ces fèves écrasées, matière première dont sont constitués les Égyptiens quelle que soit leur foi, ses yeux se fixèrent soudain sur un objet brillant. « Qu'est-ce que c'est ?... Mais alors, qu'est-ce que c'est ? » répétait-il dans sa barbe en souriant. Il s'approcha. Une cuiller en argent, sans doute oubliée là par un serveur. Tous les sofraguis avaient pourtant reçu l'ordre de ne laisser aucun couvert sur les tables. La maison connaissait les habitudes des pauvres de la 'hara. Un coup d'œil à droite, un autre à gauche... Un petit geste innocent en tournant le dos à la table, et c'était fait. Puis, les poches gonflées de nourritures variées et d'une cuiller d'argent, Poupy commença les opérations de repli. Petits pas discrets en direction des colonnes qui encadraient l'escalier. Parvenu là, il s'immobilisa, troublé. Zohar !... Mais où était passé le gamin ? Il se hissa sur le socle de la colonne pour jeter un regard alentour... Rien ! Pas trace du petit monstre. Et Poupy repensa à Maleka, sa femme ; aux hurlements qu'elle pousserait s'il s'en revenait seul dans la 'hara.

Il lui vint soudain une idée. Et si l'enfant avait grimpé au second ? Ça lui ressemblait bien à ce petit singe, qui cherchait toujours l'altitude. Il se glissa donc dans l'escalier et parvint à l'étage supérieur, à l'entrée d'un long couloir. La première porte était fermée à clé; la deuxième ouvrait sur une sorte de débarras encombré de meubles, entassés, sans ordre… mais lorsqu'il ouvrit la troisième, il s'immobilisa, bouche bée. Zohar était confortablement installé dans un profond fauteuil de velours. Il était vêtu d'une chemise de soie blanche bien trop grande, dont les manches recouvraient ses mains. À côté de lui, un enfant plus âgé, peut-être neuf ou dix ans, un gosse de riche, en culotte anglaise avec des bretelles, des chaussettes de laine montant haut sur ses mollets, et une chemise toute semblable, en soie blanche, ajustée à sa taille. Ils fumaient chacun une cigarette au bout doré. Sur le sol, la boîte en métal de Craven A, vide, leur servait de cendrier. « Si Maleka voyait ça… », pensa Poupy, qui n'osa même pas imaginer la suite.

— Zohar! gronda-t-il.

L'enfant leva les yeux et, pour une fois, répondit:

— Oui, mon oncle!

Poupy s'élança vers lui, le saisit par le bras et tenta de l'entraîner. L'enfant s'arc-bouta, les mains accrochées au chambranle de la porte, les deux pieds au sol, comme un âne rétif. Il ne criait ni ne pleurait, mais résistait de toutes ses forces. De l'étage inférieur montaient les chants et les psaumes qu'avaient entonnés les pauvres, guidés par le grand rabbin d'Égypte en personne. C'était la fin des préliminaires ; ils n'allaient pas tarder à ouvrir le buffet, le moment ou jamais de filer. Dans la cohue, personne ne prêterait attention à eux.

Poupy tenta la persuasion :

— Allons, ô mon fils, ô pacha, ô mon âme, que veux-tu donc ? Dis-le-moi et finissons-en, espèce de larve sans cervelle.

À nouveau libre de ses mouvements, l'enfant rajusta la chemise trop grande qui lui descendait aux genoux, enfila par-dessus sa petite galabeya crasseuse et s'approcha doucement de l'autre enfant, pas après pas, comme un petit animal soupçonneux. Lorsqu'il fut seulement à quelques centimètres, il dit simplement :

— Joe !

Il se retourna alors vers son oncle et répéta :

— Joe !

— Que le diable bouleverse ton esprit, j'ai compris, dit Poupy ; ton nouvel ami s'appelle Joe. Très bien ! Enchanté ! Oui, oui ! Enchanté, je te dis, espèce d'âne bâté. Il s'appelle Joe. Je suis anobli rien qu'en apprenant son nom et mon cœur est enduit de beurre. Et maintenant, tu viens, nous repartons à la maison.

Sans un mot, le petit Joe les guida dans le dédale des couloirs jusqu'à l'escalier de service et ils se retrouvèrent dans le jardin sans passer par les salles de réception. Essoufflé, Poupy regarda Zohar, lui sourit.

— Et maintenant, nous allons courir jusqu'au tramway, d'accord ?

L'enfant était déjà parti ventre à terre. Parvenus au bord du fleuve, hors d'haleine, ils s'assirent dans l'herbe. Zohar ne cessait de palper la chemise de soie que lui avait donnée son ami Joe. Poupy lui demanda :

— Tu es fier de ta nouvelle chemise, c'est ça, ô l'idiot ?

Comme Zohar ne répondait pas, il tira de sa poche la cuiller d'argent pour la lui montrer.

— Regarde ce que j'ai trouvé sur une table. Elle est belle…

L'enfant s'en saisit, l'examina, la renifla, y passa le bout de la langue, la soupesa, fit une grimace et la rendit à son oncle. Puis il fourra la main dans l'ouverture de sa galabeya et en sortit un collier qui brillait de mille feux.

— Quoi ? s'étonna Poupy. Qu'est-ce que c'est que ça ? Laisse-moi voir !

C'était une magnifique pièce d'orfèvrerie, des maillons d'or finement ouvragés, portant chacun un brillant. Le fermoir était de toute beauté, d'un côté la sorte de bateau qu'est la lettre noune en arabe, de l'autre le point, qui s'y imbriquait par un ingénieux mécanisme.

— Non ? Ne me dis pas… Mais qui es-tu donc, enfant des rues ? Ne me dis pas… Non ? Tu m'effraies ! Oui, je t'assure. Et pourtant, tu le sais, l'oncle Poupy n'est pas peureux. Tu m'effraies, fils de chien ! Ne me dis pas que ce sont des dia- mants... (Il frotta un brillant contre son ongle.) Non ! Où l'as-tu trouvé ? Hein ?

Et l'enfant restait silencieux, un large sourire sur le visage, heureux de l'étonnement de son grand- oncle.

— Tu vas me répondre, cette fois, mon petit, hein... Ça veut dire... C'est grave, tu sais... Je peux me retrouver au commissariat... ou je ne sais pas, en prison, peut-être... Ô mes yeux ! Dis-moi à qui tu l'as pris. Ô mon maître ! (Il implorait le ciel.) Nous allons le lui rendre. Mais pour cela, il faut savoir à qui... Ou plutôt non ! Nous allons le rapporter, peut-être, le remettre aux deux gar- diens, en prétendant que nous l'avons trouvé dans le jardin et puis voilà... (Il hésita un moment ; jeta un regard vers le ciel.) Non ! Nous n'allons pas faire ça ! Nous irions jeter aux cent mille diables un présent envoyé par Dieu en personne ? Ou bien non ! Je n'ai jamais entendu que Dieu envoyait à ses fidèles des colliers de diamants. Oh là là ! Mais pourquoi ?... Pourquoi ? Quel péché ai-je donc commis pour me retrouver marié à la tante d'une sorcière ? Une sorcière dont le fils est un démon, un 'afrit...

À ce mot, l'enfant se mit à rire.

— Et ça te fait rire ? Espèce de diable parmi les armées de diables... Tu ris ? Alors tu fumes... et tu ris… Oui ! Voilà ! C'est cela le petit Zohar ! Il fume des cigarettes et rit de l'oncle Poupy…

Et il se mit à rire à son tour ; et l'enfant éclata de rire et l'homme aussi, tous deux maintenant étendus sur l'herbe, comme pris de frénésie.

Le soir, tous réunis dans l'épicerie, Poupy se laissa convaincre par l'oncle Élie, mais non sans avoir résisté, de la nécessité de rapporter le collier. Les arguments étaient simples. On accuserait nécessairement les pauvres de la 'hara de l'avoir volé. On n'allait pas soupçonner le grand rabbin ou la famille du baron ou l'un de ces khawagates, de ces messieurs, qui l'entouraient… Les policiers envahiraient la ruelle, fouilleraient les maisons. Et puis, les femmes parleraient – elles parlent toujours… On conduirait les hommes au commissariat et comme ils n'étaient pas étrangers, ils recevraient leur ration de coups de bâton…

Ils n'étaient pas étrangers… « Qu'est-ce que c'est que cette histoire ? » demanda Poupy. Les autres le regardèrent comme un Martien. Comment ça ? Il ne savait pas ? L'oncle Élie entreprit de lui expliquer que c'était une très vieille loi qui permettait aux étrangers de bénéficier de tribunaux spéciaux. En Égypte, lorsqu'on était étranger, on n'était pas détenu dans un commissariat égyptien, sur lequel régnaient ces brutes, des paysans en uniforme, qui puaient l'oignon et la sueur et qui hurlaient sans

224

raison, mais au consulat du pays dont on relevait. Et il posa la question aux trois hommes :

— Dis-moi, par exemple, toi, Poupy, quelle est ta nationalité ?

— Égyptien ! répondit Poupy sans hésiter. Je suis né au Caire, comme tout le monde. Et Le Caire, c'est en Égypte, non ? Le Caire est à l'Égypte comme les doigts sont à la main…

— Non !

— Comment non ? Alors Le Caire n'est pas en Égypte… c'est ça ?

— Ce n'est pas ça, idiot ! Je dis non pour t'expliquer que ce n'est pas parce que tu es né en Égypte que tu es égyptien. As-tu une carte d'identité, un passeport égyptien ? As-tu le moindre papier, d'ailleurs ?

— Oui !

— Tu possèdes un papier d'identité, toi, Yakoub Shaltiel, fils de Menahem Shaltiel, que Dieu l'enveloppe dans sa matrice ? Ah bon…

— Oui ! La ketouba, mon contrat de mariage que le rabbin a remis à ma mère le jour béni où j'ai quitté ses cuisses pour rejoindre celles de Maleka Zohar, ta nièce.

— Mais ce n'est rien, ça… Ce n'est rien ! La cuisse de ta femme n'est pas un pays. Ni sa cuisse ni son cul, d'ailleurs, ô simplet ! Tu es comme tout le monde, un paria de la 'hara. Tu n'as pas de papiers, rien ! Ton nom est-il inscrit sur une carte, avec ta photographie et un tampon en relief ? Tu sais comment s'appelle ta patrie ?

— Non !

— Regarde-toi, elle ne s'appelle pas ! C'est le contraire d'une patrie. Une non-patrie. Ce que tu es, Poupy, je vais te le dire. Tu es apatride. A… pa… tride… C'est comme ça qu'on dit !

Dans cette Égypte qui s'éveillait à la modernité au point qu'on écrivait dans les journaux qu'Alexandrie était un grand port européen, la plupart des habitants de 'Haret el Yahoud étaient apatrides, comme Poupy, le naïf au cœur ouvert, comme Doudou, le retors aux muscles saillants, comme Élie, le silencieux aux yeux tendres – *a fortiori* comme Motty l'aveugle… « Apatride », mot de la politique, mot magique, qu'ils se répétaient l'un à l'autre, pour dire que, simplement, ils n'étaient rien. Et Poupy, qui le découvrait, répondit par une simple interjection :

— Toz !

… qui était plus un bruit qu'un mot, celui des enfants qui font des flatulences avec la bouche – une sorte d'interjection qui signifiait : « Ces événements du monde ne sont rien que du vent… » Et il le répéta :

— Toz, toz et toz…

— Toz ou pas toz, le reprit Élie, comme tu n'es pas étranger et que tu n'es pas égyptien non plus, personne ne te défendra. Tu es comme un animal, Poupy. As-tu déjà vu quelqu'un qui venait défendre un âne lorsque son propriétaire le battait pour le faire avancer ? Tu peux monter, descendre, dans toute l'Égypte, tu ne verras jamais ça. Alors... toz sur toi !

Mais un autre argument, présenté par Motty l'aveugle, finit de les convaincre :

— Nous n'avons qu'à attendre quelques jours. Ils chercheront le collier. Peut-être offriront-ils quelque chose, un pourboire, ou je ne sais quoi à qui le retrouvera. C'est alors que nous le ramènerons en prétendant l'avoir découvert dans la rue, ou sur un tas d'ordures. Au moins gagnerons-nous ainsi l'argent offert en récompense. Ce ne sera pas beaucoup, sans doute, mais tout de même quelque chose.

Doudou, qui avait déjà eu maille à partir avec la police, attira leur attention sur un problème. L'idée de Motty était bonne, oui, il le reconnaissait. Mais qui prendrait le risque de rendre le collier ? Parce que, comme dit un proverbe arabe : « Qui me raconte l'injure lancée derrière mon dos m'injurie... »

— Ça veut dire ?...

— Ça veut dire que le messager est souvent puni pour la mauvaise nouvelle qu'il rapporte.

Doudou était certain que celui qui s'aventurerait pour remettre le collier se ferait d'abord mettre en prison, bastonner, peut-être même enfermer pour des mois, pour des années… Et le problème des prisons du Caire, c'est que, si on trouvait facilement quelqu'un pour vous y fourrer, il était bien plus difficile de trouver quelqu'un pour vous en sortir. Et cela, elles ne l'avaient même pas imaginé, les têtes pensantes de 'Haret el Yahoud.

Alors une idée traversa Poupy, une de ces bonnes idées solides qui font basculer les situations.

— Je sais ! s'exclama-t-il… Je sais ce que nous allons faire. Nous allons envoyer Zohar, le petit, rendre le collier. Lui, ils ne le mettront pas en prison. Il prendra un air malheureux et innocent – il sait très bien le faire ! –, il remettra le collier et ce sera fini !

— Tout cela a trop duré, renchérit Élie, ça suffit ! C'est fini !… Ça suffit ! C'est fini !

— C'est fini ? demanda Doudou. La récompense aussi, c'est fini ! Crois-tu qu'ils remettront le moindre argent à un enfant de sept ans ?

Une semaine plus tard, les hommes de la famille étaient tous réunis au café Guedaliah, autour de Soussou et de bien d'autres de la 'hara, si excités que Guedaliah leur porta des verres d'eau, comme dans les grands cafés de la place Soliman-Pacha. L'événement était d'importance, on parlait d'un des leurs dans le journal. Soussou le lisait à haute voix : « Un enfant rapporte le collier que la reine Nazli a perdu lors d'une réception à Zamalek ». C'était le titre en première page. Une photo où l'on voyait la reine se pencher en un geste gracieux, caressant la tête d'un garçonnet en galabeya, qui ressemblait aux milliers d'enfants errants que l'on croisait partout dans les rues du Caire.

— Écoutez ! Écoutez-moi ça, poursuivait Soussou, ô la paix de Dieu !… Incroyable ! « Sa Majesté, la reine Nazli, mère, comme on le sait de quatre enfants, a été émue jusqu'aux larmes… »

Et il répéta :

— Ô la paix, ô la paix, que c'est beau !… émue jusqu'aux larmes, vous entendez ? Et il reprit sa lecture : « … émue jusqu'aux larmes devant cet enfant pauvre, originaire d'un quartier de la vieille ville ».

Naturellement, personne ne mentionnait que Zohar était juif. Le collier, expliqua la reine aux journalistes, avait sans doute glissé de son cou au moment où elle pénétrait dans l'automobile qui devait la reconduire au palais. « L'enfant, dont le nom est Gohar ebn Gohar, a été reçu au palais Abdine durant une journée… »

— Zohar, le fils de l'aveugle, corrigea l'un, non pas Gohar ebn Gohar, mais Zohar ben Zohar ; et il ajouta : Au palais royal, la paix de Dieu… Béni soit le nom !

— C'est bien la preuve qu'il y a un Dieu ! lui répondit un autre.

— Et qu'il n'oublie pas les oubliés…, conclut un troisième. Que son nom soit béni !

— Alors que les oubliés l'oublient… Voilà combien de temps que tu n'es pas venu à l'office de shabbat, espèce de mamzer, de bâtard ?

— Et vous savez quoi ? reprit Soussou. Au palais, il a rencontré l'héritier, le prince Farouk. Dieu pourvoit à tout ! Dans le journal, ils ont écrit qu'ils ont joué ensemble. Farouk est pourtant bien plus âgé que lui. Il a onze ans, je crois…

— Douze ! le corrigea l'autre, sèchement.

Comment cela ? Il ne connaissait pas l'âge du prince ? Tout le monde savait qu'il était né en 1920.

— Bien, d'accord ! Douze… Mais écoutez la suite : « Le collier qu'avait perdu la reine et qu'elle a retrouvé grâce à l'honnêteté du petit Gohar ebn Gohar a été spécialement fabriqué pour elle par un joaillier parisien appelé Cartier. C'est une véritable œuvre d'art valant plusieurs milliers de livres, qui fait partie du trésor royal d'Égypte. » Plusieurs milliers de livres… De quoi nourrir toute la 'hara durant des mois…

— Et ils ne précisent pas combien… combien de milliers… Plusieurs milliers, c'est combien de milliers ?

En récompense, Zohar reçut quelques cadeaux royaux, une galabeya neuve, qui ne resta blanche qu'une seule journée, une calotte rouge qu'il promenait avec fierté et une paire de babouches en cuir, bien trop grandes, qui attendit deux ans sous son lit. Lorsqu'il fut raccompagné jusque dans la 'hara en voiture officielle noire, deux fanions flottant sur les ailes avant, son père, longuement remercié, eut droit à un sac de riz, un bidon d'huile et une poignée de main du chambellan.

Le calme revint dans la ruelle aux Juifs, mais les hommes n'oublièrent pas que tout avait été initié par l'enfant qui avait chapardé rien moins que le collier de la reine. « Vous vous rendez compte ? Le collier de la reine Nazli... Il est formidable ! » répétait Poupy. Comment s'y était-il pris ? Cette question revenait sans cesse, sans trouver de réponse. Soussou, le plus raisonnable, prétendait que la reine l'avait réellement perdu ; Zohar, qui traînait partout, l'avait simplement ramassé par terre. Solution bien trop banale aux yeux de tous. Doudou, plus roué, imaginait que l'enfant s'était introduit dans une des chambres, peut-être celle où la reine avait déposé ses affaires, et il y avait empoché le collier. « C'est un petit voleur, rien de plus !... Suffisamment habile et vif pour saisir l'occasion, j'en conviens. » Poupy, qui lui imaginait des capacités hors du commun, pensait qu'il s'était glissé derrière la reine Nazli lors du discours du grand rabbin, avait dégrafé le fermoir, puis filé à l'étage. « Impossible ! contestait l'oncle Élie. On l'aurait vu, attrapé, corrigé. Non ! Ce n'est pas ainsi que les choses se sont passées. Il faut qu'il nous raconte… » Et le vieux redoubla de gentillesse avec l'enfant, essayant de lui extirper des confidences, toujours sans succès.

Zohar ayant démontré certaines qualités, au moins d'habileté, on décida de le scolariser. Mais il était impossible de le garder assis plus de quelques minutes. Toutes les tentatives pour l'intégrer dans une école échouèrent. La famille essaya les écoles accessibles aux pauvres, les répétitions du rav Mourad, d'abord, l'école de la communauté juive, ensuite, de guerre lasse l'école des frères de Saint-Jean-Baptiste-de-La-Salle et même, en désespoir de cause, l'école coranique. Il n'y termina pas une seule journée. C'est pourquoi, dès l'année suivante, lorsqu'il entreprit de travailler, nul ne s'y opposa. Il prit un métier connu des seuls habitants du Caire, sabbarsagueya, que l'on pourrait traduire par « infatigable récolteur de mégots de cigarettes ». Il parcourait les trottoirs, fourrageait les caniveaux, un gobelet en vieil aluminium pendant à son poignet au bout d'une ficelle. Mais, alors que les autres vendaient leur récolte au poids à un patron qui chargeait d'autres enfants d'extraire les restes de tabac et de rouler de nouvelles cigarettes dans un hangar, Zohar accomplissait seul la totalité du travail. Il assurait le cycle entier, depuis la récolte de la matière première jusqu'au conditionnement du produit fini. Il vendait ensuite ses cigarettes dans la rue, à des prix défiant toute concurrence.

Industrieux, concentré sur sa tâche, il travaillait sans relâche.

Si bien qu'à l'âge de dix ans il contribuait bien plus que sa part à la relative aisance de sa petite famille. Il avait découvert une activité qui correspondait à sa nature, toujours dehors, du lever du jour à une heure avancée de la nuit, flirtant avec les désirs obscurs de ceux qu'il servait, entretenant des relations régulières avec les ombres de la nuit, ces fumeurs accrochés à leur substance. Il surgissait de nulle part, auprès du fumeur en manque, de l'anxieux avant un rendez-vous, du dîneur repu, de l'amoureux apaisé, proposant ses cigarettes, à l'unité, en petits sachets de quatre, en paquets de dix ou de vingt. On l'appelait «Zohar la Fumée», confondant en un même mot la substance qu'il servait et sa propre capacité à s'évanouir, comme une vapeur. Et lorsqu'on demandait à sa mère : «Et ton fils Zohar ?», elle répondait : «Nous ne le comprenons pas. C'est un bon garçon, mais il circule dans les hauteurs, comme la fumée.» Et lorsqu'on posait la même question à son père, celui-ci avait cette phrase étrange : «Zohar c'est mon père, peut-être mon grand-père, ou plus vieux encore… Comment veux-tu que je devine les desseins d'un très vieux ?»

Jusque-là, Zohar était égal à lui-même, depuis sa naissance, depuis sa conception, même. Étrange aux siens, seul de son espèce, à la fois déficient, opaque aux liens familiaux, presque handicapé, et pourtant efficace en certains domaines. Il allait de-ci, de-là, toujours solitaire.

Il se modifia brutalement à la suite de son voyage, dans la Ford de Soussou, et cette nuit passée dans le village d'El Baradi, près de Damanhour. Depuis lors, la nuit, il passait de longs moments à penser, immobile dans son lit, avant de s'endormir, et on l'entendait parler durant son sommeil. On ne comprenait pas toujours ce qu'il disait, mais le mot « Masreya » revenait souvent, et aussi : « Viens, viens vivre au Caire… » Sa mère, ayant surpris ces paroles, en fut effrayée au point qu'elle perdit connaissance.

— Qu'as-tu, ô mes yeux ? lui demanda Motty, son mari. Quelle banalité du monde est venue entamer l'enveloppe de ton âme ?

— J'ai entendu notre fils parler dans son sommeil.

— Pourquoi en serais-tu troublée, ô ma sœur ? Lorsque les anges apparaissent dans les rêves, il arrive que le dormeur leur réponde. Et cela arrive souvent aux enfants… Ne dit-on pas que, durant leur sommeil, les enfants n'ont pas encore oublié la langue des anges ?

— Ce n'est pas ça, Motty ! Comprends-moi ! Il nommait Masreya, sa sœur de lait. Il l'appelait, la suppliait de venir le rejoindre…

— Je ne comprends pas ton émoi.

234

— Voyons, Motty! Je me suis bien gardée de lui révéler le nom de cette sœur de lait.

— Quelqu'un d'autre lui en aura parlé, que veux-tu? Sans doute l'une de tes tantes...

— Non, Motty! Il y avait une passion dans sa voix. Le cœur d'une mère ne peut se tromper. Il est amoureux.

— À son âge? C'est impossible! Tu te fais des idées, ô mon âme... Et comment serait-on amoureux d'un souvenir datant des premiers jours de sa vie?

Esther ne se trompait pas. Zohar, âgé seulement de onze ans, était littéralement obsédé par la jeune Masreya qu'il n'avait rencontrée qu'une seule fois. Les moments furtifs vécus cette fameuse nuit étaient devenus le fond de son espace mental, le décor sur lequel se déroulait son existence. Le nom de Masreya résonnait à ses oreilles à chaque instant du jour; il sentait le parfum de son corps, hallucinait le goût de ses lèvres. Il parcourait son propre buste de ses mains en l'imaginant le sien, ses jambes, les siennes. Il l'appelait en secret, le jour, dans ses murmures, en parcourant les ruelles de la vieille ville, et le soir, dans ses rêves. Il se mit à économiser, millième après millième, avec l'idée de se payer un jour le billet de train, en troisième classe pour le village du Delta.

Zamalek, rue Salah-el-Din

Zohar et Masreya se retrouvèrent trois ans plus tard dans des circonstances que nul n'avait prévues.

Un jour, on apprit que Joe di Reggio, le fils de celui qu'on appelait « le baron du coton », réclamait la présence de Zohar. Les parents de Joe trouvèrent la demande saugrenue. Que pouvait avoir en commun leur fils, leur seul garçon, leur héritier, et ces primitifs qui vivaient dans des ruelles puantes, grouillant comme des rats ? Ils cédèrent néanmoins, mais en posant une condition : ce serait l'occasion d'un apprentissage, tant pour l'enfant millionnaire qui avait des résultats désastreux en classe que pour le petit pouilleux de la 'hara. Et la visite de Zohar se déroula sous la surveillance de Mlle Solange, une Française agrégée de philosophie. Zohar ne s'y rendit pas souvent, seulement lorsque Joe le réclamait, mais ses visites au palais di Reggio lui donnèrent de l'assurance. C'est là qu'il apprit enfin l'art de la parole et le maniement des langues. « Nous le pensions maboule (le mot est le même en arabe, signifiant "demeuré"), s'extasiait Poupy devant les progrès de Zohar. — Pour nous, il ne savait pas parler, précisait Élie, en vérité il n'avait pas trouvé à qui parler. »

Il faut dire que Joe di Reggio, l'ami millionnaire de Zohar, était pour ainsi dire assigné à résidence. Certes possédait-il tout ce qu'un enfant pouvait rêver, et même une petite voiture à moteur, qui fonctionnait à l'essence, comme une vraie, une reproduction de Bugatti 35 à l'échelle 1/2, mais il ne pouvait dépasser le périmètre de la propriété de Zamalek, ni dans sa voiture, ni sur son poney, ni même à pied. Il ne sortait qu'accompagné de ses parents, de sa dame de compagnie ou, à la rigueur, escorté des deux gardes nubiens. Ses parents craignaient les mauvaises influences. Mlle Solange l'initiait à la culture générale et deux professeurs particuliers, également français, l'instruisaient dans les matières scientifiques. Mais Joe n'apprenait rien. Étendu sur le sofa dans ses vêtements de soie, il rêvassait en suivant des yeux le vol des milans dans le ciel. Il était beau, cet enfant, les membres longs, le visage ouvert, souriant aux anges, la chevelure folle et les yeux ardents. Mlle Solange, qui, à vingt-huit ans, n'avait connu que les pensionnats de jeunes filles, en était un peu amoureuse, semblait-il, et lui dispensait une tendresse de tous les instants.

Malgré cela, les seuls moments où il prêtait attention à l'enseignement de ses maîtres, c'était lors des visites de son ami Zohar qui, bien que plus jeune, retenait immédiatement les explications scientifiques, les théorèmes mathématiques ou les poésies françaises. C'était en matière de religion que Joe était le plus déficient. Le rabbin Bensimon venait deux fois par semaine pour préparer l'enfant à sa bar-mitzwa, la majorité religieuse à laquelle il convenait qu'un jeune Juif parvînt à l'anniversaire de ses treize ans. Pour cela, il lui fallait comprendre suffisamment d'hébreu pour lire, dans la synagogue, devant la communauté réunie, un verset de la Torah dans le texte. Mais à treize ans, Joe n'était toujours pas parvenu à retenir l'alphabet.

— Il est si intelligent qu'il ne peut s'intéresser aux banalités sur la création du monde – comme si une telle poubelle avait pu être créée – et à cette morale de pacotille que ressassent tes rabbins, critiquait sa mère, d'opinion progressiste, proche des communistes et naturellement anticléricale.

— Peut-être ! persiflait le baron, mais, à force d'être trop intelligent, il est en bonne voie pour devenir un illettré imbécile.

Puisque Joe parvenait tout de même à écouter ses professeurs en présence de Zohar, ils décidèrent de convier ce dernier à la maison deux fois par semaine, lors des leçons du rav Bensimon, précisément. Et cette fois, la mayonnaise sembla prendre. Les progrès de Joe furent spectaculaires, stimulés par la présence et les innombrables questions de Zohar. «Pour l'abricot ? demandait l'un. — On dit la bénédiction des fruits de l'arbre, bien sûr, répliquait l'autre aussitôt. — Mais pour la pâte d'abricots (dont ils raffolaient tous deux)… Hein ? Tu dis aussi la bénédiction des fruits de l'arbre ou celle des plats cuisinés ?»

Les deux enfants rivalisaient pour la mémoire des détails, ceux des règles religieuses, des interdits alimentaires ou des rites, et pouvaient réciter dans leur intégralité les prières quotidiennes. En lecture hébraïque, Joe surpassait Zohar, lui qui, quelques mois plus tôt ne déchiffrait pas une seule lettre. Alors que Zohar était meilleur en mémorisation, lui qui écoutait chaque jour les prières chantées par son père. Ils apprenaient en jouant ; leur jeu était un apprentissage, leur apprentissage, un jeu. On aurait dit deux jeunes lionceaux s'initiant à la chasse en se mordillant les oreilles.

Deux ans plus tard, le baron, fier des progrès de son fils, décida d'organiser la bar-mitzwa le jour des quinze ans de Joe. Certes, il était en retard, mais, avec les compétences qu'il avait acquises, il ne ferait pas rougir son père, qui comptait convier pour la cérémonie les notables de la communauté.

Le rabbin Bensimon proposa que son condisciple, le jeune Zohar Zohar, fût initié le même jour, bien qu'il n'eût pas tout à fait atteint l'âge de treize ans. On organisa donc la cérémonie qui se déroulerait dans la grande synagogue du Caire, Shar-Hasha-maïm, «la porte du Ciel», rue Adly, dans le beau quartier d'Isma'leya.

Mais la cérémonie faillit bien mal se terminer. Joe, le plus âgé, fut appelé le premier. Il lut sans hésiter le verset qui lui était attribué, suivant avec application le doigt d'argent que le rabbin faisait danser sur le parchemin, pour guider ses yeux, mot après mot. Mais lorsque ce fut son tour, Zohar truffa sa lecture de commentaires personnels. «Prenez les biens des Égyptiens avant de quitter l'Égypte... N'hésitez pas ! Bracelets d'or, bagues, colliers... Colliers, surtout ! (Nul ne comprit l'allusion, hormis Poupy qui étouffa un gloussement.) Si vous connaissez une riche Égyptienne, arrachez-lui sa bague, subtilisez ses boucles d'oreilles... Amassez les bijoux volés aux Égyptiens, cachez-les dans des coffres, sous vos lits, dans les anfractuosités de vos murs, en prévision du départ... Un jour prochain, un autre Moïse fera le décompte de vos dons lors de la construction de la maison de Dieu... »

Consternation dans l'assemblée. Certes, le verset relatait l'édification du Tabernacle, de l'Arche d'Alliance, à l'aide des dons, des cadeaux en or et en argent, que les Juifs avaient obtenus d'Égyptiens avant l'Exode. Mais nul n'établissait de lien entre ce récit mythique d'une sortie d'Égypte qui remontait au temps des pharaons et la période actuelle.

Ils auraient pu penser au départ, pourtant, ces Juifs d'Égypte, car, au loin, on entendait le bruit des bottes qui martelaient les pavés d'Europe. Mais en ces jours de calme oriental, il ne traversa l'esprit d'aucun qu'il faudrait quitter sa terre natale, celle de ses ancêtres, des ancêtres de ses ancêtres, jusqu'à des temps immémoriaux... L'Égypte !

Motty, le père de l'impétrant, hochait la tête, accablé. Poupy lui glissa à l'oreille :

— Que veux-tu ? Il n'est pas circoncis, ce n'est pas normal ! Sa bar-mitzwa ne peut certainement pas se dérouler normalement... Comme s'est déroulée ta circoncision, ainsi sera ta bar-mitzwa... N'est-ce pas ce que l'on dit ?

Et Motty murmura :

— Ce n'est pas le scandale qui m'attriste, ô mon frère, mais les paroles qu'il a prononcées. Car, je le sais, Zohar ne parle pas ; des forces parlent par sa bouche.

L'assistance fit mine de ne pas comprendre, attribuant les saillies de l'enfant à son retard mental ou à son absence d'éducation. Et la cérémonie put être conduite à son terme. C'est ainsi que le

cinquième jour, le 30 Adar 5698, selon le calendrier hébraïque, c'est-à-dire le jeudi 3 mars 1938,
selon le calendrier chrétien, Giuseppe di Reggio,
dit «Joe», et Zohar Zohar, dit «la Fumée», «el
Dokhan» en arabe, rejoignirent la communauté
des croyants. «Amen et amen!» entendit-on crier
du côté de la famille Zohar, ou encore: «Il est
fort et il est béni!» Alors que la famille di Reggio
hochait la tête avec mépris devant les manifestations bruyantes de leurs frères dans le besoin.

Le lendemain, le vendredi 4 mars 1938, dans le
désert d'Arabie, à proximité du petit port de Dam-
mam, les géologues et les ingénieurs de la Standard Oil sautaient de joie, hurlant comme des fous.
Ils lançaient leurs chapeaux vers le ciel, s'égosillant
à remercier Dieu, l'Amérique et le destin. Après
cinq années d'efforts, lorsque le trépan avait atteint
la profondeur de 1 441 mètres, l'huile noire avait
enfin jailli à flots. Désormais, le pétrole gonflerait
les poches des Saoudiens et le roi Abdelaziz ben
Abderrahman ben Seoud n'aurait plus de souci à
se faire pour nourrir ses trente-deux épouses et ses
quatre-vingt-neuf enfants. Une page de l'histoire
du monde venait de se tourner; une nouvelle page
débutait qui allait voir les Juifs chassés de tous les
pays musulmans, à commencer par l'Égypte. Par
quels canaux Zohar en avait-il eu l'intuition?

Le samedi soir suivant, à l'issue du shabbat,
le baron Ephraïm di Reggio donnait une récep-

tion pour fêter la bar-mitzwa de son fils. Tous les
notables s'étaient déplacés, certes plus attirés par
les fastes du palais de Zamalek que par l'éveil religieux du jeune Joe. Il y avait là l'impressionnant
Joseph Aslan de Cattaoui Pacha, ancien ministre
des Finances du roi Fouad et président de la
communauté juive, les cheveux blancs dépassant
de son tarbouche, et les yeux clairs d'opale, qui
regardaient de loin le destin de son peuple. Et le
prince de la finance, Salvator Cicurel Bey, l'un des
propriétaires et le gestionnaire des grands magasins Cicurel du Caire, qui fit tourner les têtes au
volant de sa Cadillac convertible dernier modèle,
seize cylindres, la même que celle du président des
États-Unis, qu'il avait fait peindre en bleu électrique. Et le banquier Daniel Curiel, créancier des
sultans et des princes, un voisin des di Reggio,
dont la villa entourée d'un immense parc planté
de palmiers touchait le Gezirah Sporting Club.
Immense, une grosse tête nue, les yeux cachés derrière des lunettes opaques, il s'avançait, hésitant,
aveugle, au bras de son épouse Zephira, son guide,
sa bien-aimée. Et Raymond de Picciotto, un autre
baron, Isaac Levi, un industriel richissime, les deux
cousins, les célèbres banquiers Mosseri... Le baron
di Reggio pouvait être fier, le gotha était au complet : les Menasce (encore des barons), mécènes de
la communauté, qui étaient arrivés, comble du sno-
bisme, au volant de la toute dernière Citroën, une

Traction ; les Suares, identifiés au tramway du Caire au point qu'on ne disait pas : «Je prends le tram», mais : «Je prends le suares» ; les Ades (des grands magasins Ades), les Rolo, les Toledano, les Harari... Tous ceux qui posèrent un jour leur baluchon dans 'Haret el Yahoud, certains dans les limbes de l'Antiquité, d'autres il y a cinq cents ans ou à peine une génération et qui firent progressivement leur chemin dans la société égyptienne. Car il faut le dire, les Juifs d'Égypte, ceux en costume de lin ou les traîne-savates en galabeya, sortaient tous du même cloaque, ces quelques ruelles bourrées de synagogues et de tombeaux de saints, que l'on appelait la 'hara, la ruelle.

Pour faire bonne mesure, le baron avait également convié la famille Zohar au complet. Ils s'étaient habillés comme un jour de fête à la synagogue, s'étaient déplacés en tribu, le verbe haut, à travers les venelles jusqu'à la station de tramway, et avaient assiégé la porte de la villa en insultant les gardes nubiens.

— Je ne te l'avais pas dit que ton patron, c'est mon cousin ? plastronnait Poupy en tirant sur la moustache de la sentinelle. Ô mon fils, ô mon âme, ne méprise jamais l'étranger. Sais-tu s'il ne s'agit pas d'un ange ?

Sur une estrade, un orchestre, violons à profusion, piano et quelques cuivres, jouait sans discontinuer une musique de night-club. Le baron et son épouse recevaient les invités, adressant à chacun un remerciement particulier, avec une grâce princière. Discours du président de la communauté, superbe, qui avait accroché pour l'occasion la totalité de ses décorations gagnées au service de l'État. La poitrine scintillante sous une pluie de lumière, il exprima sa fierté devant la réussite de ces Juifs millénaires qui étaient en train de féconder l'Égypte éternelle. Buffet de fête, les ombres circulant entre les bosquets pour découvrir ici des alcools, là des petits-fours recherchés. Douceur d'une nuit de mars au bord du Nil, où les femmes pouvaient pour une fois exhiber leurs renards et leurs loutres, et les hommes leurs smokings. Sous un tamarinier entouré de jasmins, Motty s'était installé dans un fauteuil, son épouse Esther auprès de lui. Il souhaitait parler au rabbin, Vita Bensimon, qui avait assuré la formation des jeunes gens. Il avait une faveur à lui demander. Il le salua :

— Que ta soirée soit de miel, ô mon maître !

— Que notre père te garde, ô fils du bien ! lui répondit le rabbin, et t'envoie une colombe pour chier sur tes yeux, comme il le fit pour notre ancêtre Touvia, lorsqu'il voulut lui rendre la vue.

— De tes lèvres à l'oreille de Dieu, ô mon maître... mais crois-tu que si je recouvrais la vue je verrais dans la nuit comme ce soir ? J'aperçois ton âme, enfant de la joie, elle est légère, comme ton sang. Comme ta compagnie est agréable !

— Merci, Mordechaï Zohar. Tes paroles sont des douceurs qui me réjouissent le cœur tout autant que les richesses de notre peuple que je vois étalées en cette nuit.

— À propos des richesses des gens qui nous reçoivent, mon cœur sursaute tout comme le tien. Il n'est pas bon de s'exhiber ainsi. Comme le conseillait le prophète Mohamed, il faut arrêter de manger pendant qu'on a encore faim. Sage conseil que nos riches feraient bien d'écouter. J'ai connu ton père, le sais-tu ?

— Tu as plus de chance que moi. Il est parti, que Dieu l'enveloppe dans sa matrice, alors que j'étais seulement âgé de cinq ans. Comment donc aurais-tu pu le connaître, tu n'es pas si vieux…

— Eh bien moi, j'avais huit jours lorsque je l'ai vu. À cet âge, mes yeux n'étaient pas flétris. C'est lui qui m'a fait la coupure.

À l'idée que son père avait circoncis Motty, Bensimon éclata de rire.

— Tu dois avoir un joli pigeon bien propre, rond et lisse. Parmi tous les circonciseurs du Caire, mon père était connu pour être un artiste.

Ils en vinrent à évoquer le comportement du jeune Zohar durant la bar-mitzwa, ses remarques scandaleuses en présence des riches et des puissants. Ils étaient d'accord. Cela ne se fait pas ! On ne dit pas de pareilles prophéties en public. Qui était-il, après tout, ce gamin des rues ? Motty confia son inquiétude au rabbin, qui hochait la tête. Pour Bensimon, Zohar était un garçon intelligent, certes, mais qui ne parvenait à faire usage de ses dons que pour les seules matières qu'il s'était choisies. Motty apprit alors au rabbin que Zohar n'avait pas été circoncis car, bien trop chétif à sa naissance, on craignait pour sa vie. Cette information plongea le rabbin dans une longue perplexité. Le père répéta sa question : était-ce l'absence de circoncision qui rendait Zohar aussi étrange, comme le lui répétaient sans cesse les hommes de sa famille ? Bensimon était un homme sage, qui avait baigné dans les connaissances religieuses depuis sa plus tendre enfance. Mais il avait beau rechercher dans sa mémoire, il ne trouvait pas de cas semblable qui aurait pu guider sa réflexion ; il n'en trouvait ni parmi les enfants dont il avait eu à s'occuper, ni dans les livres qu'il avait étudiés. Il ne savait répondre à la question, sinon en conseillant au père de circoncire son fils avant son premier rapport sexuel. Il ajouta qu'il était plus que temps car il avait remarqué du duvet sur la lèvre supérieure de Zohar. Mais Motty y était opposé. Qui n'a pas été circoncis dans son enfance ne peut l'être ensuite que sur sa demande. On ne pouvait imposer une telle épreuve à un enfant s'il ne la souhaitait de toute son âme, pour se surpasser, en quelque sorte. Sinon, ce serait une sanction et on ne pouvait considérer l'entrée dans l'Alliance comme une punition...

Bensimon se frotta la barbiche. Les paroles de Motty lui semblaient raisonnables. Mais en ce cas, que faire ?

— Me rendrais-tu un service, ô mon maître ? Tu me vois privé de mes yeux. Comme tu l'imagines, je ne peux écrire...

— Certainement, ô fils de la lumière, ma main est la tienne, ma plume obéira à ta voix comme la pluie à la voix de Dieu.

— Le psaume 9... Pourrais-tu écrire le psaume 9 sur un parchemin et le donner à Esther, mon épouse, mes yeux ?

Le psaume réputé protéger des démons... Motty était certain qu'un tel parchemin, enveloppé dans une bourse de cuir, constituerait un talisman efficace pour son fils s'il le portait à son cou.

La soirée était avancée. Zohar et Joe étaient les deux seuls enfants autorisés à demeurer dans les jardins en compagnie des adultes. N'était-ce pas le jour de l'accession à leur maturité religieuse ? C'est à ce moment que le baron di Reggio monta sur l'estrade et, s'emparant du micro, annonça à ses invités qu'il était l'heure de la surprise, celle que tout le monde attendait... Un orchestre oriental, bien sûr, tout droit sorti d'un village du Delta, non loin des terres que possédait son voisin – et il désigna le seigneur Daniel Curiel. L'orchestre allait accompagner un chanteur... Il voyait déjà les femmes se pâmer, les hommes fermer les yeux pour savourer... Il avait nommé... devinez qui? Ce musicien extraordinaire dont parlaient tous les journaux – et l'on entendit un murmure traverser les convives rassemblés autour de l'estrade...

— Oui! Vous avez deviné!... Vous n'osiez pas l'imaginer... Celui qu'on surnomme Kacimou Madrid, le prince du 'oud... J'ai nommé: Mohamed Abdelwahab!

Une ovation surgit de l'assemblée comme le grognement de la poitrine du lion. La popularité d'Abdelwahab, qui avait révolutionné la musique égyptienne, était immense. Sa voix que l'on disait « de velours », son don pour le 'oud, le luth oriental, sa réelle connaissance de la musique, mais surtout les textes du poète Ahmed Chawki, qu'il mettait en chansons, en avaient fait depuis une dizaine d'années une véritable idole. Les femmes rêvaient de son visage à la beauté éthérée, les hommes copiaient ses vêtements, ses cravates rayées, ses costumes trois pièces, son tarbouche sur le côté, ses pochettes en forme de rose. Ses complaintes d'homme amoureux, relayées jusque dans les villages les plus lointains par la diffusion de la radio, étaient chantonnées par tous les Égyptiens.

Si bien que, lorsque après une longue introduction des violons, il sortit de l'ombre pour entamer sa chanson la plus récente, les épouses des nantis

ne purent s'empêcher de la fredonner entre leurs
lèvres… «Cours, cours, cours… emmène-moi,
accompagne-moi… va, presse-toi… mon chéri
m'attend…» À nouveau un long intermède de
violons, puis l'entrée des percussions, les joueurs
de tarabokas, villageois en galabeya, qui accompagnaient le pas des chevaux du fiacre. «Prends-
moi avec toi… accompagne-moi. J'aimerais tant
être comme toi, exaucé par le destin. Cours, cours,
cours…» Et il recommençait indéfiniment le
même vers, accompagné par les percussions, sur
un lit de violons, guidé pas après pas sur son solo
de luth.

Soudain, coup de bendir, une jeune fille sortit de l'ombre. Très jeune, ses formes de nymphe
comme un pistil dans une corolle de voiles ; son
pas rythmait la lente marche du carrosse. Elle
ondulait, serpentant sur les notes enamourées.
C'était une surprise. On savait Abdelwahab
adepte des duos. Il venait d'en imposer un au
cinéma dans le film *Larmes d'amour*, aussi roman-
tique qu'une comédie musicale américaine – un
triomphe populaire ! Mais une si jeune fille, si
gracieuse, à la fois promesse et interdit… Était-il
amoureux ?… Oui, cela devait être la raison de la
présence de cette toute jeune beauté… Vraiment ?
Était-ce seulement possible ?… Lui le chanteur
solitaire et mélancolique ? Les femmes poussèrent un cri. Et sa voix de tendresse qui poursui-

vait : « Le soleil est sorti. Il s'est endormi et s'est réveillé. Le soleil est sorti. Et moi, je ne trouve personne pour m'accompagner… Cours, cours, cours… Conduis-moi jusqu'à lui… » Et la jeune fille s'élançait d'un bout à l'autre de l'estrade. Elle s'approcha de lui, lentement, comme une ombre, comme un double. « Ils m'ont retiré le cœur, ils l'ont retiré… Ils m'ont appris qu'il vivait avec une autre. Et mon cœur est resté avec lui… » La voici s'approchant encore, s'accrochant à ses vêtements, s'enroulant littéralement autour de son corps en un mouvement de passion exacerbée.

C'est à ce moment qu'elle chanta. Sa voix était fine, aiguë, précise… « Ô Dieu, ô Dieu, pourquoi ? Pourquoi l'as-tu détaché de moi ? Pourquoi m'avoir ainsi punie ? » Il accompagna le dernier mot d'une sorte de râle, profond, venu des entrailles. Et ils chantèrent le couplet en chœur, ses graves venant se caler dans ses aigus comme des jambes s'entre-mêlant à des jambes… « Cours, cours, cours… emmène-moi, accompagne-moi… »

Leur chanson n'avait pas duré plus de dix minutes, mais elle avait réuni l'assistance autour de l'estrade, comme hypnotisée. Abdelwahab salua, prit la jeune fille par la main, la présenta au public :

— Mesdames, messieurs, pour la première fois sur scène, si jeune, mais déjà une reine, un prodige de la danse et de la chanson, je vous présente Ben't Jinane…

Zohar, qui s'était glissé au premier rang, tira la manche de Joe.

— C'est Masreya... Masreya ! Elle est venue. Je l'ai appelée dans mes rêves et elle est venue jusqu'à moi.

— Serais-tu devenu fou, Zohar ? Il est vrai qu'elle est belle ; oui, elle est belle. Mais de là à prétendre qu'elle est venue pour te voir...

Abdelwahab chanta encore trois chansons en duo. La jeune fille l'accompagnait ; elle dansait et chantait, mêlant tantôt son corps à l'espace de ses mots, tantôt ses vocalises à ses longues notes timbrées. Puis elle fut happée par trois villageoises vêtues de noir et disparut dans la maison di Reggio.

Zohar, qui épiait le moindre de ses mouvements, se lança à sa poursuite, sur la pointe des pieds, rasant les murs, se dissimulant derrière une colonne, au coin d'un couloir. Joe, se piquant au jeu, le suivait comme son souffle. L'une des femmes pénétra avec la jeune fille dans une chambre des combles, parmi celles dédiées aux domestiques. Les deux jeunes gens s'accroupirent dans le couloir, silencieux, le cœur battant. De temps à autre, Zohar s'avançait jusqu'à la porte, y collait son oreille et, percevant des voix, revenait vivement en arrière.

Vers minuit, Abdelwahab monta lourdement l'escalier, seul, et vint frapper à la porte de la chambre.

— S'il vient pour l'aimer, je le tue ! murmura Zohar.

— Tue-le tout de suite, alors ! le taquina Joe, comment t'y prendras-tu, fanfaron ?

Et dans l'obscurité du couloir, Joe vit briller une lame de couteau dans la main de Zohar.

— Décidément, tu es devenu fou !

— C'est Mohamed ! dit Abdelwahab d'une voix forte… Ouvre-moi !

Une villageoise sortit et repoussa le chanteur en gesticulant. Il se débattait, cherchant à se dégager.

— Laisse-moi entrer !

— Jamais de la vie ! Que je meure si je te laisse, ô fils de chien ! Et arrête de crier, oiseau de nuit, tu vas réveiller la petite.

Ils parlementèrent un moment sur le pas de la porte. À chaque mouvement pour entrer, la vieille le bousculait des deux mains, gardienne, sans doute, de l'honneur de la jeune fille.

— Laisse-moi donc passer, espèce de corbeau déplumé.

— Si je suis un corbeau déplumé, se fâcha la vieille, toi tu n'es rien qu'un pou collant. Tu sais ce que j'en fais des poux ? Je les arrache un par un et je les jette dans le feu. Tu vas voir comme ton âme brûlera en enfer ! Va-t'en cuver ton vin dans ta chambre ou bien, compte sur moi, je vais réveiller tout l'étage.

De guerre lasse, Abdelwahab redescendit tristement, marche après marche. Le silence revint dans le couloir. Les deux jeunes attendirent encore une demi-heure sans un mot. Puis Joe proposa à Zohar :

— La vieille a dû s'endormir. Rejoins la fille, si tu es un homme. Si tu ne fais pas de bruit, tu pourras facilement te glisser dans son lit.

Le cœur de Zohar battait la chamade.

— Ne crains rien, insista Joe. Je resterai monter la garde. Va ! Je t'attends.

*

Elle ouvrit les yeux. Elle sentait le jasmin. Il mit une main sur sa bouche, lui demandant de se taire.

— C'est moi, Zohar ! Tu me reconnais ?

De sa bouche, il baisa sa bouche et reconnut son goût de fruit.

— Gohar ? C'est donc toi ?

Il caressa ses jambes, fines et longues, comme une biche.

— Tu danses si bien !

Elle lui prit la main, la porta à ses lèvres.

— Cette nuit, au village, il y a si longtemps... Tu te souviens ? Nous étions des enfants... j'ai laissé mon cœur entre tes mains...

Et elle gloussa d'un petit rire.

— Doucement... Tu vas réveiller la vieille bufflonne...

Ils dressèrent tous deux l'oreille. L'autre ron-flait bruyamment, un long sifflement montant et un souffle grave descendant en hoquets. Ils s'en-fouirent tous deux sous la légère couverture de coton. Ses seins avaient poussé, deux poires fermes qui appelaient ses mains. Il y posa les lèvres. Elle gémit en fermant les yeux. « Chut… » Elle glissa sa main entre ses cuisses et le toucha, vif comme un cobra. Zohar sentit un élan s'emparer de lui, le poussant vers elle, qui était pourtant si près. Il la serra contre lui à l'étouffer. « Tu me fais trem-bler… » De sa bouche, il baisa encore sa bouche. De sa bouche, il baisa ses seins, son cou… « Je tremble aussi… » Lorsqu'il fut en elle, de tout son sexe, de tout son corps, elle était en lui ; lorsqu'elle l'accueillit, il était déjà là.

— Tu ne me quitteras jamais…

Il ne répondait pas. Empli et perdu ; unifié et démuni. Il venait de connaître le plaisir.

— N'est-ce pas ? Tu ne me quitteras jamais…

Il posa son visage contre son cou, approcha sa bouche de son oreille et murmura :

— Jamais !

Il commençait déjà à s'endormir.

— Va-t'en, maintenant !

Il voulut protester, le corps alangui, comme scellé au sien.

— D'autres nuits nous envelopperont… Va-t'en !

Nu comme un ver, il ramassa ses vêtements.

— Tu es la mère de tous mes amours…

Et il sortit sans un bruit.

Dans la nuit du samedi 5 mars au dimanche 6 mars 1938 s'unirent par leurs corps ceux qui, de toute éternité, n'étaient qu'une seule âme. Ô Zohar, dont le nom résonne comme un mystère, toi qui n'es jamais où l'on t'attend ; toi qui recherches les gens là où ils ne sont pas… Ô Masreya, fille de terre et de force ; toi dont le destin est ouvert, pourquoi as-tu regardé en arrière ? Pourquoi avoir ajouté les sens à votre passion ? Ne vous suffisait-il pas d'être unis comme des siamois, vous qui n'avez qu'une seule âme pour vous deux… ? Il était neuf comme une tige de blé, haute et fière, érigée ; elle était déjà ouverte, mais à peine, seulement entrouverte… Ces instants de la nuit s'inscrivirent pour chacun en une éternité qui allait s'égrener chaque jour de leur vie.

Dans le couloir, il retrouva Joe et leur complicité de garçons. Le jour même de sa bar-mitzwa, Dieu lui avait offert l'accès à l'arbre de la connaissance. Mais cela, il ne pouvait le partager avec son ami.

Ils rejoignirent les jardins où deux ou trois groupes d'invités retardaient le moment du départ. Les jeunes gens avaient repris leur interminable discussion :

— Alors, dis-moi encore, demandait Joe,

une autre différence entre les rabbanites et les karaïtes ?

— Les karaïtes refusent le Talmud.

— Nous l'avons déjà dit. Et puis ?

— Et la kabbale, aussi…

— Bien sûr ! Mais quoi d'autre ?

— Ah oui !… les phylactères ! Plutôt que les porter sur le bras gauche et sur le front, comme nous, ils les accrochent sur le mur et les regardent.

— Ridicule… OK ! Mais une différence plus importante ; une différence qui concerne ton aventure de cette nuit… Alors ?

— Je ne vois pas…, admit Zohar.

Et Joe éclata de rire.

— Les karaïtes s'interdisent les relations entre homme et femme la nuit du shabbat.

— Et alors ?

— Comment ça : « Et alors ? » Ne sais-tu pas que pour nous, les rabbanites, c'est obligatoire ? Idiot des idioties…

— Ils ne savent pas ce qu'ils perdent, gloussa Zohar.

— Mais où étais-tu passé ? lui demanda Esther, sa mère.

— Nous discutions dans la chambre de Joe…

— Vous discutiez… Oh mon petit ! Comme si à votre âge vous aviez quelque chose à discuter…

Les membres de la famille Zohar s'en retournèrent à pied jusqu'à leur ghetto, les yeux illuminés par la richesse des riches. Zohar sautillait en avant, joyeux comme nul ne l'avait vu jusqu'alors. Seul Motty était inquiet, oppressé par un sombre pressentiment.

Rue El-Galaa

1938. De cette nuit, le comportement de Zohar se métamorphosa. Les adultes ne cessaient de répéter que, maintenant qu'il avait passé sa bar-mitzwa, il était devenu un adulte. Il les prit au mot. Tous les matins, comme beaucoup parmi les hommes de la 'hara, il se rendait au café Guedaliah. Il y passait une heure, vendait quelques cigarettes, échangeait les nouvelles et prenait la température de la ville, avant de partir en maraude.

Ce matin, un homme étrange s'était présenté, vêtu d'un costume européen de belle coupe, la tête découverte, des yeux perçants et une magnifique moustache lustrée. Son arrivée avait plongé l'établissement dans le silence. Il avait crié à la volée :

— Y a-t-il ici des hommes qui ont envie de gagner cinquante piastres ?

Cinquante piastres ? Et comment ! Tout le monde était volontaire. Guedaliah lui demanda :

— Il t'en faudrait combien ?... de ces veinards, je veux dire... Combien ?

Les hommes restaient suspendus à la parole de l'étranger, qui parlait le français avec un fort accent italien.

— Combien ? répondit l'homme, mais autant que possible ! Tous ceux que tu pourras trouver !

Le travail prendrait une journée... Une journée de travail pour cinquante piastres. C'était une aubaine ! Mais, ajouta l'Italien, ce travail exigeait un peu de préparation. Il leur faudrait se présenter au consulat d'Italie le jour même – il disait « consolato d'Italia ». Il leur fournit l'adresse, rue El-Galaa, leur promit les explications sur ce qu'ils auraient à faire une fois arrivés sur place. Et il chargea Guedaliah, le patron du bistrot, de dresser la liste des candidats, de les réunir et de les envoyer dare-dare chez les Italiens.

Entendant cela, Zohar fila comme une flèche, tomba sur Doudou qui se dirigeait vers le café, tira Poupy du lit, convainquit Élie de confier son épicerie à Esther, et voilà partis les trois compères, sous la conduite de Zohar, l'étrange adolescent, vers ce fameux consulat.

— Peut-être recherchent-ils un consul ? plaisanta Poupy.

— C'est vrai qu'avec ta moustache de Garibaldi...

— Et ton faux monocle...

— Et pourquoi dis-tu qu'il est faux ? Est-ce que, moi, je dis que ce sont de fausses chaussures que tu portes aux pieds ?

Et aucun n'eut la méchanceté de lui faire remarquer qu'il avait enfilé sans chaussettes ses vieux godillots tant aimés.

Ils arrivèrent les premiers. Très vite, ils furent une bonne centaine à se présenter devant un militaire italien dans son costume impeccable, ces parias de 'Haret el Yahoud, bataillon indiscipliné et braillard assemblé par Guedaliah.

— *Bene* ! Nous allons déjà procéder aux formalités administratives, puisque vous êtes tous volontaires.

— Volontaires ? demanda Poupy. D'où par où volontaires ?

— Volontaires pour quoi ? s'écria un autre.

— Silence ! hurla le sergent. Ne croyez pas que vous êtes là pour marchander comme au souk ! Je ne veux pas entendre un seul mot dans les rangs.

Il fut bien difficile de les regrouper. L'Italien voulait les aligner selon leur taille, mais chacun exigeait d'être auprès de son cousin, de son voisin, de son ami. La discussion devenait houleuse. Deux soldats vinrent prêter main-forte à leur sous-officier. Coup de feu en l'air. Effrayés, les Juifs s'égaillèrent aux quatre coins de la cour. Il fallait tout recommencer.

Les Italiens renoncèrent au regroupement de type militaire et passèrent à l'identification. Élie refusait de se laisser photographier. Le seul cliché où il figurait remontait au jour de son mariage et il portait alors un costume. Il refusait de paraître ainsi sur la photo, en galabeya et sans gilet. Doudou finit par le convaincre en l'assurant que, sur une photographie d'identité, on ne verrait que son visage.

Après la séance photo, il fallut décliner les noms. Élie, le plus âgé, parla pour toute la famille. Pour Poupy, l'officier, éclairé par le vieil homme, écrivit «Jacobo»; pour Doudou, «Davide»; pour Elie, «Lieto», et pour Zohar, ils cherchèrent un moment avant de trouver: «Spirito». Élie inventa des dates de naissance qui correspondaient plus ou moins à leur âge.

Il leur fallut attendre dans la cour que l'on ait terminé l'identification de tous les membres du groupe. Puis le sous-officier les réunit solennellement, exigeant le silence en brandissant sa badine.

— Vous avez demandé votre nationalité italienne...

— Mais on n'a rien demandé! s'écria Doudou.

— Silence dans les rangs! Si vous n'avez rien demandé, répondit le sergent, alors vous n'aurez pas ceci...

Et, d'une caisse en carton, il tira quelques carnets, qu'il agita devant leurs yeux ébahis.

— *Il passaporto...* Le passeport.

Élie enfonça son coude dans les côtes de Doudou.

— Tais-toi donc ! Nous prenons le passeport et puis nous verrons bien.

— Tu as raison ! répondit l'autre. Nous pourrons peut-être le vendre...

Et le sergent recommença.

— Je reprends une nouvelle fois après cette interruption importune... Je constate que, parmi vous, certains n'ont jamais entendu parler de discipline. Je vais me charger de leur apporter les premiers rudiments. Je reprends donc... Accédant à votre demande, dans son infinie bienveillance, Vittorio Emanuele III, en personne, le roi d'Italie, a décidé de vous attribuer la nationalité italienne. Vous avez désormais un passeport qui vous permettra de voyager partout où vous le désirez, partout dans le monde. Et maintenant, répétez après moi : « Viva Italia ! »

Ils crièrent en chœur : « Viva Italia ! » Et Poupy ajouta en arabe :

— Que Dieu brûle la foi du cul de l'ânesse et de l'Italia !

Ils éclatèrent tous de rire, parce que les deux phrases rimaient...

— Silence dans les rangs ! hurla le sergent.

Doudou murmura en arabe dans l'oreille de Poupy :

— L'ânesse, c'est lui !

L'autre pouffa de rire.

— Alors, lèche son cul !

Et ils rirent de plus belle.

Puis on leur apprit à lever le bras droit, bien tendu pour saluer, et on leur distribua des chemises, toutes noires.

— La semaine prochaine, le chef d'état-major de notre armée, le maréchal Pietro Badoglio, sera en visite officielle au Caire. Qu'est-ce qu'on dit ?

Dans les rangs dépenaillés, il se fit un profond silence. Le sous-officier hurla :

— Qu'est-ce qu'on dit ?... On ne dit pas, on crie...

Et ils ne savaient pas répondre.

— On crie : « Viva Italia ! »

Et ils répétèrent « Viva Italia ». Et la famille Zohar parla à nouveau de l'ânesse. Et ils rirent encore.

— Jeudi prochain, à quatorze heures, je vous veux tous au consulat, vêtus de votre chemise noire, les pieds joints, pour accueillir monsignore, le maréchal Badoglio, le bras droit dressé bien haut, comme je viens de vous l'apprendre et en criant... et en criant...

— En criant ?

— En criant «Viva Italia», imbéciles!... En criant quoi?

Et ils répétèrent encore «Viva Italia», cette fois sans hésiter. Le sergent jugea que sa petite troupe était au point. Il leur promit leurs cinquante piastres à l'issue de l'accueil du maréchal et les laissa repartir.

Sur le chemin du retour, Doudou, fier de sa photo percée du tampon en relief, déchiffrait les inscriptions figurant sur son passeport. Il devinait le sens des mots en italien mais ne comprenait pas une rubrique. À la mention «ville d'origine», il était inscrit: Livorno. Il examina le passeport de Poupy. Lui aussi provenait de Livourne, Élie aussi tout comme Zohar, que Poupy avait déclaré comme étant son fils. Voilà un mystère!

— Pour quelle raison sommes-nous tous originaires de Livourne? se demanda Poupy à haute voix.

— Et non pas de Rome, renchérit Doudou. C'est tout de même mieux, Rome.

— Ou même Naples! Je connaissais un joaillier originaire de Naples. Il avait une classe... J'aurais préféré Naples. Tu crois qu'on peut demander de modifier la ville d'origine?

Le jeudi suivant, le jour des cinquante piastres, ils étaient tous présents, les petits Juifs de la 'hara, revêtus de leur chemise noire, qui par-dessus la galabeya, qui fourrée dans un pantalon de pyjama, certains même, comme Doudou, dans un vrai pantalon de toile, mais qui avait perdu le souvenir du fer à repasser. Le petit maréchal Badoglio, la tête recouverte de ce superbe képi des hauts gradés, rehaussé des ors et de l'aigle couronné, jeta vers eux son regard de chien battu.

— Ce sont les milices que vous avez levées au Caire ? demanda-t-il au consul.

— Viva Italia ! hurlèrent en chœur les nouveaux Italiens en chemise noire, le bras dressé. Viva Italia !… et Viva Italia !… Et que Dieu te jette dans le feu de la géhenne, ajoutèrent-ils à mi-voix, en arabe.

— C'est bien, c'est bien ! marmonna le maréchal.

Et le consul bomba le torse. Car, quelques mois auparavant, il avait télégraphié à Rome, annonçant fièrement que plusieurs centaines d'Italiens d'Égypte s'étaient enrôlés dans la milice fasciste et brûlaient de se battre pour la patrie. Il avait évidemment exigé les subsides nécessaires à leur équipement. Rome avait diligenté les fonds, que le consul avait déjà dilapidés au casino. Mais, à l'occasion de sa visite au Caire, le chef d'état-major souhaitait passer les troupes en revue. C'était le motif de ce recrutement express qui était passé par le café Guedaliah.

Le lendemain, le sergent en personne apparut à l'entrée de 'Haret el Yahoud, accompagné d'un soldat tenant une caisse de convocations sur papier officiel. Les sujets de Sa Majesté Victor-Emmanuel III devaient se présenter la semaine suivante, équipés de leur barda, à la gare de chemin de fer pour relever leurs frères d'armes stationnés en Éthiopie.

— Jacobo Zohar... tu le connais Jacobo Zohar ? demanda Poupy à Doudou.

— Toz ! Non ! Jamais entendu parler... Si Jacobo Zohar existe, que sa mère vienne me le présenter. Et si ce chien en costume imagine que nous allons partir nous battre en Éthiopie, que sa mère brûle avec tant de flammes que la lueur brille jusqu'à Livorno...

— Livorno dans le cul de Badoglio. Et que Badoglio brûle aussi et que Mussolini l'éteigne avec de la benzine, si nous allons nous battre en Éthiopie.

Et la famille leva une véritable fronde parmi les détenteurs de ces précieux passeports. Les Zohar en colère guidèrent les Italiens de fraîche date, et déjà objecteurs de conscience, jusqu'au café Guedaliah.

— Viva Italia, Guedaliah, fils de chien ! Tu veux nous envoyer à la mort en Éthiopie ? Qu'Allah te donne la maladie, la cécité et la peste !

De cette histoire qui valut au malheureux Guedaliah la mise à sac de son café, il resta à la famille Zohar quatre passeports, qui leur apportèrent, au long du temps, des heurs et des malheurs.

Impasse Khamis-el-'Ads

1941. Trois ans avaient passé. Les cheveux d'un noir profond, méticuleusement séparés par une raie sur le côté à la mode anglaise, de grands yeux noirs, un peu exorbités, toujours étonnés… À seize ans, Zohar était devenu un beau jeune homme à l'élégance raffinée. Il était vêtu de ces pantalons à fronces, montant bien plus haut que le nombril et dont la mode avait été lancée par les films d'Hollywood, et de légères chemisettes au col ouvert, toujours immaculées. Aux pieds, ses chaussures bicolores, qui ne le quittaient guère, cliquetaient leurs fers sur les pavés de la 'hara. Car même si nul ne savait où il passait ses nuits et ses journées, il lui arrivait certains soirs de rentrer dormir dans l'épicerie de l'oncle Élie, sur ce petit lit que ses parents avaient installé près du leur.

Il avait continué à fabriquer et à vendre ses cigarettes ; son commerce devenait de jour en jour plus florissant, surtout depuis qu'il avait étendu son offre, ajoutant au tabac des produits moins licites. Une nuit... Une nuit de travail où il parcourait la ville à la recherche de clients, il fit une rencontre qui allait se révéler décisive pour son existence.

Non loin de 'Haret el Yahoud, dans le quartier karaïte de Khoronfesh, filait une minuscule impasse aux petits immeubles insalubres appelée Khamis-el-'Ads... Là, dans la maison du karaïte Samouel, vivait la famille Cohen, qui n'était pas karaïte, pourtant, mais aussi pauvre que les autres locataires, musulmans, coptes, karaïtes ou rabbanites. Le père, Gaby Cohen, qui travaillait chez l'horloger Moussa Farag, s'était usé les yeux sur les mécanismes des montres de tout le quartier pendant près de cinquante ans. Il était décédé au tout début de la guerre, le jour où l'Allemagne avait envahi la Pologne, le 1er septembre 1939, au petit matin. Il était mort trop jeune, sans doute, à peine âgé de soixante ans, laissant une femme éplorée, cinq enfants d'un premier mariage, déjà adultes, et trois d'un second. Le plus âgé des trois s'appelait Abraham ou Albert – mais cela n'avait pas d'importance puisque tout le monde l'appelait Nino.

À la mort de son père, alors qu'il était âgé de dix-sept ans, Nino était déjà en deuxième année de médecine, à l'université Fouad-Ier, rue Kasr-el-'Aini. Un intellectuel, assurément, car, plus encore que par ses études, il était passionné de lecture. Il lisait indifféremment dans trois langues, en arabe surtout, mais aussi en français et en anglais. Dans le même immeuble habitait un jeune homme de grande taille, impressionnant de beauté, le bien nommé Gamal. Cet étudiant en droit, de quatre ans son aîné, lui avait longtemps servi de mentor, lui prescrivant les livres et l'incitant à penser la vie en termes politiques. Militant nationaliste enflammé, il lui avait fait découvrir les biographies de Kamal Atatürk et de Bismarck, les œuvres de Karl Marx et de Paul Lafargue, mais aussi le poète Ahmed Chawki et les romans de Tewfik el Hakim. Gamal, qui avait rejoint l'École d'officiers, se faisait plus rare, mais il réapparaissait le temps d'une permission, et ils poursuivaient tous deux leur interminable discussion sur l'avenir de l'Égypte.

Gamal était persuadé que d'Égypte, la mère des mondes, naîtrait une ère nouvelle où les Arabes, ces damnés de la terre, reprendraient enfin leur place parmi les nations. Nino, qui partageait ses idéaux, le questionnait sur le rôle qu'y joueraient les Juifs. Gamal répondait qu'en Égypte il n'y avait pas de Juifs, seulement des Égyptiens et des étrangers. Et il reprenait une nouvelle fois l'explication : la pauvreté du peuple provenait de l'exploitation éhontée de ses ressources par les étrangers, les Anglais en premier lieu, mais aussi les Français, les Turcs et tous ces vautours impérialistes qui s'abattaient sur le pays. La nouvelle Égypte serait celle des Égyptiens.

Sa voix sortait, puissante ; il parlait bien, il parlait vrai, il parlait pour le peuple. Il émanait de Gamal une telle conviction, une telle autorité, que Nino n'osait lui avouer que lui, égyptien pourtant depuis des temps immémoriaux, n'avait aucune nationalité – ni Égyptien ni étranger : apatride.

Depuis la mort de son père, les revenus de la famille Cohen s'étaient réduits comme peau de chagrin, si bien que Nino trouva à s'employer chez Assiouty, le pharmacien de la rue Nazmi, comme préparateur. Il y travaillait la journée, fabriquant des pommades et des lotions, et étudiait la nuit. Pour se tenir en éveil, il avait pris l'habitude de fumer du haschisch. À la différence de ses condisciples qui fréquentaient les fumeries de la rue Champollion ou de la rue Ma'rouf, il fumait seul, chez lui, des cigarettes qu'il roulait de manière automatique, sans lever les yeux de ses planches d'anatomie. Une nuit, alors qu'il était parti dans les rues à la recherche de l'herbe, il tomba sur Zohar qui patrouillait place Suares, non loin du consulat d'Italie, sous l'immeuble Benzion. Nino était tellement maigre qu'il semblait atteint d'une maladie grave, ses petits yeux, cachés derrière d'épaisses lunettes, son cou flottant dans une chemise au col trop large. Il faisait peine à voir.

— Qu'as-tu donc, mon frère ? l'aborda Zohar.

Ta tête cherche les vapeurs de la nuit, mais tes pieds ne savent où la mener. J'ai ce qu'il te faut, la pâte qui ouvre les chemins de l'esprit, la poudre bleue qui fait scintiller les yeux, ou bien préfères-tu la confiture qui te rend plus amoureux que le lion...

Frappé par le bagout du jeune homme, Nino sourit. Et c'est un autre visage que vit alors Zohar, celui de l'intelligence et de la joie. Nul ne pouvait résister au sourire de Nino.

— Et qu'est-ce qui me conviendrait, docteur la Fumée?

— Pour commencer, de la verte, bien fraîche, tout droit venue des champs du Delta, et ta semaine sera verte. Ensuite, tu saupoudreras ta Craven A de bleu et tu vogueras sur un océan de vérité. Lorsque tu fermeras les yeux, une femme nue aux longs cheveux viendra s'asseoir sur tes genoux et ses fesses danseront entre tes cuisses. Voilà ce qu'il te faut, mon frère...

Ils marchèrent le long du nouveau pont qui s'appelait maintenant Qasr-el-Nil en devisant. Découvrant un garçon intelligent et débrouillard qui n'avait pas fait d'études, Nino entreprit de convaincre Zohar de passer son bachot. L'autre était heureux de rencontrer un jeune homme qui aimait parler, discuter, démontrer, argumenter... Nino parlait de l'Égypte, Zohar des Juifs; le premier se propulsait dans l'histoire, le second chantait les origines. Nino expliquait à Zohar les raisons de sa pauvreté, quatre-vingt-quinze pour cent des terres appartenaient à quelques familles richissimes, qui les louaient à des fellahs, des paysans qui ne parvenaient même pas à en tirer de quoi payer le loyer exigé. « Regarde ! Je ne suis pas pauvre ! répondait Zohar, qui tirait des liasses de billets de ses poches. — Tu es pauvre ! répondait Nino. Tu es pauvre et tu ne le sais pas. Tu es pauvre parce que tu es tout seul. » Et Zohar éclatait de rire, expliquant qu'il n'était pas seul, bien au contraire ! Il était un éclaireur ; l'explorateur mandaté par la grande famille Zohar pour découvrir la nouvelle société d'Égypte. Et lui, il la saisissait là même où les gens ne pouvaient résister, là où ils étaient devenus les esclaves de leur seul plaisir. « Quelle drôle d'idée, s'insurgeait Nino, le plaisir est le chemin de l'aliénation. » Et Zohar ne comprenait pas le mot. Alors Nino le lui expliqua. Être aliéné, c'est perdre ses forces, ce qui constitue la spécificité de son être, au profit d'un tiers. Les fellahs sont aliénés car toutes leurs forces ne servent qu'à enrichir les riches propriétaires terriens. Les ouvriers sont aliénés, parce que leur travail épuisant ne sert qu'à enrichir le propriétaire de leur usine. Est-ce qu'il avait déjà vu un fellah riche ? Ou bien un ouvrier ?... Non ! Personne n'en a jamais vu ! Ils sont aliénés. Le fruit de leur travail leur est confisqué. Est-ce qu'il comprenait cela ? Et le peuple d'Égypte est aliéné, car les bénéfices de l'activité du pays s'en vont ailleurs, chez les étrangers, les Anglais, les Français...

« Moi, je n'ai qu'un seul patron ! » répliqua Zohar... et Nino l'interrompit :

— Tu crois que tu es ton propre patron ? Tu imagines que le bénéfice de ton travail te revient ? C'est cela que tu crois ?

— Non ! trancha Zohar, non ! Je n'ai qu'un seul patron et je ne le connais pas.

Nino resta interloqué devant l'étrange réponse de son compagnon de nuit. Il lui acheta de la verte, le serra contre lui en un geste affectueux et lui dit seulement : « Je t'aime, mon frère ! » Et ils marchèrent côte à côte, se tenant par la main, jusqu'à l'hôtel Shepheard, qui restait ouvert toute la nuit. C'est là qu'ils se séparèrent, se promettant de s'y retrouver une nuit prochaine.

Zohar rencontra souvent Nino la nuit, parfois pour son commerce, parfois pour le seul plaisir de la discussion. Durant cette année 1941, la guerre fit irruption au Moyen-Orient. Conformément à l'accord signé en 1936 avec le jeune roi Farouk, l'Égypte avait été contrainte d'accueillir les contingents britanniques. Le Caire grouillait de militaires, des Anglais, bien sûr, mais aussi des Australiens, des Néo-Zélandais, des Indiens, des Polonais, des Français de la France libre... Dans les quartiers riches, il y avait maintenant plus d'étrangers que d'Égyptiens. Il fallut nourrir, vêtir, loger, distraire tous ces hommes, d'autant plus avides qu'ils étaient séparés de leur famille et confrontés aux angoisses du combat. Les bars surgirent comme des champignons, les night-clubs et les bordels s'abattirent sur la ville en tintinnabulant. Le commerce connut une expansion extraordinaire, les sterlings, les shillings s'accouplaient avec les piastres et les dollars. Tout se vendait, à prix d'or, qui plus est, et en devises !… Des vieux pneus de vélo aux faux bijoux, des casseroles éculées aux automobiles d'un autre âge. Les prix grimpaient plus vite qu'un singe poursuivi par une panthère. Le marché officiel en faillite, le marché noir explosait.

Le trafic de Zohar devint florissant, maintenant qu'il avait renoncé aux cigarettes, trop encombrantes, et procurait aux militaires toutes sortes de substances, depuis le haschisch dont le cours avait atteint des sommets jusqu'à des poudres plus rares qu'il se procurait par l'entremise de Nino et de ses relations avec les pharmaciens. Devenu riche du jour au lendemain, Zohar poursuivait son travail solitaire, passant ses nuits à courir les night-clubs et les bars d'hôtel, ici pour se procurer la marchandise, là pour l'écouler. De nombreux officiers britanniques recouraient à ses services ; il eut ses entrées dans les clubs fermés de la capitale, le White's, le Saint-James ou l'Automobile Club.

Sous la conduite de Gamal, Nino rencontrait des militaires égyptiens de plus en plus hostiles à la présence anglaise. On l'avait admis dans des réunions où l'on complotait... contre les Anglais, contre le roi, aussi; où l'on préparait diverses formes de révolution, communiste, socialiste, musulmane. Imprégné de leurs idées, Nino en venait à souhaiter la victoire des forces de l'Axe, des Italiens qui occupaient l'Éthiopie, une partie de la Somalie et surtout la toute proche Libye, des Allemands, dont les armées commençaient à débarquer en Cyrénaïque. Et il avait parfois des phrases étranges, qui faisaient sursauter Zohar, des phrases telles que: «Si nous, Égyptiens, nous parvenions à signer un accord secret avec les Allemands, une fois les Anglais chassés, l'Égypte serait enfin indépendante...»

Zohar était profondément opposé à ces idées, en premier lieu parce que le départ des Anglais signerait la chute de son commerce. Et puis il y avait toutes ces histoires qui circulaient, la haine viscérale, animale, délirante des Allemands... Avait-il envie de se retrouver dans un camp de concentration en tant que Juif? Et Nino lui répondait: «Il n'y a pas de Juifs, rien que des exploiteurs et des exploités...» Et la discussion reprenait, la même, toujours... Zohar aimait cette discussion qui lui rappelait les ratiocinations sur les interdits alimentaires du rav Bensimon.

C'est durant cette même année 1941, en mars, quelques jours après l'annonce des victoires du général Rommel et de son Afrikakorps en Libye, que Zohar présenta Joe di Reggio, son ami de toujours, à Nino Cohen, qu'il surnommait « le Professeur ». « Tu vas voir, lui avait-il dit, son sang est léger, comme le sirop d'orgeat, et il est aussi savant qu'un rabbin. Un professeur… »

Durant ces trois années, Joe avait emprunté un tout autre chemin. L'année qui précédait son bachot, il s'était soudain passionné pour le sport, le tennis et le polo, qu'il pratiquait sur le terrain du Gezirah Sporting Club, mais surtout le basket, pour lequel il avait rejoint le Maccabi, un club sioniste, qui tentait de transmettre ses idéaux à la jeunesse juive. Là, il fit partie d'une équipe de haut niveau, mais il apprit aussi les chants de la résistance juive à l'occupant britannique et commença à rêver de combats pour la création d'une nouvelle patrie. Cette orientation soudaine déplaisait profondément à ses parents – à son père qui détestait les idées socialistes des colons juifs de Palestine ; à sa mère, proche des communistes, du moins en pensée, qui ne pouvait comprendre une lutte de libération pour les seuls Juifs. Elle, qui était plusieurs fois millionnaire en livres sterling, appelait de ses vœux une révolution issue des masses populaires qui instaurerait justice et égalité pour tous les peuples – et non pour un seul ! Les saillies politiques de la baronne provoquaient leur petit effet dans les salons, et autour d'elle planait un parfum de scandale.

Un soir donc, ils se retrouvèrent tous les trois au Shepheard, Joe le sioniste, Nino le communiste et Zohar, qui n'était rien que Zohar, Zohar Zohar. Celui-ci leur raconta... Ses balades nocturnes l'avaient conduit bien des fois dans les beaux quartiers, pour livrer des clients, sur l'île de Roda ou de Gezirah, à Zamalek ou à Garden City, dans ces somptueuses villas où logeaient la plupart des hauts gradés britanniques. Un après-midi, il s'était retrouvé devant celle du colonel Clifford Chapman, un Écossais, qui, par nécessité, avait troqué le whisky contre la cocaïne, moins encombrante ; plus efficace, aussi. Zohar portait dans sa besace un flacon de deux cent cinquante grammes de poudre, de la meilleure, de la pure, celle que l'on réservait aux pharmacies et aux hôpitaux. Il avait sonné... Pas de réponse. Il s'impatientait devant la grille, inquiet d'une éventuelle ronde de la police militaire, qui ne plaisantait pas, il le savait, avec le trafic de drogue. Une femme était finalement apparue à une fenêtre. Elle lui avait annoncé en anglais que le colonel était absent. Il ne comprenait pas ce qu'elle disait. Son anglais n'était pas excellent et la femme parlait de bien trop loin. « Comment ?... Comment ? » répétait Zohar. Elle était venue jusqu'à la grille, la cigarette au coin des lèvres.

— Bonsoir, jeune homme ! Depuis ma fenêtre, j'essayais de vous dire que mon mari, le colonel Chapman, est parti en opération. En général, il ne s'absente pas plus de quinze jours. Mais on ne sait jamais... C'est la guerre ! Vous deviez lui remettre un colis ?

Ann devait avoir dans les trente-cinq ans. Son uniforme de l'armée était de bonne coupe et elle avait relâché sa cravate sur son col largement ouvert. Ses cheveux dénoués s'écoulaient en ondes blondes jusqu'à ses épaules. Zohar restait sans voix, saisi par cette étrange beauté. Il n'avait jamais vu de peau aussi blanche, rougie par le soleil, parsemée de tant de taches de rousseur ; d'yeux aussi clairs, couleur Méditerranée, de nez aussi petit, retroussé, emportant avec lui les bords des lèvres en un éternel sourire.

— Madame..., avait-il balbutié.

— Vous parlez l'anglais, j'imagine...

— Un peu ! répondit Zohar. Le français surtout, et l'arabe, bien sûr.

— Alors, nous parlerons en anglais. Voulez-vous une tasse de thé ?

Et elle l'avait invité à entrer.

«Non ?» s'étaient extasiés les deux autres. «La femme du colonel t'a laissé entrer dans la villa de Garden City alors que son mari était absent ?... Comment elle est belle ?» Et Zohar savourait son effet. Avant de leur répondre, il leur expliqua la situation dans laquelle se trouvaient les épouses des officiers britanniques. Loin de chez elles, de leur famille, de leurs enfants, qu'elles avaient souvent confiés à des grands-parents, elles travaillaient dans les services de l'armée, la poste, le téléphone, l'infirmerie. Pour la première fois, elles étaient indépendantes, gagnaient correctement leur vie et s'attendaient chaque jour à la disparition de leur mari parti au combat. D'après Zohar, elles étaient chaudes... chaudes comme la braise! «Quelquefois, la guerre dénoue des liens qui ne tiennent que du fait des conventions sociales, énonça doctement Zohar. Alors, vous comprenez...» Et il se tut, leur laissant entendre, plus fortement par son silence, ce que leur ventre était avide de savoir. «Et qu'est-ce que nous devons comprendre, fils d'âne? demanda Joe au comble de l'excitation. Tu vas nous laisser la langue pendante comme des chiens?» Zohar poursuivit son récit.

Elle l'avait introduit dans le salon, l'avait invité à s'asseoir sur le sofa. En guise de thé, elle avait rapporté un plateau avec deux verres à pied. Sur le guéridon, deux carafes... Elle lui avait proposé:

— Porto ou brandy?... Alors, vous êtes commissionnaire... Étudiant, sans doute...

Au deuxième verre, il l'avait embrassée sur la bouche, au troisième, elle l'avait conduit par la main jusqu'à la chambre à coucher. Ils avaient fait l'amour, en plein après-midi, leurs corps zébrés par les rais filtrant des volets, ne sachant distinguer leurs râles, les battements de leur cœur et le martèlement étouffé du ventilateur qui tournait inlassablement au plafond.

— Et après ? demanda Nino.

— Après comme avant ! répondit Zohar.

— Oh, mon petit !... Ça veut dire ?

— Ça veut dire, je te l'ai dit, après comme avant, comme après deux cents fois ! Après, on a recommencé !

Qu'est-ce qu'il racontait « deux cents fois » ? Même s'il prétendait qu'il l'avait fait deux fois, on ne le croirait pas, pensa Joe. Nino hésitait à se faire une opinion, percevant tantôt le récit de Zohar comme fanfaronnades adolescentes, tantôt comme une aventure réelle à laquelle toutes ses fibres ne demandaient qu'à croire. Car « le Professeur », bientôt docteur en médecine, et déjà savant en politique égyptienne, n'avait jamais approché une fille. Quant à Joe, s'il avait esquissé les brouillons de sa sexualité naissante en compagnie des servantes du palais di Reggio (il y en avait bon an mal an entre dix et quinze), il n'avait encore jamais entretenu une véritable relation avec une fille.

Ils fumaient sans cesse, allumant cigarette après cigarette, l'une au mégot de la précédente.

— Tu portes bien ton nom, la Fumée, s'énerva Nino. Tu es en train de semer le brouillard. Ta parole, vois-tu, est comme le khamsin lorsqu'il charrie le sable du désert. Avec des sauterelles, qui plus est ! Réponds d'abord à cette question : pourquoi nous racontes-tu cette histoire ?

— Attends, espèce d'incrédule ! Toi qui ne crois pas en Dieu, tu ne peux que douter de tes amis. Écoute !

La première fois, emportés par le désir, dans leur hâte à se trouver, ils n'avaient pas pris le temps de se déshabiller. Mais la seconde était plus tranquille, pas lente, non, mais, comment dire..., curieuse. Ils s'étaient découverts, avaient parcouru leurs corps. Nue, elle avait les hanches pleines, les seins généreux, criblés de rousseurs. Et elle sentait le lait. C'était la première fois qu'il approchait une femme, une vraie – et quelle femme ! Lui avait seulement gardé son 'higab autour du cou, sa protection, cette petite pochette de cuir que lui avait remise sa mère, le lendemain de sa bar-mitzwa, en l'adjurant de ne jamais s'en séparer.

— Qu'est-ce que c'est ? lui avait demandé Ann.

— C'est pour éloigner les démons ! avait-il répondu, conscient de la provoquer.

— Et ça marche ?

Il s'était un peu confié à elle, lui avait raconté les magies de la kudiya de Bab el Zouweila chez laquelle l'avait souvent conduit sa mère durant son enfance.

— La kudiya ? demanda encore Ann. Qu'est-ce que c'est ?

— C'est une sorcière ! répondit Zohar le plus sérieusement du monde. La maîtresse des démons.

— Je te donnerai vingt livres si tu me rapportes quelque chose de chez cette sorcière.

— Quelque chose ?

— Oui ! Quelque chose qui me permettrait de me débarrasser de quelqu'un…

L'idée l'avait amusé. Il ne s'était jamais rendu seul dans la maison des zars, seulement pour accompagner sa mère. À chaque fois, il en repartait avec des bénédictions, des flacons pleins d'une eau dans laquelle avaient été dissoutes des sourates du Coran et avec laquelle il devait se laver, ou de petits talismans à placer dans son portefeuille. La kudiya l'appelait auprès d'elle, mettait ses deux mains sur sa tête et, après lui avoir répété : « Tu es notre enfant, le fils des zars. Cette maison est la tienne, mon prince ! », elle frappait dans ses mains le fameux rythme des chameaux et chantait : « Ô Nofal, ô Nofal, ô Nofal… Le prince est venu, il reviendra… Aaah… » Et lorsqu'il repartait, les femmes s'inclinaient sur son passage en marmonnant : « Que notre père l'accompagne ! » Et elles jetaient de l'eau fraîche dans l'empreinte de ses pas. Il savait que, tout comme sa mère, il était lié à cet endroit. Il y avait vu des prodiges auxquels nul ne saurait croire, des femmes avalant des serpents, des hommes se brûlant la poitrine avec une torche sans porter ensuite la moindre marque sur leur peau, des animaux incroyables, des servals, des caracals, des hiboux, surgir des murs et disparaître dans la nuit. Lorsqu'il était enfant, sa mère lui rappelait qu'il ne devait rien raconter aux étrangers à l'endroit. Aujourd'hui, il s'en gardait bien, sachant qu'on le prendrait pour un naïf ou pour un fou.

Un soir, il se rendit donc, à l'insu d'Esther, sa mère, à Bab el Zouweila, se demandant comment il formulerait sa demande à la kudiya. Mais il n'eut besoin de rien dire. Dès qu'elle le vit, elle le prit dans ses bras, le couvrit de baisers, ramassa une poignée de terre qu'elle imprégna de la sueur de Zohar en la passant sous ses aisselles. Elle distribua cette terre sur son plateau d'osier, qui servait à la divination, et y jeta des coquillages, beaucoup, peut-être une trentaine. Elle examinait les figures que formaient les coques, tantôt sur le dos, tantôt sur le ventre, y passait les doigts, se livrait à de mystérieux décomptes, recommençait. Soudain, un grand sourire éclaira son visage. « Ô Nofal, ô Nofal, ô Nofal… Le prince est amoureux ; il veut un cadeau pour la fiancée au teint de marbre. » Il avait beau y être habitué, il sursauta. « Comment sais-tu que sa peau est blanche ? » Elle se contenta de sourire et de chanter encore en frappant dans ses mains. Puis elle disparut dans sa chambre, lui demandant de l'attendre. Elle revint une heure plus tard, avec une petite poupée grossièrement faite de papier journal. « Regarde celui-ci ! dit-elle à Zohar en lui montrant le personnage. Il lui suffira de le jeter dans le Nil du haut d'un pont en prononçant le nom de la personne qu'elle veut voir disparaître par trois fois. » Il n'osait pas toucher la poupée. « Et celui qui doit partir s'évanouira dans la nuit... Prends !... Prends-le donc, idiot ! » Et elle éclata de rire. « Aurais-tu donc peur d'un personnage de papier ? » Puis elle ajouta : « Il lui faudra dire aussi cette phrase dans notre langue : "Au nom de Suleiman, notre roi, qui commande à tous les êtres de la Création, ceux du jour et ceux de la nuit..." Tu as compris ? »

Il ne savait si Ann s'était conformée à la prescription, mais, dans la semaine qui suivit, le colonel Clifford Chapman perdit la vie lors de la furieuse attaque de l'Afrikakorps qui permit à Rommel de s'emparer de la ville d'El Agheila, au fin fond de la Cyrénaïque.

Cela faisait des années qu'Ann ne supportait plus son mari, mais elle ne souhaitait pas sa mort, seulement un éloignement durable. Cependant, lorsqu'elle prit connaissance du montant de l'héritage, sa tristesse disparut comme par enchantement. Elle arbora un bandeau de crêpe noir au revers de son uniforme et veilla à se rougir les yeux à l'aide d'un oignon avant de paraître en public. Mais elle s'attacha intensément à Zohar, qu'elle recevait en pleine nuit et qu'elle rechignait à laisser repartir.

Zohar ne sauta pas de joie lorsqu'il apprit la mort du colonel. L'affaire n'était pas si bonne : le voilà en possession de deux cent cinquante grammes de poudre pour lesquels il fallait de toute urgence trouver un nouvel acheteur. Il se consolait en se disant qu'il bénéficiait désormais d'un pied-à-terre dans le plus beau quartier du Caire, et l'amour de la belle Anglaise, exacerbé par son deuil, lui faisait découvrir des sensations qu'il n'avait osé imaginer. Elle l'initia aux jeux complexes du désir, aux tortures des caresses lancinantes, aux mots qui enflamment les corps et aux soumissions qui capturent les âmes. Qui peut mieux t'initier à l'amour qu'une mère ? Ann était devenue en quelques semaines son guide des désirs. Quelquefois, il repensait à Masreya, qui restait dans sa mémoire comme la mère de toutes ses amours, mais le désir, c'était autre chose ! Une force comme le grognement d'une bête sauvage qui surgit du ventre...

Une nuit, Ann lui demanda :

— Tu t'ennuies avec moi ?

— Jamais ! lui répondit-il d'un trait. Ton corps est une ville, une grande capitale. Je ne me lasse jamais de m'y promener.

— Tu ne me mens pas ? Me dirais-tu de telles paroles pour m'être agréable ? Oui ! Tu le ferais ! Tout jeune encore, tu es déjà un Oriental...

Il ne savait qu'ajouter encore. Lui qui parcourait

les nuits la tête pleine des cantiques de son père, avait enfin trouvé un lieu où il pouvait simplement sourire. Mais il ne savait l'expliquer à Ann. Il se contenta de hausser les épaules.

— Nous ne pouvons pas seulement nous rencontrer la nuit et nous quitter avant le premier rayon du jour, comme des fantômes, reprit-elle. Nous ne pouvons pas seulement être à l'écoute de nos sens comme des bêtes...

— Oui ?...

— Nous avons aussi besoin de rencontrer des gens, des amis, des êtres humains...

Et elle insistait. Elle imaginait sans doute des restaurants, des bars, des dîners en sa compagnie... C'est alors qu'une idée vint à Zohar :

— Je vais te poser une question, mais jure-moi d'abord que tu ne te fâcheras pas...

— Je ne peux pas me fâcher avec toi, ange de l'amour. Peut-on contraindre le vent ? Parle ! Pose-moi ta question.

— Connaîtrais-tu d'autres femmes de militaires, comme toi, qui ne sauraient que faire de leurs nuits ?... Nous pourrions nous retrouver ici avec mes amis.

*

Les deux autres en restèrent sonnés. Nino tirait sur sa cigarette comme s'il se raccrochait au sein

de sa mère. « Quoi ? balbutiait-il. Ça veut dire… »
Et Zohar de leur annoncer enfin qu'ils étaient invités tous les deux, lui et Joe, ce soir même, dans la villa d'Ann où les attendaient deux épouses d'officiers anglais, impatientes de les connaître. « Impatientes ? Comment le sais-tu ? Si tu m'avais prévenu, protesta Joe, je me serais habillé en conséquence. » Nino pouffa de rire. Avec son fin costume de cotonnade, couleur de soie, son nœud papillon écossais, ses cheveux clairs dont il remontait sans cesse la mèche, Joe avait l'air d'un étudiant américain.

— Mais tu es beau, Joe, sioniste, fils de chien !

L'autre tenta de tergiverser :

— Pourquoi devrions-nous y aller ce soir ? Ne pourrait-on attendre demain, ou même la semaine prochaine ?

Et Zohar se mit à rire.

— Allez ! Je vous offre un verre de 'arak…

Au deuxième, ils n'avaient plus aucune hésitation. Après le troisième, ils grimpèrent dans la rutilante MG de Joe, une voiture de sport, à deux places. Le moteur se mit à pétarader ; Joe donnait de furieux coups d'accélérateur, heureux d'attirer le regard des promeneurs. Décidément, ces Anglais avaient l'art du bruit d'échappement. La voiture démarra vivement, faisant crisser les roues arrière. Les deux autres occupant les sièges, Zohar s'était juché derrière, les fesses sur le porte-bagages, les mains agrippées au pare-brise. Il hurla : « Va doucement, Joe ; je suis pressé ! »

Garden City n'était pas bien loin. Nino ferma les yeux, grisé par le vent qui lui fouettait le visage. « Ô la paix de Dieu... Ô la paix ! » Joe leur apprit les paroles de « David, David, roi d'Israël », qu'il chantait au Maccabi. Ils se mirent à l'entonner à tue-tête et à le répéter encore. Dans leur voiture de nabab, le cœur épanoui, ils étaient les rois ! Joe faisait crisser les pneus et ils éclataient de rire. Ils traversèrent ainsi le pont Qasr-el-Nil. Une légère brise montait du fleuve, qu'ici on appelait la mer, et les felouques traçaient sur l'eau des diagonales de lumière. Ils croisèrent une Jeep de la police militaire et le gradé leur adressa un salut. Sans doute un amateur de MG... La nuit s'était alliée à ces trois jeunes gens et un fin nuage traversait le visage plein de la lune. « Regarde ! Elle fume une cigarette, plaisanta Nino... Sans doute achetée à Zohar... » Communion, en deçà des clivages. Ceux qui croyaient au peuple, et celui qui ignorait son existence ; le nationaliste, le sioniste et celui qui n'était rien, tous trois apatrides ou italien, soudain scellés par un même appel à l'immédiateté de la vie.

Lumières tamisées, encens enivrant ; sur le phono, Duke Ellington orchestrait le rendez-vous des âmes. Ann avait bien fait les choses, ayant disposé un peu partout des verres et des petits-fours. L'air canaille, vêtue d'une robe de soirée noire qui lui arrivait au-dessus des genoux, la chevelure d'or et les yeux mutins, elle tenait au bout des doigts un long fume-cigarette. Un peu anxieuse, elle les avait invités à s'installer.

Regards en coin. Kathleen était sans doute la plus âgée. Tailleur strict de l'armée avec, pour seule fantaisie, une rose dans ses cheveux à la coupe sévère. Mais son corsage bâillait sous la pression d'une poitrine exubérante. Quant à Mary, elle avait l'allure d'une secrétaire dévouée, les cheveux coupés court, simplement tirés en arrière, le petit chemisier au col fermé, les lunettes d'écaille. Elle avait les joues en feu.

Les trois garçons s'affalèrent sur le même sofa. Ils se mirent immédiatement à boire. Ann initia les présentations. Ils s'amusèrent à chercher une langue commune. Joe et Nino parlaient assez bien l'anglais, mais ne pouvaient retenir les bordées de blagues en arabe. Zohar, silencieux, savourait un bonheur nouveau. Ann s'approcha, lui proposa de danser. « Plus tard ! » promit-il. Alors, Joe entraîna Mary dans un be-bop artistique. « Il danse, hein ? Regarde comme il danse ! » Nino se rapprocha de Kathleen et commença à parler politique. La guerre, les Anglais, les Égyptiens... Ann, dont l'esprit s'illuminait aux vapeurs de l'alcool, les gronda. « Il est bien temps de parler de la guerre... Vous pouvez le faire tout au long de la journée et à chaque coin de rue. Ce soir, c'est la fête ! »

Trois Anglaises déstabilisées par l'anarchie de la guerre ; trois jeunes Égyptiens éblouis par les lumières du monde... Les maris n'existaient plus ; les obligations s'étaient dissipées comme un mauvais rêve ; les différences d'âge, de classe, de langue, les appartenances religieuses ou politiques s'étaient évanouies, diluées dans les boissons. Ils dansaient un peu. Ils riaient beaucoup et à tout propos. Ils s'offraient une nuit d'irresponsabilité, une nuit pour rien, hors du temps. Dans la chambre d'amis, Nino s'était perdu dans les seins de Kathleen, s'endormant avant l'amour qu'elle avait fini par accepter. Sur le tapis du salon, Joe tâchait de répondre aux demandes insatiables de Mary.

Zohar s'était retiré avec Ann dans la chambre à coucher. L'alcool l'avait rendue lyrique... « Je t'emmènerai chez moi, dans ma maison au bord de la Tamise, près du parc de Richmond. Tu seras à la fois mon roi et mon valet. Ne m'as-tu pas dit que ton nom signifiait "joyau" ? Tu es mon cadeau ! Tu seras mon bijou rapporté d'Égypte. » Lui voulait seulement rejoindre son corps, baigner au plus profond, comme dans une eau sombre et chaude, particule insaisissable de cette nuit d'harmonie. Elle n'en finissait pas de parler, tissant inlassablement l'avenir. « Lorsque la guerre finira... », répétait-elle. Mais lui, savait ! Cette guerre ne finirait pas. Elle durerait toujours. Jusque-là les hommes ignoraient que la terre avait des propriétaires. Ils ont voulu s'emparer de ses entrailles. Ils ont déterré les momies, ont fait jaillir son sang noir. La terre ne leur pardonnera jamais. Cette guerre ne finira qu'avec la mort du dernier des humains.

— Que dis-tu ? demanda Ann.

— Rien ! répondit Zohar, je parlais de ma famille.

Lorsqu'ils se sont endormis, un coq insomniaque appelait déjà à la prière.

Il était plus de cinq heures lorsque Zohar surgit soudain de son rêve. Il se leva pour se rhabiller. « Reviens ! Pourquoi te faudrait-il partir avant le jour ? » minauda Ann sans ouvrir les yeux. Il bouscula les autres, les entraînant hors de la villa.

Dans la voiture, Joe parla le premier.

— Mais qui donc a dit que les Anglaises aiment l'amour ? C'est faux ! C'est l'amour qui les aime. Il les rend folles.

Et ils reprirent leur chanson : « David, David, roi d'Israël »…

— Ce David, ajouta Joe, il devait aussi aimer les Anglaises.

— On dit qu'il aimait toutes les femmes…

— Jamais de ma vie, affirma doctement Nino, jamais de ma vie, je n'aurais imaginé aimer une bourgeoise toute une nuit…

— Bourgeoise et impérialiste ! persifla Joe.

— Sioniste, fils de chien !

Et ils éclatèrent de rire en se tapant dans les mains.

Agrippé sur son porte-bagages, Zohar venait de prendre une décision. Et si cette nuit n'avait pas été une fête, qu'aurait-elle été ?... Eh bien une réunion professionnelle ! Et si ces trois jeunes Juifs d'Égypte n'avaient pas rencontré ces trois Anglaises seulement pour s'amuser, alors pourquoi l'auraient-ils fait ?... Pour constituer une équipe, pardi !

Rue du Docteur-Tawfik

Dès la semaine suivante, il monta son affaire. Il avait longuement réfléchi. L'un des principaux problèmes de l'armée anglaise en Égypte était le manque d'alcool. Les Britanniques ne pouvaient en importer les quantités nécessaires au bien-être et au courage de leurs soldats et la production locale était à peu près inexistante. Un marché s'offrait donc à un entrepreneur créatif, d'autant qu'on parlait de plus en plus de prohibition. Les Frères musulmans de Hassan el Banna, qui exigeaient à grands cris l'interdiction de la prostitution et de la vente d'alcool, drainaient la sympathie du peuple. Le roi Farouk s'était engagé à faire passer une loi et proscrivait déjà l'alcool lors de ses réceptions. Si bien que les prostituées se cachaient et que l'alcool avait disparu de la plupart des points de vente, des épiceries, des grands magasins d'alimentation, y compris ceux des Grecs. On trouvait encore des bouteilles de 'arak dans les souks de la vieille ville, mais elles se vendaient à des prix impossibles. Nino avait raconté à Zohar que des Polonais, combattants dans l'armée britannique, avaient braqué le pauvre Dr Assiouty, le patron de sa pharmacie, pour qu'il leur livrât son stock d'alcool à 90°. Et lorsque, tremblant de peur, il leur avait présenté son bidon de vingt-cinq litres, ils l'avaient payé et avaient même exigé un reçu de peur d'être ensuite accusés de vol.

Si Zohar pouvait compter sur Joe et Nino, ses deux compagnons de virée, pour l'organisation, et sur les femmes anglaises pour la distribution, il lui restait à résoudre la question de la production. Il savait que des plantations de canne à sucre existaient, nombreuses, en haute Égypte. Il serait certes facile de s'y procurer de grandes quantités de canne, mais la guerre rendait le transport quasiment impossible. Il y en avait aussi dans le Delta, moins nombreuses, certes, mais tout aussi productives. C'est là qu'il se fournirait. Quant à la technique, le destin lui sourit en lui envoyant Jack, un Anglais de Jamaïque, homosexuel en maraude, qui avait tenté de l'approcher, un soir, dans une boîte de l'avenue des Pyramides. Dans son île natale, l'homme avait longtemps dirigé une distillerie de rhum. Il avait tout abandonné là-bas, attiré par les scintillements de l'Égypte, mais s'était perdu dans les bordels de la vieille ville. En matière de production d'alcool, il connaissait son affaire et comprit vite que Zohar était sérieux. Il lui demanda : « Tout dépend de la quantité que tu souhaites produire. Des centaines de litres ?… Dans ce cas, tu peux monter l'usine dans un garage… Des milliers ?… Il te faut une grange isolée parce que, avant de faire transpirer l'alcool, la distillerie empuantit le quartier. Et si tu veux en produire des centaines de milliers, tu pourras tout essayer, il te sera impossible de passer inaperçu. »

Zohar savait parfaitement ce qu'il voulait : de la qualité plutôt que de la quantité. Il lui demanda s'il savait extraire un alcool qui, en en ayant l'apparence et la force, serait vendu comme du gin… « Rien de plus facile, déclara Jack, une fois le matériel installé, il faudra environ trois mois entre la fourniture des cannes et la livraison des premières bouteilles. »

Joe di Reggio s'occupa de créer l'entreprise, de la déclarer au registre du commerce et d'en gérer la comptabilité. Ils appelèrent leur société la « Compagnie de l'Eau bleue », parce qu'ils avaient décidé de vendre leur produit dans des bouteilles marine. Ils la présentèrent à l'administration comme une entreprise de production de sucre. Ils installèrent leurs bureaux rue du Docteur-Tawfik, dans le quartier de 'Abasseya. À l'immeuble était accolé un immense garage, qu'ils transformèrent en petite unité de production. Nino, qui était le plus habile dans la lecture et l'exploitation des textes, fut chargé dans un premier temps des relations avec les autorités, distribuant les bakchichs pour obtenir les autorisations ou éviter les interdictions. En cette période préparatoire, Zohar poursuivait son commerce de nuit afin de réunir les fonds nécessaires aux investissements de départ. Ils embauchèrent Jack le Jamaïcain pour monter ce qu'ils appelaient «la fabrique», et des dizaines de petites mains grouillaient dans l'atelier, ajustant des fûts de métal pour fabriquer une colonne de distillation tout à fait acceptable ou pour construire d'immenses marmites de cuivre destinées à chauffer les vins intermédiaires.

Les Alliés reculaient sur tous les fronts. Après la chute de la Belgique, de la Hollande et de la France, l'Europe était à genoux. Dans les Balkans, tous les pays étaient soit occupés, soit contrôlés par les puissances de l'Axe. Au Moyen-Orient, le gouvernement irakien avait été renversé par El Kilani, un nationaliste ardemment pro-nazi. Hadj Amin el Husseini, le grand mufti de Jérusalem, évaporé de Palestine, était soudain réapparu à Berlin, braillant à tue-tête dans les micros des radios allemandes, exhortant les Arabes à la révolte contre l'occupant britannique. L'Égypte, qui avait résisté à une première invasion italienne venue de Libye, subissait maintenant les assauts de Rommel ; et les Anglais perdaient bataille après bataille. Chassés de Libye, ils s'étaient repliés sur l'Égypte et, dans les rues du Caire, il soufflait, chaque jour plus fort, un vent de panique. Rommel avait traversé la frontière ouest... Il arrivait aux portes d'Alexandrie... Il bombardait Port-Saïd... La situation devenait critique. Les Anglais ne pouvaient se permettre de laisser briser le verrou égyptien, l'accès au canal de Suez qui libérerait la route vers le pétrole du Moyen-Orient et les ressources des Indes. Les rondes de la police militaire ne cessaient jamais, de jour comme de nuit, et les descentes dans les bars et les hôtels se terminaient le plus souvent par des arrestations et des coups de matraque. De nouvelles troupes affluaient en renfort... litanies de camions bourrés de soldats, lourds chars d'assaut écrasant le macadam surchauffé, le long des deux routes menant du Caire à la mer. Dans les souks, on racontait que près d'un million d'étrangers, surtout des militaires, se trouvaient alors en Égypte.

Le petit peuple égyptien tâchait tant bien que mal de profiter de la manne, mais souffrait de la raréfaction de la nourriture et des prix exorbitants qu'elle atteignait au marché noir. La classe moyenne, les employés, les fonctionnaires, étaient scandalisés par le comportement des soldats qui circulaient ivres dans les rues, la bouteille à la main, tenant par la taille des femmes arabes, pas toujours prostituées.

Nino s'engageait plus activement dans les réunions des nationalistes auxquelles le conduisait Gamal. Il en revenait plus convaincu de la nécessité de la lutte contre l'occupant britannique. Et les discussions avec Joe tournaient au drame.

— Tu ne vas tout de même pas favoriser l'entrée des nazis en Égypte ! hurlait Joe.

— Les Allemands n'ont jamais colonisé l'Égypte. Ils ne sont pas intéressés à l'occuper. Pour eux, ce pays est seulement un passage. Ils nous libéreront des Anglais et fileront ailleurs, en Irak ou en Arabie.

— Tu es d'une naïveté, mon pauvre Nino ! Tu te fais bourrer le crâne par ces guignols de révolutionnaires. Si Rommel entre en Égypte, ce sera avec la Gestapo, sa police secrète… Tu veux que je te raconte ce qui t'arrivera ensuite ?

Et l'insulte finissait par arriver. Plus elle était politique, plus elle risquait de tourner au pugilat.

— Toi, tu n'es qu'un gosse de riche, un capitaliste puant ! Que pourrait-on attendre de toi ?

— Je suis peut-être un gosse de riche, mais je ne suis pas un traître. Je n'abandonne pas les miens. Si tu veux absolument te battre contre les Anglais, pars donc en Palestine rejoindre l'armée secrète juive qui lutte pour notre indépendance…

— « Notre » ? Tu as dit « notre »… Et qui tu

inclus dans ce «nous»?... Hein? Moi, je n'en fais pas partie. Mon «nous», c'est le peuple... Et le peuple, ici, c'est le peuple d'Égypte.

Joe tomba la veste, retira son nœud papillon, retroussa ses manches de chemise... Il s'apprêtait à expédier un coup de poing sur le nez de Nino. Zohar survint précisément à ce moment et le saisit par les deux bras, le tirant en arrière.

— Laisse-moi! hurlait Joe, laisse-moi sur lui que je l'écrase comme une mouche sur un mur, ce mamzer, ce bâtard...

Et Zohar parvenait toujours à les calmer, les réunissant autour d'un verre de 'arak. Et ils évoquaient leur première nuit avec les trois Anglaises, et l'amitié éternelle qu'ils s'étaient jurée au petit matin; et il leur rappelait les nuits suivantes, ces fêtes de poésie, de sensualité et de joie, où ils avaient fait venir des musiciens orientaux et des danseuses égyptiennes. Et leurs virées à la mer en pleine nuit, dans la folle MG, qui finissaient au casino. Il les raisonnait, aussi... Leur entreprise était sur le point de démarrer. L'eau bleue ferait oublier les marques de whisky qu'on ne trouvait plus guère, Johnnie le marcheur ou les deux fox-terriers noir et blanc. Ils allaient devenir riches, très riches. On verrait bien, après cela, s'ils avaient encore envie d'être sionistes ou révolutionnaires... Toutes leurs théories, ce n'étaient rien que des paroles d'enfants, d'exclus du monde réel.

— Mais c'est lui, ce binoclard, cet amoureux des poubelles, qui veut devenir le roi des pauvres. Tant qu'à être le roi, il ferait bien de choisir ses sujets ailleurs que dans un cloaque.

— Et toi, lui retournait Nino, sioniste, fils de chien... Tu les trouves riches, tes Juifs de Palestine, qui dorment à même le sable, dans des tentes, comme des Bédouins ?

— Vous n'allez pas recommencer !...

Et ils recommençaient, bien sûr ! Ils se comparaient, s'affrontaient comme deux jeunes coqs. Mais ils se réconciliaient toujours, parce qu'il y avait Zohar, leur ami et leur guide... Zohar dont ils ne savaient rien, auquel ils ne comprenaient rien et qui, quelquefois, les effrayait.

Un jour, il convoqua ses deux associés, après la sieste, à l'heure où ils quittaient leur domicile, douchés de frais, chemise immaculée et chaussures cirées. Ils grimpèrent tous les trois comme ils l'avaient fait bien des fois dans la MG ; il les guida jusqu'à Bab el Zouweila. De sa mallette, il tira un marteau et un clou, un grand, long d'une quinzaine de centimètres. Il s'approcha du mur encadrant la grande porte, se jucha sur une caisse de bois et commença à planter le clou. Il frappa à trois reprises en disant : « Zohar... (premier coup) fils de Mordechaï Zohar (deuxième coup)... l'enfant d'Esther Zohar, le paradis est sous son talon (troisième coup de marteau). » Puis il tendit le marteau à Joe. « À toi, maintenant ! » Joe hésita un moment, demanda : « Mais que veux-tu fixer ainsi sur le mur ? » Il finit par s'exécuter : « Giuseppe di Reggio... fils d'Ephraïm di Reggio... enfant d'Élisabeth di Reggio... » Il hésita. « Répète ! » ordonna Zohar. Il répéta : « Le paradis à ses pieds... » Lorsque ce fut son tour, Nino se cabra : « Vous ne me ferez pas accomplir d'actes ridicules. Je ne crois pas à toutes ces sottises... » Zohar lui mit le marteau entre les mains et se moqua de lui : « Quoi donc ? À quoi te faudrait-il croire ? Il s'agit simplement de planter un clou... » Et Nino frappa le clou avec rage : « Abraham Cohen... fils de Gabriel Cohen... l'enfant de Rachel... » Il ne put terminer et s'effondra en larmes. La pensée de sa mère lui déclenchait toujours une intense émotion. « C'est bien ! dit Zohar, c'est bien ! Tournez-vous maintenant contre le mur. Il posa une main sur la tête de chacun de ses deux compagnons et murmura : « Si vous voyez sortir des abeilles, vous remercierez Suleiman, le roi des êtres de la création ; si ce sont des grenouilles, vous vous demanderez qui des trois a trahi ; s'il sort un serpent, écartez-vous et remerciez Dieu d'être encore vivants, et si c'est un bouc, dites alors : "Musulmans, juifs ou chrétiens, nous sommes tous des enfants d'Abraham..." » Il retira ses mains, fit un pas en arrière. Nino et Joe étaient restés immobiles, fixant leurs chaussures. Puis ils relevèrent la tête et regardèrent le clou.

Trois abeilles tournoyaient autour de sa tête plate qui étincelait au soleil couchant.

*

Zohar avait une intuition naturelle de l'obligation que les humains doivent aux êtres. Avant d'ouvrir le comptoir, il fit venir sa mère en pleine nuit. Khadouja, la sorcière, les rejoignit en portant un chien, un de ces chiens errants, à la couleur indéfinie, qui infestent les souks. La pauvre bête, les pattes garrottées, ne cessait de gémir. Khadouja le déposa sur le pas de la porte, sortit de sous sa robe ses poudres de couleur qu'elle enflamma en lançant des interjections incompréhensibles, des «Baw» et des «Akh», en une sorte d'aboiement qui claquait, inquiétant, dans la nuit… Elle releva sa robe, laissant apercevoir ses cuisses brunes, et lança des imprécations en frottant ses fesses sur le sol. Puis elle prit un long couteau affûté et trancha la gorge du chien, dont l'ultime gémissement se perdit au loin comme le vol d'un papillon. À l'aide de son couteau, elle recueillit un peu du sang qui jaillissait de la carotide et l'appliqua sur le front de Zohar. Puis, d'une main experte, elle sépara la tête du corps, qu'elle enterra sur le seuil. Elle tendit ensuite à Zohar la tête du chien, encore sanguinolente : «Cette tête – parce que cette boutique te propulsera à la tête et jamais à la queue –, cette tête, lui dit-elle, tu la laisseras dormir ici, dans la boutique, à l'endroit même où tu devras recevoir tes clients. Demain, tu viendras avant le lever du soleil, tu prendras la tête et tu iras la jeter dans le Nil, par-dessus ton épaule, sans regarder l'endroit où elle tombe. Tu as compris ? » Zohar fit une grimace. « Tu le feras, mon fils, insista Khadouja, pour ouvrir le chemin. »

Le 21 septembre 1941, le jour de la livraison de la première caisse d'eau bleue, Zohar n'avait pas dix-sept ans, Joe à peine dix-neuf et Nino vingt. C'étaient sans doute les plus jeunes patrons de toute l'Égypte. Au début, ils vendaient la caisse de six bouteilles d'un litre à vingt livres sterling, ce qui représentait près du double du salaire mensuel d'un employé. Les premiers clients, de hauts gradés, arrivèrent par l'entremise des trois femmes anglaises. Bientôt, des files de Hillman à six glaces, de Morris Eight, de Humber bicolores ou de voluptueuses Sunbeam stationnaient devant l'entrée de la fabrique, rue du Docteur-Tawfik. On pouvait voir de jeunes soldats charger les caisses dans les voitures de leurs commandants.

Le succès fut tel qu'au mois de décembre ils étaient déjà en rupture de stock. Ce qui fit encore monter les prix. Et lorsque les fonctionnaires du ministère du Commerce vinrent examiner les comptes, ils repartirent de là les coffres des voitures pleins de caisses d'eau bleue.

Nino, le plus sérieux des trois, tenait le bureau. Il avait troqué son emploi à la pharmacie d'Assiouty contre celui, bien plus lucratif, de directeur commercial de la « Compagnie de l'Eau bleue ». Joe, qui avait l'air de ce qu'il était, un jeune homme de bonne famille, se chargeait d'explorer de nouvelles clientèles. Il les dénichait dans les relations qui fréquentaient le palais de son père.

Au début de l'année 1942, on vit arriver à 'Abasseya un autre type d'automobiles, des américaines, des Chevrolet et des Ford décapotables, de somptueuses Packard, la Cadillac de Cicurel et on aperçut même, quelquefois, les Rolls-Royce du palais. Zohar assurait une présence permanente ; il était à la fois l'âme du lieu et son diable. Il courait sans cesse d'un employé à l'autre. Il mettait la pression sur « Jack la Jamaïque » pour l'inciter à augmenter la production. Il flattait les portiers, les manutentionnaires, les coupeurs de canne, les préposés à la brûlerie, leur distribuant des primes chaque fois qu'ils amélioraient leur rendement. Il faisait office de chef du personnel et d'assistant social. Et tous ces ouvriers, paysans chassés de leurs terres ou émigrants de haute Égypte, parfois du Soudan, s'étonnaient qu'un si jeune homme soit à la tête d'une entreprise aussi importante. « C'est un diable ! » s'exclamait l'un. Et l'autre répondait : « Un fils d'Adam ne saurait réussir ce qu'il fait sans l'aide des gens... » Les gens... Ces gens qui n'étaient pas des gens, précisément ; ceux qu'on appelait parfois les « musulmans », en une formule propitiatoire, pour chasser l'éventualité terrifiante qu'ils fussent juifs ou, pire encore, païens... Ceux qu'ils appelaient les « gens », c'étaient les esprits, les 'afrit.

La diabolique Afrikakorps de Rommel, agile, surentraînée, semblait imbattable. Elle surgissait où on ne l'attendait pas, infligeait des pertes, se retirait, attaquait ailleurs... Les Anglais étaient sans cesse sur la défensive et, malgré les arrivées de renforts et de matériels en nombre, ils ne parvenaient pas à prendre l'initiative. Les journaux en anglais et en français prévenaient les habitants de la catastrophe que serait la victoire allemande suivie d'une nouvelle occupation de l'Égypte ; les violences, le pillage, l'exploitation des ressources qui en résulteraient. Certains Européens et les Juifs aisés envisageaient un exil en haute Égypte, au Soudan ou à Jérusalem. Quant aux journaux arabes, ils ne cachaient pas leur sympathie pour Rommel et se réjouissaient par anticipation de la leçon que recevraient les arrogants Anglais, qui répétaient à l'envi qu'en Égypte ils éduquaient un peuple immature. Benghazi était tombé en janvier, Bir Hakeim en juin. Et plus la tension montait, plus la compagnie vendait de bouteilles d'eau bleue.

Zohar emménagea dans un petit appartement

de trois pièces au dernier étage de l'immeuble. Il tenta de convaincre son père d'abandonner son commerce d'alcool pour lequel il devenait de plus en plus difficile de s'approvisionner. « Rejoins-nous à la fabrique. Je t'embaucherai comme comptable. » Motty refusait obstinément. Comment imaginer qu'il pourrait s'éloigner de ces ruelles, où il connaissait chaque famille, lui dont les pieds savaient la configuration de chaque pavé ? Comment s'éloigner de la synagogue Haïm-Capucci, où il pouvait mettre un nom sur chaque voix ? Il répondit à son fils bien-aimé : « Pourquoi n'as-tu jamais appris à passer le temps ? Mes yeux qui ne voient pas m'enseignent la permanence du monde. C'est là qu'il faut se tenir, mon fils ! Là où la vie est éternelle. » Et il lui chanta ces vers du Cantique des cantiques que Zohar avait entendus bien des fois : « Il y a soixante reines et quatre-vingts concu-bines ; et des jeunes filles sans nombre… Unique est ma colombe, ma parfaite. » Pour la première fois de sa vie, peut-être, une larme coula sur la joue de Zohar.

Rue Soliman-Pacha

Depuis l'ouverture des comptoirs de la Compagnie de l'Eau bleue, en septembre 1941, Nino Cohen s'était installé dans un petit appartement de la rue Soliman-Pacha, à deux pas de L'Américaine, la pâtisserie chic, où Joe l'attendait parfois pour le conduire au travail en voiture. À part son logement qui le rapprochait de la fabrique, il n'avait rien changé à ses habitudes. Il se déplaçait à pied ou en tramway, toujours en troisième classe. Il était vêtu du même pantalon gris foncé aux genoux brillants, qu'il remontait d'un geste automatique lorsqu'il en piétinait les revers, et de cette même chemise blanche au col ouvert, à croire qu'il en possédait une douzaine, toutes semblables. Le corps ascétique, rasé de frais, ses épaisses lunettes de myope sur le nez, il avait l'air d'un séminariste. Une fois sa journée terminée, il disparaissait, refusant les parties de tawla devant une bière à la terrasse d'un café. On ne le voyait plus, après le dîner, dans les clubs, à l'Empire ou au Saint-James, où les autres jouaient au poker en reconstruisant l'histoire du Moyen-Orient depuis le temps des pharaons. On ne le voyait pas davantage dans les grands hôtels où ils avaient pris l'habitude de danser jusqu'aux premières lueurs. Il prétendait qu'il devait rentrer chez lui pour étudier ; qu'il ne pouvait se permettre de rater son année de médecine. Et ses deux amis, vaguement coupables de ne pas entretenir leur matière grise, n'insistaient pas. Mais, sans se l'avouer, ils ressentaient un malaise.

Car peu à peu son comportement s'était mis à changer. Il ne parlait plus qu'arabe, refusant de partager le sabir franco-anglo-arabe parsemé de mots d'italien qui était leur langue habituelle. Il utilisait au contraire des expressions recherchées, déclinait les substantifs, comme dans les ouvrages classiques. « Si on parle arabe, on parle arabe ; non pas une langue composite, comme celle des esclaves. » Joe lui faisait remarquer en riant : « Parfois, on ne comprend rien à ce que tu racontes... On croirait entendre la radio. » Il se moquait de lui lorsqu'il s'enfermait de longs moments dans les toilettes. « Ma mère dit qu'il te suffirait de prendre une cuillerée de sirop de tamarin le matin à jeun », laissant entendre qu'il souffrait de constipation, et ne manquait pas d'ajouter : « Ça égaierait peut-être ton humeur… et sauvegarderait la nôtre ! » Il ne se passait pas un jour sans qu'il lui demandât ce qu'il faisait de son argent ; pour quelle raison il était toujours vêtu comme un mendiant… À croire qu'il le dilapidait au bordel ou aux courses…

Lorsque les remarques et les quolibets devenaient trop insistants, Nino entrait dans de longs développements politiques. Lui n'était pas un réactionnaire. Il n'avait pas pour idéal de ressembler aux khawagates, aux « messieurs » des banques et des grands hôtels… Il souhaitait rejoindre le peuple d'Égypte qui, inévitablement, finirait par se libérer du joug des oppresseurs, des Anglais d'abord, puis des riches, des pachas, des propriétaires terriens… Joe ajoutait alors, perfide : « Tu as oublié les Juifs. » Et l'autre se laissait prendre. « Des Juifs, bien sûr ! Les Cicurel, les Mosseri, les Suares, les Picciotto, les Harari, les Curiel… » Alors Joe forçait la mise : « Il paraît que le petit Curiel, le fils du banquier, ce n'est pas millionnaire qu'il est, mais milliardaire… Eh bien il est communiste, comme toi. Communiste, c'est une occupation de riche. D'ailleurs, ma mère l'est aussi. » La tension montait une fois de plus entre les deux. Nino lâchait alors, tranchant : « Mon pauvre ami ! Tu ne comprends rien. Je ne suis pas communiste ! » Lorsque Joe racontait la dispute à Zohar, il lui demandait :

— Mais s'il n'est pas communiste, alors, de quoi souffre-t-il ?

— Je le connais bien, répondait Zohar, il est taciturne. Tu devrais le laisser tranquille.

— Est-ce que je pouvais le laisser dire que les Juifs sont des exploiteurs ? Il faudrait l'emmener en visite dans la 'hara, la ruelle. Il verrait les Juifs pauvres, nos parents, répandus sur le trottoir, leurs excréments séchés sur leurs vêtements, n'ayant pas mangé depuis des jours au point qu'ils n'ont plus la force de se lever.

Les yeux de Zohar se perdaient dans le vide à l'évocation de la ruelle aux Juifs. Il revoyait l'épicerie de son enfance, l'oncle Élie, son grand-oncle, en vérité, homme à la douce sagesse ; sa mère, l'étrange Esther, à qui il ne savait témoigner son affection, et Motty, son père, qui le guidait à distance par les paroles des psaumes qu'il avait implantées dans son âme.

— Laisse-le dire..., répondait-il à Joe, songeur. Lorsqu'il aimera une fille au point qu'il frémira à la brise du Nil caressant son visage, crois-moi, il ne ratera plus une seule partie de tric-trac...

— À moins que ce ne soit un garçon...

— Un garçon ?... Ça veut dire ?

— Ça veut dire : à moins qu'il ne tombe amoureux d'un garçon.

Nino, guidé par Gamal, se rendait à toutes les réunions du groupe des militaires nationalistes, qui avaient lieu une fois par semaine, le jeudi soir. Mais il trouvait les militants trop mous, gâchés par l'armée et sa folle passion pour la hiérarchie. Ils se tenaient raides comme des soldats de plomb. Et c'était du sergent par-ci, du lieutenant par-là… À quoi bon évoquer leurs grades, s'ils étaient tous aussi pauvres et dépourvus du moindre pouvoir réel. Que penser d'un pays cerné par la guerre, envahi par des centaines de milliers de militaires étrangers et dont l'armée devait rester l'arme au pied, paralysée ? Et des armes, elle n'en avait guère, pas de récentes et encore moins de munitions. Alors, plutôt que de jouer aux militaires d'un autre monde, tous ces jeunes, pour la plupart issus de la très petite bourgeoisie, qui avaient accédé à leurs fonctions par leur mérite, auraient mieux fait de se tourner franchement vers l'action politique. C'est ce que Nino pensait au fond de lui.

Lors d'une réunion, il vit arriver un homme qui ne ressemblait pas aux autres. Celui-là n'était pas un militaire. Vêtu sobrement, à l'occidentale, d'un costume sombre et d'une chemise blanche, il avait un visage glabre et des yeux de feu, sa tête découverte laissait apparaître une calvitie naissante. Il ne souriait jamais, ne plaisantait pas, et sa parole était affûtée comme une lame. « Nous devons renoncer à ces grandes réunions inutiles qui finissent en

bavardages de café. L'heure de l'action a sonné ! »
avait dit l'homme. La remarque avait jeté un froid.
Gamal tenta de rétablir la situation, en rappelant que l'orateur, Abd el Raouf el Gassem, qu'il
était heureux d'accueillir ici, au club des officiers,
appartenait à un groupe nationaliste religieux.

— Nos buts sont proches, précisa-t-il encore,
mais nos méthodes divergent parfois…

Abd el Raouf dressa sa haute taille pour
répondre :

— L'armée est désarmée ; si elle croit que
la fierté est une arme, elle se trompe. La fierté
conduit seulement à l'orgueil et à l'échec. Frères,
mettez-vous au travail ! Entrez dans chaque maison, parlez à chaque fellah, rappelez-lui les obligations envers notre prophète, la force de l'union,
de la communauté ; racontez-lui la grandeur de la
nation arabe.

Nino avait été touché au plus profond par la
parole d'Abd el Raouf. La nation arabe, il en faisait partie ! Il se disait « arabe de religion juive »…
Non ! corrigeait-il intérieurement : « Arabe d'origine juive. » Ce jour-là, Nino n'osa pas approcher
Abd el Raouf, se contentant de le dévorer des
yeux.

À la sortie de la réunion suivante, il lui demanda
s'il pouvait le raccompagner chez lui. L'homme le
toisa avant de répondre :

— Es-tu musulman, mon frère ?

— Musulman ? répliqua Nino. Qu'est-ce que c'est que « musulman » ? Le mot signifie « soumis », n'est-ce pas ? Je me soumets à la volonté du peuple. Alors, si tu veux, je suis musulman.

— C'est bien ! Mais t'arrive-t-il au moins de faire ta prière ?

Et il lui expliqua que se soumettre aux règles de la communauté rendait l'existence fluide. Est-ce qu'on réfléchit avant de respirer ? Non ! C'est un mouvement indispensable à la vie et que l'on accomplit sans y penser. C'est ainsi qu'on doit faire la prière, sans réfléchir, sans effort, comme on respire, à chaque temps de la journée.

Nino le trouvait à la fois intelligent et puissant. Mais la prière, tout de même !

— Je méditerai tes conseils, promit Nino. Mais c'est d'action dont j'ai besoin, pas de prières...

— Tu te trompes, mon frère. C'est la prière qui est l'action... son effet sur le monde, une lointaine conséquence...

— La prière est action ? Je la pensais contemplation...

— C'est un tout ! expliqua Abd el Raouf. Dieu est notre objectif.

— Ne dit-on pas qu'il est notre créateur ?

— Non, mon frère ! L'erreur est de le croire à l'origine. Dieu n'est pas notre passé, mais notre avenir. Et pour y parvenir, le Prophète nous guide. C'est lui qui nous montre la voie. Si tu crois que dans le Coran tu ne lis que des paroles, c'est que tu n'es pas un être vivant, mais une statue de sel. Le Coran est une voie, le chemin qui s'empare de tes jambes, de tes bras et de ton âme et qui t'emporte. Là où tu vas, c'est Dieu !

Nino fut saisi par les idées d'Abd el Raouf. Elles éclataient dans son esprit comme des évidences. Il ne se l'était pas avoué, mais les violences marxistes, l'évocation des révoltes du prolétariat, les raisonnements presque mathématiques des brochures communistes résonnaient comme de lointaines images des pays froids. Alors que ce qu'il entendait là, dans la bouche de cet homme, sain, sec et pur comme le tronc d'un palmier, était vrai... aussi vrai que le soleil qui se levait chaque matin, que le Nil qui était une mer creusée en plein milieu du désert. Abd el Raouf parlait de la révolte de l'Égypte, non pas de celle de la Russie ou de l'Amérique. Voilà la révélation !

— Tout le monde peut emprunter le chemin que tu me décris ?

— Crois-tu que je te montrerais une route qui t'est interdite ? Ce serait comme exhiber un festin à un affamé tout en lui en interdisant l'accès.

— Comment...

Nino ne termina pas sa phrase, soudain conscient de la banalité de la question qu'il allait poser. Il devinait la réponse. L'autre lui répondrait qu'il suffisait de se convertir à l'islam. Il secouait négativement la tête, se reprochant intérieurement sa naïveté.

— Le djihad ! dit alors Abd el Raouf. Le djihad, c'est notre voie vers Dieu.

— Le djihad ? s'étonna Nino, le lettré, pour qui ce mot signifiait seulement « l'effort de l'ascèse ».

— Notre prophète est un chef de guerre. Il nous guide par l'exemple. La communauté se réveillera par la guerre. Le djihad est l'exigence de la guerre... et la mort, notre plus fidèle alliée.

— Que veux-tu dire ?

— Il te faut comprendre, mon frère, si tu veux nous rejoindre. Notre amour de la mort, c'est la présence de Dieu. Tel est l'enseignement du Prophète.

Et il répéta :

— Tu dois aimer la mort !

Nino restait perplexe. La mort est une éventualité pour n'importe quel combattant. On tâche de l'éviter, on s'en protège. On peut certes désirer la mort de son ennemi ; on peut même tout mettre en œuvre pour le tuer... Mais que signifie « aimer la mort » ?

— Tu dis que nous ne devons pas craindre de tuer notre ennemi ; c'est-à-dire nous préparer à la lutte armée... Est-ce bien cela ?

Les passants étaient nombreux. Les deux hommes devaient sans cesse se frayer un chemin sans perdre le fil de leur conversation. Soudain Abd el Raouf s'immobilisa.

— Regarde ! dit-il à Nino en lui montrant une femme arabe qui déambulait au bras d'un officier britannique. Cette femme craint la pauvreté et la mort. C'est pour cette raison qu'elle a perdu son âme. Elle se prostitue avec les étrangers, elle salit son corps et la maison de son père... Tout cela par crainte de la mort.

Le couple marchait quelques pas devant eux. Elle était vêtue d'un tailleur moderne, de couleur rose, la jupe au-dessus du genou, les fesses balançant au rythme de ses hauts talons. Le militaire, un gradé britannique, manifestement éméché, titubait, tentant de retenir son calot d'une main.

— Regarde et réfléchis, mon frère ! Regarde où peut conduire la peur de sa propre mort. Voici ce que je veux te dire : nous sommes l'inverse de cette femme. Non seulement nous n'avons pas peur de la mort, mais c'est notre propre mort que nous désirons par-dessus tout. Mourir durant le djihad est notre plus cher espoir.

— Notre propre mort..., murmura Nino les yeux écarquillés. Notre propre mort...

Abd el Raouf lui proposa alors :

— Vendredi prochain, tu viendras à la prière. C'est notre guide lui-même qui prononcera le prêche. Tu comprendras sans doute mieux ces vérités lorsque tu les entendras de sa bouche.

À la porte de la mosquée, avant de se quitter, Nino sursauta lorsque l'homme le saisit vigoureusement par les épaules et l'embrassa sur les deux joues.

— Je t'introduirai auprès de lui.

Le mélange d'eau de Cologne bon marché et de sueur bouleversa Nino, une sensation étrange, qu'il n'avait jamais éprouvée, une émotion nouvelle, de virilité partagée.

Le vendredi suivant, Nino se rendit à la prière de treize heures, à la grande mosquée. Malgré la foule, il fut impressionné par l'ordre et la discipline qui y régnaient. Aucune bousculade, aucun bavardage… des centaines d'hommes – peut-être un millier – rassemblés en un même lieu, pour murmurer les mêmes paroles, en un même moment, pour faire les mêmes gestes, pour se prosterner, pour lever les mains ouvertes vers le ciel, comme en un gigantesque ballet. Quel contraste avec le désordre d'une synagogue ! Il ne connaissait pas les prières, tout juste la première, la Fati'ha, qu'il tenta de balbutier. Mais un élan s'empara de son cœur, provenant paradoxalement d'une impression de néant. Qu'était-il au milieu de cette foule ?… Un atome, un brin d'herbe dans une prairie ? C'était cela, rejoindre le peuple ! Et un souffle venu du tréfonds emplit ses poumons.

— Je t'apprendrai les prières et t'indiquerai les sourates du Coran qui leur correspondent.

Il sursauta. Il reconnut ce mélange âpre de sueur et d'eau de Cologne. Abd el Raouf s'était glissé derrière lui et lui signalait, par des pressions sur le bras, les moments de prosternation.

— Je suis venu pour voir et écouter, comme tu me l'as recommandé, répondit Nino dans un souffle.

À la fin de la prière, les hommes se sont assis, attendant dans un ordre parfait que leur imam monte à la tribune. L'homme, vêtu d'un costume gris, la barbe taillée, le tarbouche sur la tête, était installé au premier rang. Rien ne le distinguait au sein du groupe d'anciens qui le côtoyaient. Il se leva lentement, grimpa les quelques marches et s'avança jusqu'au milieu de l'estrade. Il fut accueilli par un silence total, impressionnant, pas un murmure, pas un mouvement, pas un raclement de gorge.

— Mes frères, je vous sens tous présents, commença le guide. J'entends murmurer votre âme dans la mienne, battre votre cœur dans le mien. Et je sens que je ne suis rien ; rien que vous tous réunis.

Nino fut alors pris d'un vertige. Il prit appui sur le bras d'Abd el Raouf, qui le maintint vigoureusement en le sermonnant :

— Tiens-toi droit, mon frère !

C'est que la parole du guide était venue rejoindre la pensée de Nino, se confondant avec son désir, en cet instant exaucé, de se fondre dans le peuple d'Égypte. Il fit un effort pour se redresser, mais le malaise persistait.

— Et votre voix s'exprime par la mienne, mes frères, poursuivait le guide. Lorsque vous parlez dans votre cœur, je crie avec ma bouche et je dis notre foi à tous, mes frères, Dieu est le plus grand !

Et une rumeur monta comme une gigantesque vague qui roula des profondeurs de l'assemblée : « Dieu est le plus grand ! »

— Et voilà qu'on veut nous réduire au silence. Non pas s'attaquer à l'islam des mots, celui des controverses interminables des faux savants d'El Azhar, non ! Non pas l'islam abrutissant des soufis, qui savent seulement faire danser les vieilles femmes, et plongent le peuple dans l'archaïsme… non ! On veut empêcher l'islam de la solidarité envers nos frères dans le besoin ; on veut étouffer l'islam de la rigueur morale, qui protège la vertu de nos femmes et de nos filles… L'un de nos frères qui était venu nous rejoindre, un héros des guerres du passé, au comportement irréprochable, le général Aziz Ali el Masri, a été incarcéré. Il va être jugé en cour martiale – c'est-à-dire qu'il risque la peine de mort. Allons-nous laisser pendre ignominieusement notre grand frère, notre aîné, notre exemple ? C'est comme si nous acceptions d'être amputés d'une jambe… Non, mes frères ! Nous allons agir car Dieu est le plus grand… et notre voie vers lui est le djihad !

Et cette même rumeur, immense, éclata à nouveau dans l'assemblée : « Dieu est le plus grand… »

Le prêche du guide dura près de deux heures. La foule des fidèles en sortit chauffée à blanc. Chacun ne rêvait que révolte, marche sur le palais royal, attaque des militaires britanniques dans les rues… Résistance ! Nino, livide, titubait, appuyé sur le bras d'Abd el Raouf qui le raccompagna jusque chez lui. En chemin, ils continuaient à discuter.

— Je t'avais prévenu. La parole du guide est puissante. Tu n'es pas le premier à être saisi en l'écoutant.

— Oui ! J'ai eu un malaise. Il faut dire que je n'ai rien mangé depuis deux jours.

— Pour accepter ces paroles, pour qu'elles soient un baume à ton esprit, et non pas une foudre qui s'abat sur toi, il te faut devenir musulman, mon frère.

Abd el Raouf s'arrêta en chemin chez Omar, un jeune imam membre de leur groupe, et lui demanda de les accompagner. Arrivés chez Nino, les deux musulmans furent surpris de ne trouver que des livres dans son appartement.

— Tu es comme notre prophète ! déclara Abd el Raouf. Toi aussi, tu as longtemps réfléchi, très longtemps… Et comme lui, un jour tu es tombé, tu as compris et tu t'es soumis. Ce jour où tu as vu la lumière, c'est aujourd'hui !

Nino récita la chahada, la profession de foi, cette si belle phrase en arabe, faite d'allitérations et de musique : « Il n'y a de dieu que Dieu... et Moha-med est son messager. » Il était comme absent à lui-même – à la fois le sentiment de toucher au but et une angoisse d'être au monde, totale, absolue.

De ce jour, Nino se fractura en deux... Il res-tait une part de l'ancien, qu'il retrouvait chaque matin à la fabrique, dans les yeux des autres, dans leurs plaisanteries, leurs références ; sa famille qu'il subissait maintenant, avec un vague sentiment de dégoût. Et cette nouvelle personnalité, murée, un peu raide, mais puissante, qu'il alimentait par sa fréquentation des réunions des militaires nationalistes et par sa présence de temps à autre à la mosquée. Car Abd el Raouf ne le voulait pas musulman comme les autres. Il voulait utiliser son profil inhabituel, juif, intellectuel, bientôt méde-cin... pour infiltrer les militaires et les cercles du pouvoir. Il le retrouvait plusieurs fois par semaine dans l'appartement de la rue Soliman-Pacha et lui parlait de révolution, de Dieu et de stratégie.

Ce jour-là, il lui confia une mission délicate, ten-ter de sauver le prince...

Rue Sidi-Gaber (Alexandrie)

En cette fin d'année 1941, la tension entre les Anglais et les Égyptiens était à son comble. Pour l'apaiser, le gouvernement égyptien avait octroyé aux bases alliées le statut de territoire étranger. Par conséquent, elles ne relevaient plus de la loi égyptienne, mais de la loi anglaise, et toute agression contre elles était sanctionnée en cour martiale. Une rumeur enflait néanmoins, rendant les Égyptiens de moins en moins faciles à contrôler : Rommel serait vainqueur et les Anglais préparaient leur retraite. On disait même que, à Kasr el Dobara, dans les bureaux de l'état-major, leur activité principale consistait à détruire les archives. Certains ajoutaient qu'ils appliqueraient une politique de la terre brûlée. Or la terre qu'ils envisageaient de brûler avant de partir n'était pas la leur, mais celle des Égyptiens. Dans une telle atmosphère, comme toujours, le roi tentait de calmer les puissants tout en préservant l'avenir. Farouk voulait maintenir à tout prix l'étrange neutralité de l'Égypte, se refusant à déclarer la guerre aux puissances de l'Axe.

Lundi 15 décembre 1941. Le vent commençait-il à tourner ? Pour la première fois, les Anglais, avec l'aide de leurs alliés du Commonwealth et des troupes polonaises, avaient enfin réussi à faire reculer l'Afrikakorps. Retranché à Ghazala, Rommel avait abandonné le siège de Tobrouk.

Nino arriva vers onze heures le matin et sonna à la grille – on l'avait prévenu que le prince ne se levait jamais avant dix heures. La veille, il avait pris le train de nuit, avait dormi par éclipses sur les bancs de bois de troisième classe, entre des paysans braillards et une grosse femme enveloppée dans plusieurs couches d'étoffe noire. Les paysans avaient parlé toute la nuit, avalé des kilos de pain aux fèves ruisselants d'huile, craché par terre l'écorce des bâtons de canne à sucre qu'ils mâchonnaient sans cesse. Ils s'étaient disputés, réconciliés, disputés à nouveau. Par bonheur, ils étaient descendus à Tanta. Il aurait pu en profiter pour s'endormir, mais les idées s'entrechoquaient dans son esprit.

Dès qu'il se trouva sur les quais, l'angoisse grimpa d'un cran. Les soldats britanniques étaient partout, examinant chaque voyageur l'air sourcilleux. Il quitta la gare d'Alexandrie-Misr à sept heures, en boitillant, le dos fracassé. Dehors, il tremblota devant les blindés, la mitrailleuse en batterie, entourés de dizaines de militaires fusil à l'épaule... Il avançait lentement, hésitant, cherchant où se diriger. Un jeune soldat, qui n'avait pas vingt ans, lui barra le passage. Il était grand, maigre, des lunettes sur le nez. Nino pensa que ce soldat aurait pu être lui s'il était né là-bas. Où ? Un Anglais, un Écossais peut-être... Il était roux. Nino expliqua en anglais qu'il était étudiant, presque médecin, qu'il venait faire un stage à l'hôpital d'Alexandrie. L'autre n'en demanda pas davantage et le laissa poursuivre sa route.

Il déambula le long de la corniche, attendant l'heure de sa visite. Bienfaits de la brise matinale, plus il marchait, plus il se sentait lavé des miasmes de la nuit. « N'as-tu pas honte ? se reprocha-t-il. Pourquoi un tel dégoût ? Que leur reproches-tu ? C'est ainsi qu'est le peuple d'Égypte, ce peuple que tu aspires à servir... » Et aussitôt, il nuança : « Servir le peuple d'Égypte, oui ! Mais l'éduquer d'abord... le tirer de sa lâcheté, de sa servilité complaisante, de sa saleté, oui... de sa saleté, surtout ! »

Il marcha en direction de Sidi Bishr, cette plage célèbre, lieu de rencontre estival des nantis. Mais c'était loin. Bientôt, il dut rebrousser chemin, bifurquer vers le Sporting Club, à proximité duquel se trouvait la demeure du prince.

Si l'on avait la chance d'être invité dans son

palais d'Alexandrie, ce qui n'était pas difficile puisqu'il aimait à s'entourer de la plèbe, on finissait par être introduit dans son bureau, dans son antre. Meubles de bois précieux, immense tapis persan couvrant la surface de la pièce... Au mur, une collection de sabres, de cimeterres et de poignards bédouins encadrait des trophées d'animaux sauvages, d'antilopes figées, de léopards au dentier surfait, de buffles au sourire fatigué. Royal, il s'installait dans son fauteuil comme en un trône, avant de vous inviter à entrer. À ses pieds, un gigantesque lion empaillé, long de plus de deux mètres, à la triste crinière raide, les yeux perdus. Il caressait la tête du lion, comme s'il s'agissait d'un chien. Menton en avant, sourire curieusement naïf, cheveux courts plaqués à la brillantine, Sa Seigneurie, le nabil Mohamed Abdel Halim, prince de sang royal, tenait à la main un verre de whisky.

— Voulez-vous un thé, mon jeune ami ? Ou bien une gazeuse ?... Un verre de whisky, peut-être ? Comment vous appelez-vous, déjà ?

Il avait un drôle d'accent en arabe, qui, manifestement, n'était pas sa langue naturelle... Ce ne devait pas être l'anglais, en tout cas, ni le français.

— Je suis honoré de me trouver en ta présence, ô prince ! Je m'appelle Nino, Votre Majesté, et j'ai un message urgent à vous délivrer.

— Nino, m'as-tu dit ?... Nino comment ?

Le jeune homme jeta un regard alentour. Sur un petit secrétaire contre le mur, une photo du prince, vingt-cinq ans plus tôt, casque d'aviateur en cuir, surmonté des lunettes, les yeux clairs, perçants... Nino lui désigna la photo.

— Vous avez fait la guerre dans l'aviation ?

Flatté, l'homme s'enfonça dans son fauteuil, mit une main sur une hanche, croisa les jambes. Il aimait être regardé !

— Dans la Luftstreitkräfte, l'armée de l'air allemande, oui ! J'ai combattu à l'est, sur le front russe, avant de rejoindre l'armée de l'air ottomane. Je devais avoir ton âge à l'époque. (Il éclata de rire, un rire gras de soudard.) Et sais-tu qui était l'un de mes camarades d'escadrille ? Un ami proche, je dois dire... Hermann !... Tu ne connais pas ? (Nouvel éclat de rire.) Hermann Goering, le héros allemand, aujourd'hui ministre du IIIe Reich... Tu ne vas pas me dire que tu n'en as pas entendu parler...

C'était donc vrai ! Ce que lui répétait Joe presque chaque jour, ce n'étaient pas des racontars... Le nabil était lié aux Allemands, et beaucoup plus que par une sympathie opportuniste.

Nino se leva pour observer les photos de plus près.

— Vous permettez ?

Le visage du prince s'éclaira d'un large sourire.

— Bien entendu ! Regarde ! Tu mesureras la

327

force que donne une jeunesse intense ; toujours promesse d'une vie accomplie.

L'attention de Nino se fixa sur une autre photo. On y reconnaissait le prince, debout, entièrement vêtu de blanc, pull à col roulé, pantalon de sport, tennis aux pieds. Il tenait par le collier un énorme dogue, tout aussi blanc que ses vêtements.

— Votre chien ? demanda Nino.

Le visage du prince se rembrunit.

— C'était mon chien ! Je l'ai enterré l'année dernière... Nous étions deux compagnons, liés à la vie, à la mort. Il s'appelait Panzer... C'est de l'allemand. Tu sais ce que ça veut dire ?

« Chien, fils de chien ! ne put s'empêcher de penser Nino. Pourquoi, diable, Abd el Raouf m'a-t-il envoyé chez ce pitre ? Pourquoi faudrait-il le sauver ? Qu'il pourrisse dans la prison des Britanniques ou dans celle que nous construirons lorsque nous prendrons le pouvoir, quelle différence ? » Mais Nino avait le sens de la discipline. Il répondit donc au prince :

— Non, je ne sais pas ! Qu'est-ce que ça veut dire ?

— Panzer, voyons... Panzer, ça veut dire « tank ». Et il éclata une nouvelle fois de rire. J'aurais pu l'appeler Reich... Mais c'était trop, n'est-ce pas ?

Tout le monde savait que Hitler avait vaincu les Polonais, les Tchèques, les Autrichiens, puis les

Belges et les Français, en une guerre éclair grâce à ses panzers. En Égypte, on parlait tous les jours de Rommel, qui défiait les Anglais en jouant comme un virtuose de ses bataillons de panzers… Rommel dont la présence planait sur l'Égypte comme l'ombre d'un immense oiseau noir. Alors appeler son chien Panzer… Il aurait pu tout aussi bien hisser un drapeau à croix gammée sur le pignon de son palais.

Le prince était un personnage extraverti ; ses intérêts étaient clairement affichés sur ses murs. Chasseur, donc, meurtrier de gros gibier, dont la date du décès était gravée en lettres dorées sur le cadre de bois de chaque trophée. Sportif, aussi, président du Club olympique, on le voyait parader en tenue d'escrimeur, de nageur, au guidon d'une bicyclette de course. Mais la plus belle photographie, agrandie, colorisée, le représentait au volant d'une Mercedes SSK noire, un bolide diabolique, à l'immense capot strié, traversé de six énormes tubes chromés… un bolide qui pouvait atteindre la vitesse de 230 km/h, déjà en 1930. Souriant, casqué de cuir, une main sur le volant, l'autre levée en salut romain…

— Sacré sportif ! s'exclama Nino. Une automobile pareille doit valoir des millions…

— C'est un cadeau !… Mes amis allemands connaissent ma passion pour l'automobile. Sais-tu que j'ai été éduqué en Allemagne ? J'y ai encore tant d'amis.

C'était donc cela, cet étrange accent en arabe. Il avait l'allemand sur le bout de la langue, pour ainsi dire. Quant à l'engouement pour l'automobile, Nino en avait entendu parler. Depuis 1936, le prince organisait, plusieurs fois par an, des rallyes dans le désert de l'ouest, pénétrant loin en Libye. Qu'avait-il en tête ? Il avait contribué à dresser des cartes qui, il y avait gros à parier, devaient être aujourd'hui bien utiles sur la table de campagne du général Rommel.

Le prince n'était pas un inconnu pour Nino, qui s'était rendu une fois dans sa villa du Caire, sur la corniche au bord du Nil, avec les camarades. Là, dans sa cave, il réunissait des groupes de syndicalistes nationalistes, que ses sbires formaient à la guérilla. Il avait assisté à leur entraînement... On les initiait au combat de rue, à l'utilisation des matraques, des fusils et à toutes sortes d'armes. Les formateurs expliquaient à des recrues éberluées comment renverser un tramway, comment mettre le feu à un magasin, à une synagogue ou à une église, comment déclencher une émeute...

Préparer le peuple à la lutte, l'idée était bonne, avait alors pensé Nino. Il savait qu'on ne pourrait expulser les Anglais sans recourir à la force. Il ne doutait pas du bien-fondé de l'entreprise, mais de la sincérité du prince, à le voir, tiré à quatre épingles, les cheveux gominés, sur ses trônes de bois, distribuant des ordres à une armée de serviteurs. Dès cette première rencontre, durant laquelle Nino s'était contenté de rester silencieux dans un coin, le prince lui était apparu comme un matamore égocentrique, dont la passion pour sa personne brouillait sa perception du monde. Mais Abd el Raouf avait expliqué à Nino qu'en politique on devait composer avec les forces en présence. Et le prince en était une, détenant d'une main les syndicats de camionneurs et de l'autre un lien fluide avec les forces allemandes.

— Alors, tu avais un message urgent à me transmettre ?

— Ô mon nabil, nous avons appris que les Anglais sont persuadés que des personnages importants, proches de la cour, transmettent à Rommel des informations militaires de première importance. Ils recherchent des postes émetteurs. Ils vont probablement venir fouiller votre maison du Caire.

— Et pourquoi ne m'as-tu pas téléphoné, espèce d'âne ? s'emporta le prince.

— Gamal m'a dit que les communications téléphoniques n'étaient pas sûres. Il m'a chargé de vous transmettre oralement le message. C'est ainsi que, toutes affaires cessantes, je suis venu vous prévenir.

Soudain, on entendit des véhicules freiner brutalement devant le palais. Bruits de bottes. Coups furieux frappés à la porte. Nino regarda le prince et ne put s'empêcher de lâcher :

— Cohen !

— Quoi ?

— Vous m'avez demandé mon nom… Je m'appelle Cohen. Nino Cohen !

Plus tard, alors qu'il croupissait en cellule, Nino s'était longuement interrogé sur ce qui l'avait poussé à décliner ce nom qui le désignait à l'évidence comme Juif. Provocation, sans doute, avait-il conclu ; façon de tester le prince, aussi, d'en avoir le cœur net sur les rumeurs d'antisémitisme qui circulaient à son propos.

L'officier britannique surgit dans la pièce, le pistolet au poing, suivi d'une dizaine de soldats brandissant des fusils. Il s'adressa au prince :

— Êtes-vous Mohamed Abdel Halim ?

— Pardon, monsieur ! Non pas Mohamed Abdel Halim, comme un domestique, mais El Nabil Mohamed Abdel Halim, s'il vous plaît ! Prince de sang royal… Oui, monsieur !

— Vous êtes en état d'arrestation. Voulez-vous nous suivre sans protester !

Le prince apprit par la suite que cette arrestation n'était pas liée à l'enquête que les services de renseignements menaient sur les agissements des proches du palais. Le motif en était à la fois plus simple et plus immédiat. La semaine précédente, il s'était rendu à une réception où grouillaient quantité d'officiers britanniques. Il s'était présenté dans son costume de militaire allemand. Il avait même clamé : « Il est comme neuf ! Je l'ai fait nettoyer. Je veux être impeccable, comme à la parade, pour accueillir le général Rommel lorsqu'il viendra prendre possession du palais d'Abdine, au Caire. »

Le prince et Nino sortirent tous deux du palais de la rue Gaber, les menottes aux poignets, encadrés d'un peloton de soldats anglais. Dieu sait pourquoi, Nino fut enfermé au Caire, rue de la Reine-Nazli, dans la prison des étrangers. Il n'était pas étranger, pourtant, pas égyptien non plus... seulement apatride.

Rue Osman-Bey

Masreya était devenue une beauté. De son père, elle avait hérité la stature, le caractère hautain et le maintien d'aristocrate ; de sa mère, la peau sombre et les yeux clairs qui, chez elle, tiraient sur le vert. Mais, à l'inverse de sa mère, elle ne craignait ni la perfidie des paroles des proches ni la réputation qu'en Égypte on réservait aux danseuses. À seize ans, elle était devenue une sorte d'étoile, sous son nom de scène, Ben't Jinane, qui pouvait signifier la « fille de Jinane », ce qui était vrai, ou « une fille de folie », comme on dirait « belle à la folie », ce qui était non moins vrai. Elle dansait dans les cabarets, les night-clubs et les music-halls. Elle avait créé un spectacle hybride, à mi-chemin entre danse orientale et revue américaine, et se produisait accompagnée d'immenses orchestres de dizaines de musiciens. Connue pour sa liberté de mœurs, elle n'hésitait pas à dîner avec un admirateur, à condition qu'il fût pacha, ministre ou, à la rigueur, banquier, mais toujours millionnaire.

Le destin lui avait souri depuis ses premiers pas d'artiste, à l'âge de treize ans, si bien qu'avec l'argent de ses cachets elle avait pu s'offrir une villa dans un des quartiers les plus riches du Caire, rue Osman-Bey, sur l'île de Roda, à quelques pas du Nil. Elle y vivait avec sa mère et ses deux gouvernantes, Ouahiba et Baheya, deux paysannes qu'elle avait fait venir du village de Kafr el Amar, dans le Delta. Son premier film, où elle donnait la réplique à Farid el Amesh, le célèbre chanteur et comédien, était un triomphe. Depuis, on voyait sa photo sur les couvertures des magazines et, gigantesque, sur les façades des cinémas. « Où cours-tu ainsi, maîtresse de la folie des hommes ? lui demandait Farid à qui elle refusait ses faveurs. À peine éclose, tu as obtenu ce que les plus grandes n'atteignent qu'à l'apogée. Ne penses-tu pas qu'un homme expérimenté tel que moi pourrait t'aider à éviter les embûches de l'existence ? »

Elle n'en avait cure. Elle savait mener ses affaires, la petite Masreya, confiant ses avoirs à un banquier copte, le vieux Boutros Nabil, la gestion de sa maison à sa mère, Jinane, qu'elle avait installée dans un appartement de sa villa, et sa carrière à un poète, le timide Kacim, qui avait toujours l'idée inattendue, la trouvaille de mise en scène qui la faisait briller. Mais la clé de son succès était ailleurs, dans la défense farouche de son indépendance. Elle avait l'habitude de dire: «La femme est une panthère, forte d'être sauvage. Capturée, elle devient folle ou se laisse mourir.» De l'histoire de sa mère, elle avait tiré la conviction que les malheurs surviennent aux femmes qui se laissent emprisonner par un homme. Aussi veillait-elle à en avoir plusieurs. À tous, elle interdisait l'accès à sa demeure, les rencontrant ailleurs, parfois chez eux, le plus souvent dans les hôtels de luxe de la corniche, le Semiramis quand ils étaient anglais, l'Intercontinental pour les autres.

Kacim, son poète producteur, amoureux d'elle à la folie, était le seul homme admis dans sa maison. Elle le recevait dans l'intimité de sa chambre, qui ouvrait sur une large terrasse donnant sur le Nil. Il lui faisait répéter ses numéros de danse, imaginait des chorégraphies nouvelles et composait des chansons qu'elle ne se décidait pas à chanter.

— Ma mère chante bien mieux que moi! s'excusait-elle.

— Mais ta mère ne chante plus, Masreya! Personne ne te comparera à elle. Tu pourrais l'égaler, la dépasser, sans doute.

— Ah, tu ne vas pas recommencer, Kacim! Je ne veux pas chanter seule sur scène. Je peux accompagner Farid ou même Abdelwahab; je l'ai

336

déjà fait. Mais occuper toute la scène par ma voix, je ne veux pas… Je ne peux pas !

Kacim repartait avec ses poèmes d'amour, qu'il recopiait dans un épais cahier dont il ne se séparait jamais. Quelquefois, il l'ouvrait, mesurant la précision et l'harmonie de ses vers. « Mon amour ne me jette pas un regard, moi qui guette chacun de ses gestes. »

Le vendredi, dès les premières heures, revêtue de la longue robe noire des paysannes, la tête enveloppée d'un foulard, Masreya, accompagnée de Kacim, commençait sa tournée chez ses riches voisins, sénateurs, avocats et hommes d'affaires. Elle s'en allait quérir l'aumône. Elle aimait ces moments où elle se replongeait dans l'humilité de sa condition. Son visage célèbre, son aura, son sourire lumineux lui ouvraient toutes les portes. Elle demandait pour nourrir les pauvres de la vieille ville, ceux qui grouillaient dans les ruelles puantes autour de la grande mosquée ; elle demandait pour bâtir un hôpital, un centre d'aide sociale ; elle demandait pour que l'Égypte appartînt enfin aux Égyptiens. Et les riches donnaient ; ils donnaient par dizaines de livres. Elle s'en revenait, le panier plein de billets de banque qu'elle comptait méticuleusement, inscrivant sur une feuille de papier chaque montant face au nom du donateur. Puis elle enveloppait son paquet d'argent dans un journal et partait à la mosquée pour la prière de la mi-journée. Elle s'arrêtait en chemin chez celui qu'elle appelait «le guide». Elle sonnait. Un jeune homme venait ouvrir, entrebâillait la porte, soupçonneux. «Le guide est en prière», disait-il invariablement. Elle glissait le paquet par l'ouverture, en baissant les yeux. Et il répondait par une bénédiction: «Que notre père te garde, ma sœur!»

Elle pressait alors le bras de Kacim et ils se dirigeaient tous deux, le pas plus léger, vers la mosquée. Et Kacim écrivait sur son cahier: «Elle aime qui elle ne connaît pas et ne connaît pas celui qui l'aime. Mon amour ne me jette pas un regard...»

Quelquefois Kacim osait une remarque: «Il est dangereux de fréquenter ces gens, tu le sais! Surtout par les temps qui courent... Il ne se passe pas un jour sans que l'un ou l'autre soit jeté en prison.» Elle esquissait alors un pas de danse, joyeuse, et s'exclamait: «Qu'est-ce que je fais de mal? Est-ce une mauvaise action de récolter de l'argent pour les pauvres?»

Ce jour-là, le vendredi 19 décembre 1941, lorsqu'elle revint de la mosquée, toujours flanquée de Kacim, elle aperçut une petite voiture de sport à deux places, garée devant sa villa. Elle ne l'avait jamais vue auparavant: verte, les ailes noires, décapotée, les sièges d'un beau cuir fauve. Au bruit des pas sur le gravier, les deux portiers, qui vivaient dans un cabanon dans le jardin, ouvrirent la grille à deux battants en s'inclinant. Ouahiba l'attendait sur le pas de la porte, une cruche d'eau à la main, et Baheya tenait une bassine pour ses ablutions. Elle grimpa vivement les marches, curieuse.

— Deux jeunes gens sont venus, ô fiancée ! Je les ai pourtant prévenus que tu ne recevais personne le vendredi, mais ils ont insisté.

— Tu ne les as tout de même pas laissés entrer, ô toi, la gardienne de ma vie...

— Bien sûr que non ! Mais ils ont dit qu'ils reviendraient. (Elle s'approcha de l'oreille de Masreya et chuchota.) L'un des deux, celui qui avait les cheveux noirs comme les ailes d'un corbeau, m'a dit : « Dis-lui simplement que son frère est passé la saluer. » Je sais que tu n'as pas de frère. Je lui ai dit que je ne le croyais pas. Il a éclaté de rire. « Je suis même son jumeau ! qu'il m'a dit... Garde-toi d'oublier, espèce de paysanne ! »

Masreya resta sur le pas de la porte, l'air songeur. Puis elle congédia Kacim, qui tenta de résister :

— Tu pourrais avoir besoin de moi si ces deux inconnus revenaient.

Non ! Elle voulait rester seule, se reposer, s'occuper de sa mère. Kacim repartit tristement, la tête basse, un vers de poésie lui trottant à l'esprit : « Une minute de son absence est pour moi un tombeau... Mon amour me regarde partir et ne pleure pas. »

Elle entendait la musique depuis le pas de la

porte. Elle retrouva sa mère, assise au piano. Jinane, qui ne connaissait pas le solfège, composait au clavier les musiques qui envahissaient son âme. Et lorsqu'elle était emportée par son élan intérieur, que ses doigts virevoltaient sans règle en une danse endiablée, le monde se réduisait à l'espace des mélodies. Elle les découvrait en les produisant, comme si un être, un musicien inspiré, s'était emparé de ses mains. Abandonnée à cette puissance, elle frappait les touches avec tant d'entrain, rythmant des pieds et poussant de petits cris, qu'elle n'entendit pas sa fille entrer au salon.

— Ô ma mère, regarde dans quel état tu t'es mise ! s'exclama Masreya.

Jinane s'interrompit, leva les yeux et sourit d'un air coupable. Sitôt sortie du lit, elle s'était jetée sur le piano ; ne s'était pas peignée, n'avait rien avalé, ne s'était pas même passé un peu d'eau sur le visage. La musique l'avait saisie du tréfonds de sa nuit, l'avait précipitée jusqu'à l'instrument...

— Attends ! Je crois que je tiens la mélodie dans tous ses détails. Je crains de l'oublier. Ah ! Si seulement je savais la noter...

Elle se remit à frapper sur les touches avec la sensation de l'urgence. Masreya haussa les sourcils en regardant Ouahiba qui levait les bras en signe d'impuissance. Et Jinane jouait, et Masreya écoutait, prise peu à peu par cette musique étrange qui

340

rappelait celle des soufis du Delta. Soudain, elles entendirent une voix provenant de l'entrée, claire comme une note de clarinette, qui vint se superposer très exactement sur la mélodie :

— Ô Nofal, ô Nofal, ô Nofaaaa...

Les deux femmes se retournèrent d'un seul mouvement. Zohar était entré sans sonner, suivi de son ami Joe qui, pour se donner une contenance, faisait tourner en cadence, autour de son doigt, la chaînette de son porte-clés. Jinane s'interrompit.

— N'est-ce pas la musique de mes paroles que vous étiez en train de jouer, ô maman ? demanda Zohar en s'inclinant respectueusement. Je dois dire que vous l'interprétez avec passion...

Jinane lui jeta à peine un regard, puis reprit de plus belle ; Zohar l'accompagna de ces paroles qui surgissaient intactes de sa mémoire : « Toi qui ressembles aux esprits de la nuit. Toi qui as la grâce de la gazelle. Ô Nofal, ô Nofal, ô Nofal... » Et il frappait dans les mains ce rythme ternaire, celui de la caravane de chameaux ; et les deux gouvernantes se mirent à leur tour à frapper dans leurs mains. Même les pieds de Masreya se laissèrent entraîner par le chant des êtres de la terre. Et la clé de Joe avait adopté une danse en mesure, autour de son doigt.

Jinane cessa enfin de jouer. Elle pivota sur son siège et, s'adressant à Zohar :

— Qui es-tu ? demanda-t-elle ; puis, souriant :

Le garçon des êtres ou un être ayant pris l'apparence d'un garçon ?

— Un garçon, ô maman ! Mon père s'appelle Gohar. Je m'appelle aussi Gohar. Gohar ebn Gohar, tel est mon nom, répondit Zohar, qui avait pris l'habitude de traduire son nom en arabe.

Masreya poussa un cri.

— Gohar !

— Tu le connais donc ! s'exclama Ouahiba.

— Si je le connais ?... Non ! Je ne le connais pas. Simplement, nous sommes faits de la même fumée. Alors, comment faire pour retenir deux fumées et les empêcher de s'assembler ? Cours donc chercher du thé, des confitures et des gâteaux.

Elle avait raison, la belle Masreya aux yeux couleur d'amande. Peut-on contraindre la fumée ? Elle traverse les cloisons les mieux gardées, s'infiltre sous les portes, s'épand par le moindre interstice, s'envolant retrouver ses semblables, les airs, les éthers, les vents et les parfums.

Jinane, la mère, cligna des yeux, troublée. Gohar... Les souvenirs affluaient en rafales. Elle se souvint des moments les plus durs de sa vie, du père de Masreya, rendu fou par sa grossesse. Et parut cette enfant, sa fille, Masreya, ce don de Dieu, qui lui avait rendu le goût de vivre, dès le premier mouvement qu'elle avait perçu dans son ventre, plus encore lorsque l'enfant avait poussé son premier cri... cette enfant qui emplissait de joie chaque jour de sa vie. Elle se revit à 'Haret el Yahoud, dans cette minuscule épicerie, avec cette famille juive terrifiée par la mort qu'elle seule avait le pouvoir d'écarter. Elle se toucha les seins. Ils n'étaient plus aussi fermes, ni aussi gros, mais les sensations étaient restées fixées aux mamelons, des deux nourrissons s'abreuvant de vie. Oui ! Jumeaux, ils l'étaient, non du même ventre, non du même sang, mais de la même vie. Et des larmes s'écoulèrent sur ses joues.

— Mes enfants ! balbutia-t-elle... Mes enfants, ô mon âme, ô ma vie...

Et les deux se précipitèrent d'un seul mouvement à ses pieds, Zohar et Masreya, chacun s'emparant d'une main sur laquelle ils posèrent leurs lèvres.

— Ô ma mère ! Et reprenant la célèbre chanson de Mohamed Abdelwahab, «Sett el 'Habayeb», Masreya chanta : «Mère-l'amour, ô ma chérie ! »

— Ô ma mère ! chanta Zohar à son tour : «Qu'Allah te garde pour nous, Mère-l'amour, ô ma chérie ! »

Et encore, ensemble : «Toi dont la souffrance est amour, dont l'inquiétude est amour, dont l'existence est amour, qu'Allah te garde pour nous, Mère-l'amour, ô ma chérie... »

Joe contemplait la scène sans comprendre. Bien des fois, il s'était demandé d'où provenaient les singularités de son ami intime qu'il fréquentait depuis de longues années. Et voici qu'il le voyait dans une maison arabe, aux pieds d'une femme arabe qu'il désignait comme sa mère. « Mais tu es juif ! protesta Joe. Comment ta mère peut-elle être arabe ? Comment pourrais-tu avoir une sœur musulmane ? » Personne ne lui répondit.

Les gouvernantes revinrent, portant des plateaux. Ils s'installèrent sur la terrasse, buvant du thé, goûtant aux confitures dans des cuillers d'argent qu'ils trempaient ensuite dans des verres de cristal remplis d'eau pure. Ils évoquèrent un peu leur passé, mais si peu. Comment auraient-ils pu ? Il était noyé dans une sorte de brouillard protecteur. Pour Jinane, il restait douleur du ventre ; Zohar et Masreya n'en connaissaient que des bribes, qu'ils préservaient jalousement dans le secret de leurs rêves. Retrouvailles intenses, pourtant ; sensations difficiles à décrire, émotions immédiates et fugaces… Ils restèrent ensemble jusqu'au soir, parlant le monde tel qu'il avait été et le monde tel qu'il allait. Naturellement, ils évoquèrent la guerre qui frappait aux portes de l'Égypte. Alexandrie et plusieurs villes du Delta avaient été bombardées par les forces de l'Axe. Ils remerciaient Dieu d'avoir épargné le petit village de Kafr el Amar, les bufflonnes et les poules de la famille de Jinane. Heureuse, elle se remit au piano, joua la chanson d'Abdelwahab, et les enfants, frère et sœur de lait, la chantèrent encore et Joe finit par joindre sa voix à la leur. Lorsqu'il fut temps de repartir, arriva la question. C'est ainsi que l'exige la politesse égyptienne, on ne révèle l'objet de sa visite qu'au moment du départ.

— Il y a longtemps que tu connais mon existence et sans doute mon adresse. Au Caire, tout le monde me connaît, affirma Masreya. Qu'est-ce qui t'a conduit jusqu'à moi précisément aujourd'hui ?

— Tu peux m'aider, ma sœur, mon amour !

Elle sourit.

— Tais-toi, idiot de la ruelle ! Tu veux qu'on m'interdise de te revoir ?

— Qui pourrait t'interdire quoi que ce soit ? Mon ventre t'appelle, reprit Zohar, mon âme est la tienne. Et, se souvenant des paroles du Cantique de son père, il les traduisit pour elle : Que tu es belle, ma bien-aimée, que tu es belle !

— Tais-toi Gohar ebn Gohar, petit Juif de la 'hara, on va finir par te couper la langue. (Elle lui prit la main, l'entraîna dans le couloir.) Dis-moi encore tes paroles sacrées.

Et Zohar continuait de traduire :

— Tu me fais perdre les sens, ô ma sœur, ô ma fiancée ; tu me fais perdre les sens par un seul de tes regards…

— Tais-toi, ô mon frère fou dont j'aime la folie… Mon frère fou qui me rends folle. Tais-toi ! Je tremble de ta présence, comme si tu étais le vent. Comment pourrais-je t'aider ?

— Te souviens-tu comme je t'ai éveillée ?

— Vantard ! La morve te coulait du nez. Tu ne connaissais rien de l'amour ; j'ai guidé tes yeux, j'ai guidé tes mains, je t'ai montré le chemin... Aurais-tu oublié, ingrat ?

— Sous les seins de ta mère... C'est là que je t'ai éveillée, à peine sortie du ventre. C'est toi qui as oublié...

— Arriéré pouilleux ! Personne ne se souvient de jours aussi anciens... Allez, dis-moi vite comment je pourrais t'aider. Je ne peux rester ainsi seule avec toi devant les gouvernantes...

— Je dois te voir... cette nuit !

Elle hésita. Mais elle s'était fixé pour règle de ne jamais quitter sa maison le vendredi. Et puis, qui était vraiment ce diable qui avait surgi dans sa vie dès les premiers instants et qui s'y installait à chaque fois comme un propriétaire ? Elle avait besoin de se ressaisir, d'y penser tranquillement.

— Cette nuit... je ne peux pas !

— Embrasse-moi d'un baiser ; un baiser de tes lèvres sur mes lèvres...

— Idiot !

Elle posa ses lèvres contre les siennes et un bourdonnement étrange envahit les oreilles de Masreya, couvrant tous les sons du monde. Seul le battement de son cœur, répercuté dans ses tempes, à son cou, sur son ventre, dans son sexe... Il la poussa contre le mur, caressa ses jambes.

— Que tu es belle, ô ma fiancée, ô ma gazelle…
Elle le repoussa.
— Arrête ! Non… Pas ici.
— Cette nuit ? insista Zohar.
— Non ! Je te l'ai dit… La nuit prochaine !
— Le temps presse.

Ô Masreya, toi qui te sais bénie, que n'as-tu respecté l'interdit, le seul qui t'était imposé, non pas celui du sang, mais celui du lait ? Ô Zohar, toi l'enfant des êtres, qu'as-tu à toujours interroger les règles et les lois ? Fumées ! Qu'êtes-vous intéressés par les sensations de vos corps. Vos corps ne sont qu'illusion. Vous êtes tous deux fumées… Alors, évitez les humains, passez haut dans le ciel, confondez-vous aux mouvements incessants des nuages car il vous en coûtera, le savez-vous, de troubler l'ordre des mondes ?

Ils se retrouvèrent le lendemain au coucher du soleil. Joe avait emprunté la limousine noire de son père, une Packard, que l'on aurait dite voiture de ministre ou même peut-être de roi, avec une vitre de séparation entre le chauffeur et les passagers arrière. Il avait revêtu un costume noir et son nœud papillon l'était aussi. Lorsqu'elle franchit la grille, il se précipita pour lui ouvrir la portière, retirant sa casquette et s'inclinant jusqu'à terre.

— Princesse des ombres, déesse des nuits, daigne fouler de tes pieds la modeste automobile de mon maître…

Elle pouffa de rire. Elle n'avait pas encore posé ses fesses sur les coussins de velours qu'il démarrait en trombe. Elle retomba sur les genoux de Zohar.

— Holà ! cria Zohar en frappant sur la vitre.

— Où m'emmènes-tu ?

Il fit glisser la vitre de séparation et dit à Joe :

— Chauffeur… Aux pyramides !

Ils filèrent le long de la corniche. Masreya baissa la vitre, sortit sa tête, laissant virevolter son foulard au vent du soir. Elle chantait aux passants :

— Avec toi… avec toi… le monde est si beau avec toi…

Reconnaissant la chanson du divin Farid, Zohar enchaîna :

— Lorsque tu me rejettes, lorsque tu m'accueilles, quel que soit l'endroit, je serai avec toi…

— Avec toi, reprenait Masreya, avec toi, que le monde est beau avec toi.

Sur la longue ligne droite de la somptueuse avenue des Pyramides, le vent s'engouffrait par les fenêtres et ils riaient. Ils parlèrent longtemps, au café des Pyramides. Ils se relatèrent mutuellement leur sortie hors des ruelles du vieux Caire pour parvenir jusqu'aux villas des bords du Nil et aux immeubles cossus des grandes artères. Ils se racontèrent, œufs de crocodile, pondus le même jour et enterrés dans la boue du rivage, éclos au hasard des jours de soleil, attirés l'un vers l'autre par l'instinct et se retrouvant pour l'amour. Comme les crocodiles, ils étaient du Nil, à jamais... Ils s'embrassèrent en public, s'attirant les sifflets des passants. Les « N'avez-vous pas honte... devant les enfants... » Et ils riaient encore ; et ils recommençaient. Ils évoquèrent des avenirs grandioses, elle détrônant Taheya Carioca, l'érotisme incarné en danseuse, et Oum Kalsoum, la voix de Dieu ; lui, régnant sur un empire fait de puissance et d'argent, éclipsant Cicurel et le baron Menasce. Joe, continuant à tenir son rôle, remplissait leur coupe de champagne avant qu'elle se vidât. Ils étaient jeunes ; ils étaient beaux. Rien ne les retenait, explorateurs d'un monde naissant qu'ils créaient en bougeant, en souriant, en parlant. Ils coururent dans la nuit, se tenant par la main. Ils criaient leur joie. Et Joe les regarda partir.

Ils grimpèrent à pied la grande pyramide en pleine nuit, sautant, comme des cabris, de pierre en pierre. Lorsqu'ils montèrent si haut que nul ne pouvait les voir, elle s'assit entre ses jambes. Elle haletait encore lorsqu'il prit ses lèvres. Elles avaient un goût de fleur d'oranger. Elle se serra contre lui ; il se serra contre elle et c'était comme deux aimants qui venaient se coller l'un à l'autre... Qu'était cette force incoercible qui les poussait jusqu'à se confondre, bien plus que du désir, amour serait trop faible encore, une puissance, un cataclysme. Elle voulait ralentir sa vigueur et lui, son corps ne songeait qu'à s'abîmer en elle. Elle dit : « Tu réalises que nous nous trouvons sur un tombeau ? Les pyramides, ce ne sont rien que des tombeaux. Et dessous repose le cadavre d'un roi. » Il éclata de rire. « Eux, les pharaons, savaient qu'il n'est d'autre femme que sa sœur... » Et il ferma les yeux, l'Égypte, elle, Masreya, son double et sa moitié, les pharaons, la lune qui était aux trois quarts pleine, une chaleur qui envahissait sa poitrine. Il lui traduisit les mots de son père, ceux du Cantique : «... soixante reines et quatre-vingts concubines et des jeunes filles sans nombre... Unique, tu es mon unique, parfaite. » Cette nuit, au moment où leur plaisir atteignit son apogée, lorsqu'il gémit, lorsqu'elle cria, un milan se posa sur la pierre, au-dessus de leurs têtes, il étendait les ailes comme s'il voulait les protéger et l'air respirait un parfum de myrrhe.

Ô Zohar, toi dont la bouche porte des paroles anciennes ; ô Masreya, toi dont le destin est celui d'une nation, pourquoi vous retourner sur vous-mêmes, vous enivrer de votre amour ? Qu'avez-vous d'extraordinaire ? Ne savez-vous pas que chaque homme possède un double féminin caché dans l'éther ; chaque femme un double masculin circulant à l'envers, sous ses pas ? Ils s'en portent mieux de ne jamais les croiser.

Repus d'amour, ils descendirent lentement, pierre après pierre, se tenant par la main et remerciant Khéops. La portière de la voiture était grande ouverte. Au volant, Joe les attendait en fumant une cigarette, impatient. Sur la route du retour, vint le moment où elle lui demanda comment elle pourrait l'aider. Il lui expliqua qu'un ami très cher, un frère, son double, pour ainsi dire, avait été arrêté pour activités subversives. S'il n'agissait au plus vite, son ami serait jugé par les Anglais, en cour martiale, peut-être. Il disparaîtrait dans une geôle pour des années, dix ans, davantage… Masreya se raidit.

— Activités subversives ? Que veux-tu dire ?

— Nationaliste… Communiste, je ne sais pas exactement.

— Bon ! Qu'attends-tu de moi ?

— Que tu convainques le roi d'intervenir…

— Le roi ?

— Mais oui ! Le roi ! Toi seule pourrais y avoir accès.

Il venait de l'atteindre au cœur de ses rêves les plus secrets. Tout le monde connaissait le goût de Farouk pour les très jeunes femmes, surtout les artistes, les danseuses, les chanteuses. Masreya, qui avait connu bien des galants, à qui elle consentait parfois, quoique parcimonieusement, les plaisirs de la nuit, comprit que la proposition de Zohar serait son chemin vers le sommet. Elle avait une idée assez confuse de ce qu'elle souhaitait précisément atteindre, sinon que c'était au plus haut.

En Égypte, le sommet avait un visage et un nom : c'était le roi, il s'appelait Farouk Ier. Lorsqu'elle fermait les yeux, c'était le visage du roi, tel qu'il apparaissait sur les photographies officielles, fier, le front bombé, le nez parfait – c'était ce visage qui la berçait. Bien des fois, elle l'avait imaginé dans la salle, lorsqu'elle dansait, la réclamant à sa table après le spectacle, lui adressant chaque jour des dizaines de bouquets de roses, lui offrant des bijoux, des automobiles, des villas… Et voilà que son frère, son jumeau de lait, ce diable de Gohar ebn Gohar, venait lui tendre le miroir de son rêve. Elle demanda encore :

— Comment s'appelle ton ami ?

— Nino ! Nino Cohen.

— Et le roi ? Comment ferais-je pour arriver jusqu'à lui ?

— Pour cela, je m'en charge.

— Comment feras-tu pour me faire rencontrer le roi ?

— Laisse-moi faire, je te dis. Mais le moment venu, ne me lâche pas !

*

Dimanche 21 décembre. Joe avait réussi à se faire inviter à la réception que donnait la princesse Chiwiakar, première épouse du roi Fouad, et donc belle-mère du roi Farouk, à l'occasion des fêtes de fin d'année. Cette fois, il emprunta à la fois la Packard de son père et son chauffeur. Smoking de circonstance, col cassé, nœud papillon, ses cheveux bruns dorés par le soleil peignés en arrière, ses taches de rousseur disséminées autour de son nez, ses yeux fauves, sa démarche athlétique... il se dirigeait vers le bar, attirant le regard des élégantes. Il tomba sur Zacco Calloghiris, un journaliste qu'il avait rencontré lors des réceptions au palais di Reggio. Il entama la conversation, se disant qu'il saurait lui indiquer le nom des invités. Les Rolls de la famille royale initièrent le ballet ; puis vinrent celles des princes, des princesses et des nabils... Et l'autre, le journaliste grec, fier de ses connaissances, de décliner :

— Le prince Mohamed Ali Hassan... c'est le fils du prince Hassan Pacha, qui était lui-même fils du khédive Ismaël. Vous vous rendez compte ?

Joe hochait la tête, l'air impressionné.

— Et là, regardez ! Le prince Omar Toussoun... C'est le petit-fils de l'ancien vice-roi, Mohamed Ali Pacha...

Joe ne savait que répondre. À la différence de sa mère, il ne s'était jamais intéressé aux complexes généalogies de la famille royale. Que pouvait-il faire d'autre que comparer la qualité des automobiles ? Il essaya :

— Sa voiture semble plus ancienne que la précédente...

Il prononça cette phrase presque au hasard ; la plupart des Rolls étaient noires, les pneus à flancs blancs, d'énormes lanternes à l'avant et cette calandre en forme de temple grec... Puis vinrent les ministres précédés du chef de cabinet, l'aristocratique Ahmed Hassanein Pacha...

— Extraordinaire ! s'extasiait Zacco, à la fois *sir* chez les Anglais et *pacha* chez les Turcs.

Joe s'ennuyait. Il quitta le bar, s'approcha d'une femme, journaliste elle aussi, une petite brune, les cheveux frisés comme une brebis. Elle couvrait l'événement pour *L'Égyptienne*...

— Vous ne connaissez pas ? La revue de Mme Naguib. Une revue culturelle centrée sur les femmes...

Joe n'en avait jamais entendu parler, mais il comprit rapidement qu'il tenait cette fois la bonne informatrice. Elle connaissait chacune des femmes qui s'avançaient maintenant vers l'entrée de la maison.

— Là, la princesse Toussoun... avec cette magnifique robe de velours noir brodée de strass. Impressionnante, ne trouvez-vous pas ?... Oh, ma mère ! La princesse Irène de Grèce ! Je n'aurais jamais pensé que les dernières toilettes arrivaient encore de Paris. Vous voyez, là, en tulle bleu marine, scintillant de paillettes noires... C'est signé Balenciaga ! Oui, monsieur !... Vraiment high... Dernier cri... Quelle classe !

Elle plaisait à Joe, la petite journaliste.

— Vous avez remarqué comme le corsage est serré à la taille ? La « taille de guêpe »... C'est la mode à Paris ! Il tenta :

— Et vous ? Comment vous appelez-vous ?

Mais elle était bien trop occupée à noter sur son carnet les toilettes des princesses.

Soudain, les regards se tournèrent vers les grilles. Une nouvelle Rolls-Royce venait d'entrer, précédée de deux motocyclistes, des militaires, en costume d'apparat. Celle-là était immense, entièrement décapotée, avec deux pare-brise, un phaéton. Elle roula sur le gravier jusqu'au pied des marches. Une petite femme, la quarantaine, au joli visage, sortit de l'auto avec une lenteur calculée.

— Lady Killearn... la grâce incarnée. Avez-vous remarqué cette robe d'un mauve lumineux ?

Joe reconnut le mari en revanche, un géant de près de deux mètres, énorme, et la voix de baryton qui ordonnait à ses gardes de le suivre.

— C'est Lampson ! dit Joe, l'ambassadeur de Grande-Bretagne, n'est-ce pas ?

Mais elle aimait les titres. Elle le corrigea :

— Lord Killearn, oui ! Sir Miles Lampson, si vous voulez.

Joe insista. Il voulait connaître le nom de la journaliste.

— Et vous ? Dites-moi au moins votre prénom...

Mais déjà, elle était attirée par une nouvelle personnalité.

— Une beauté, cette femme !… Là, en robe de tulle rose brodée de paillettes… Comment ça… vous ne la connaissez pas ? Hélène Mosseri, la dernière épouse d'Élie Mosseri !

C'était donc elle ! Joe poussa un soupir de soulagement. Il n'était pas certain qu'elle viendrait. Il la dévisagea. D'immenses yeux verts, une bouche de rose et cette chevelure rousse dégringolant en savantes arabesques à la Hedy Lamarr… majestueuse !

— Voudriez-vous me présenter ? demanda Joe.

La journaliste se tourna vers lui brutalement.

— Je croyais que vous vouliez connaître mon nom…

Il balbutia une excuse. C'était sans rapport… Mme Mosseri, c'était pour une affaire… alors qu'elle, la journaliste, il la trouvait si mignonne. Mais elle ne l'écoutait plus, heureuse, au fond, de tenir un motif de parler à celle que tout le monde appelait « la belle Hélène ».

— Venez !

Telle était la mission que lui avait confiée Zohar, la raison pour laquelle il lui avait demandé de se rendre à la réception de la princesse Chiwiakar : approcher la belle veuve. Il devait s'introduire auprès d'elle, gagner sa confiance, la convaincre… Élevé dans le sérail, Joe avait appris à se comporter en société. Il arrangea son nœud papillon, boutonna la veste de son smoking et suivit la journaliste qui se frayait un chemin entre les élégantes et les personnalités politiques.

— Madame Hélène Mosseri, vous vous souvenez de moi ? demanda-t-elle avec un sourire figé. Mais si ! L'interview que vous m'avez accordée pour *L'Égyptienne*... Vous vous souvenez, bien sûr ! Vous m'aviez parlé de votre enfance à Alexandrie, de votre rencontre avec Mosseri Bey... Je suis Reina Sawiris, reporter free-lance. Nous avons bu un café chez Groppi et discuté tout l'après-midi...

— Je me souviens de vous, bien sûr ! Vous avez la plume élégante, mademoiselle...

Alors qu'elle se retournait pour poursuivre ses mondanités, Joe lui toucha le bras.

— Madame Mosseri ! Pourriez-vous m'accorder un instant ?

Elle se retourna vivement et, lui jetant un regard sévère :

— Nous n'avons pas été présentés, jeune homme !

— Di Reggio, madame, Giuseppe di Reggio...

— Reggio... les Reggio de Zamalek ?

— Ephraïm di Reggio est mon père.

— Ah oui...

Elle consentit alors à le suivre à l'écart. Il lui parla longuement. Il faisait de grands gestes avec les mains, s'interrompait, éclatait de rire, parlait encore. Reina les observait de loin. « Ça alors ! marmonnait-elle... Le fils di Reggio ! Mais où donc se cache sa baronne de mère ? » Elle se rapprocha avec l'intention de lui poser la question et surprit les derniers mots de leur conversation. « On vous demande seulement de la présenter au roi, rien de plus ! insistait Joe. Vous savez créer l'événement à la perfection... »

Reina retrouva Joe. Ensemble, ils sillonnèrent la réception. Elle parlait sans cesse. Vers vingt-deux heures trente, alors que les invités s'éloignaient par grappes, il lui proposa de la raccompagner. La nuit était fraîche en cette fin de décembre. Elle accepta sa veste ; il lui entoura l'épaule. Serrés l'un contre l'autre, à l'arrière de la Packard, ils prirent la route d'Héliopolis.

Villa Mosseri

Hélène Mosseri eut du mal à joindre le roi en cette fin d'année. Il était parti pour Louxor où il devait passer les fêtes de Noël en famille, une centaine de personnes au moins... Il y avait les parents de la reine mère, l'impétueuse reine Nazli, qui avait escompté régner sur l'Égypte par l'entremise de son fils, le trop jeune roi Farouk, et les parents de la reine Farida, l'épouse du roi, qui, malgré son jeune âge, avait décidé d'occuper la fonction à laquelle la destinait son mariage. Rien n'allait plus entre ces deux femmes, intelligentes, belles, et reines, qui avaient toutes deux le goût du pouvoir. Ministres, cousins de la famille royale, chambellans et personnalités influentes se répartissaient entre les deux clans.

La guerre avait commencé dès la première secousse du train, s'était envenimée au Winter

Palace Hotel, où une aile entière avait été réservée à la royale compagnie. À la fin de la première semaine, le conflit était devenu frontal, remarques acides de l'une, retards volontaires aux repas de l'autre, maladies prétextées pour échapper aux visites touristiques… peu à peu un insupportable malaise s'était installé. Déchiré entre les récriminations de sa mère qui considérait qu'elle n'était pas traitée selon son rang et la perpétuelle jalousie de sa femme, Farouk se réfugiait auprès des deux archéologues, Howard Carter, le célèbre profanateur de sépultures qui avait ouvert le tombeau de Toutankhamon, et le chanoine Étienne Drioton, un prêtre archéologue français, pilleur d'objets fétiches pour le compte de son gouvernement, qui avait été placé à la tête du service des Antiquités et des musées du Caire.

À la différence de la guerre des reines, celle des savants amusait le roi. Carter prenait des mines de philosophe antique, prétendant qu'il connaissait l'emplacement de la tombe d'Alexandre le Grand, alors que le chanoine, béret basque enfoncé jusqu'aux oreilles, rouge d'excitation et voulant accaparer l'attention de Farouk, proposait de lui révéler les secrets de la médecine des pharaons. Cependant, les fantaisies des deux chercheurs lassèrent vite le roi. Sous la constante surveillance de l'une ou l'autre reine, il pouvait à peine poser un regard sur une attirante jeune fille et certainement pas s'éclipser pour une partie de cartes au casino.

Le coup de téléphone le tira de la léthargie dans laquelle il commençait à s'enliser.

— Votre Majesté, c'est Hélène... Je vous appelle depuis Le Caire. Hélène Mosseri !

Il regarda autour de lui pour s'assurer que personne ne pouvait surprendre leur conversation.

— Hélène ! chuchota-t-il. La belle Hélène !... Vous ne pouvez soupçonner combien je suis heureux de vous entendre.

Farouk prétexta ses devoirs de souverain, une visite obligatoire à ses sujets perdus dans les oasis du sud du pays et prit la fuite. Après un long détour par la haute Égypte, il parvint au Caire le jour de Noël.

Samedi 25 décembre 1941. Vingt heures, rue Ismaël-Pacha, entre les arbres touffus d'un parc privé, les trois étages de la villa Mosseri étaient illuminés. Hélène s'était endormie sur son sofa, tenant mollement le dernier numéro de la *Revue du Caire*. Farouk, en costume de ville, la tête découverte, des lunettes de soleil sur le nez malgré la nuit, glissait silencieusement au volant de sa Mercedes rouge. Elle lui avait parlé d'une surprise. Il avait insisté pour savoir. «Votre cadeau de Noël, Sire !» Une arme ?... Un revolver, ou une carabine de chasse, une américaine, une Remington, peut-être... à moins qu'il ne s'agisse d'une fille, ah oui, c'était cela ! Une fille… Mais en ce cas, où allait-il la rencontrer ? Certainement pas dans la villa… Qu'avait encore mijoté son amie Hélène ?

Ils se connaissaient depuis peu mais un lien subtil s'était noué dès le premier jour. C'était lors d'une réception, un an plus tôt, dans les salons de Hassanein Pacha, son chambellan. Il ne parvenait pas à détacher les yeux d'un magnifique poignard ancien à la crosse d'ivoire, posé sur un meuble dans son étui d'argent ciselé. « Lequel ? » lui avait demandé Hélène. Il avait répondu sans réfléchir : « Celui de droite, bien sûr. Il est en argent. » Elle avait disparu durant quelques minutes. Lorsqu'elle était revenue, il avait à peine perçu un frôlement sur le bras. Il avait machinalement fourré la main dans sa poche et y avait trouvé le poignard. Elle l'avait volé pour lui. Ils s'étaient regardés. Il lui avait souri. Elle avait seulement cligné des yeux. Assurément, cette femme percevait ses désirs secrets. Son mari, Élie Mosseri, sans doute l'homme le plus riche d'Égypte, l'avait épousée en troisièmes noces. Il avait perdu précocement ses deux premières femmes, toutes deux choisies dans la petite communauté des Juifs patriciens. Mais la troisième, Hélène, la bien nommée, était grecque, jeune, très belle et sans le sou. Lors d'un dîner, Farouk lui avait glissé : « Méfiez-vous de votre mari. Il a déjà fait disparaître deux épouses. » Elle avait éclaté de rire et avalé son verre d'un trait.

« Ne vous en faites pas pour moi, Sire ! Une vraie femme est comme la terre. Elle survit à ceux qui la piétinent. »

Farouk n'avait jamais eu de véritable ami. Seul garçon, seul héritier mâle chargé d'assurer la permanence d'une dynastie qui remontait à Mehemet Ali, il avait été physiquement choyé et mentalement abandonné, confié à de vieilles gouvernantes anglaises, sadiques et obstinées. Les seuls êtres avec lesquels il avait établi un lien étaient un électricien italien, Antonio Pulli, qui remplaçait les ampoules et réparait l'électrophone, et un petit chat, qu'il portait dans les couloirs de l'immense palais de Koubbé. Il s'était tourné vers les objets, les armes, les poignards, les sabres et les fusils dont l'extraordinaire collection s'agrandissait chaque jour, et les automobiles qu'il amassait par dizaines dans ses garages. Ne parvenant à percer le secret de la vie, il s'était rabattu sur la mécanique, dont le fonctionnement était, à l'évidence, plus simple. La solitude affective avait engourdi ses sentiments, comme si son âme s'était peu à peu drapée de coussins d'ouate. Alors, ses sursauts d'existence se manifestaient sous forme de décharges, celle de la frayeur, surtout, avec laquelle il flirtait en commettant des larcins : Farouk était devenu cleptomane. Dans son entourage, peu le savaient, le fidèle Antonio Pulli, certainement, qui suivait partout le souverain et remboursait à chaque fois qu'il le pouvait le prix des objets subtilisés. Comment Hélène avait-elle perçu les travers du roi ? Sans doute avait-elle un don, elle qui lui avait offert sa complicité dès leur première rencontre.

Le gardien ne le reconnut pas. Le roi lui glissa dans la main un généreux bakchich afin qu'il lui ouvrît les grilles, et s'avança au pas dans les allées, le moteur au ralenti, jusqu'au manoir. Il veilla à ne pas claquer la portière et grimpa l'escalier sur la pointe des pieds. Farouk aimait se dissimuler. Il lui arrivait, le vendredi, de se rendre à pied dans une mosquée pour prier comme un quidam parmi le peuple. Et lorsqu'on le reconnaissait et qu'on voulait l'honorer selon son rang, il déclarait : « Mais non ! Devant Dieu, nous sommes tous égaux ; il n'existe ni roi ni maître. » Paroles qui lui valaient l'admiration et l'amour du petit peuple. Pouvaient-ils se douter, les humbles croyants, que leur roi jouait avec la frayeur d'être surpris, démasqué, pour cette petite montée d'adrénaline qui lui donnait, quelques instants, une poussée vers la vie ?

Il parvint à l'étage sans faire de bruit, poussa la porte et fut déçu de trouver Hélène endormie. Il ne pourrait surgir derrière elle, lui saisir la taille d'un geste brusque pour la faire sursauter. Il tira une chaise et s'assit à son chevet.

Bien sûr qu'ils avaient eu une aventure. Il avait même été amoureux d'elle, deux semaines, trois tout au plus. Le mari d'Hélène était encore vivant à l'époque. Ils s'aimaient ici même, dans ce salon, alors que le vieux agonisait derrière la porte. Elle se préparait longuement, comme une courtisane de harem, consacrant son corps par de surprenants parfums, choisissant des dessous évocateurs de satin ou de soie. Ils s'installaient sur le sofa, côte à côte, selon un immuable rituel. Les choses devaient sembler en ordre, comme s'il s'agissait de prendre le thé entre personnes de bonne compagnie. Elle faisait toujours le premier pas, s'emparant doucement de son sexe, le caressant avec douceur, flattant sa virilité. À chaque fois, il était surpris par son érection, comme s'il était persuadé que la précédente avait été la dernière. Elle louait sa vigueur, usant de mots qu'elle voulait poétiques. «Regarde comme monte ton pigeon. Il aspire au ciel.» Et il souriait, à moitié effrayé, heureux de transgresser l'ordre mortifère du protocole pour un clignement de désir. Lors de ces rencontres d'après-midi, il ne s'était jamais demandé si elle l'aimait. Qui donc pouvait éprouver sans arrière-pensée des sentiments pour le roi?

Plus d'un an avait passé. Voilà bien longtemps qu'ils n'avaient plus de relations sexuelles. Mais elle lui avait démontré une complicité au-delà des sens, en deçà des paroles, la perception immédiate de ses besoins. Et aujourd'hui, une fois encore, elle avait ressenti à distance l'ennui qu'il éprouvait dans cet hôtel de Louxor, loin des bruits de la capitale ; une fois encore, elle était venue le sauver... La belle Hélène, la bonne Hélène !

Elle ouvrit un œil et sauta sur ses pieds.

— Votre Majesté !... Je suis confuse. Je m'étais endormie. Je ne vous ai pas entendu entrer.

Elle lui prit la main et s'inclina pour la baiser. Il la retira vivement en éclatant de rire.

— Voyons, Hélène ! C'est ma faute. J'étais en retard... Pour un rendez-vous avec mon chambellan des plaisirs, qui plus est... Quelle faute de goût !

Il était grand. Il avait grossi, plus imposant encore, avec ses épaules de lutteur. Elle se souvenait de son mariage quatre ans auparavant, au palais de Koubbé, à la veille de ses dix-huit ans. C'était un magnifique jeune homme, la taille élancée, sportif, les yeux clairs, les lèvres sensuelles, une fine moustache d'aristocrate... Mais il avait déjà cet air absent et, lorsqu'il parlait, on avait l'impression qu'il lisait un texte suspendu derrière le dos de son interlocuteur.

Ils bavardèrent un moment. Comme toujours, Farouk cachait sa gêne – sa peur fondamentale en présence du vivant – derrière une attitude condescendante. On disait de lui qu'il aimait écouter les autres. La vérité est qu'il s'était composé une attitude de réserve un peu distante, un peu moqueuse, qu'il imaginait celle d'un roi. Elle évoqua les inquiétudes des Égyptiens, la guerre qui s'infiltrait partout comme le sable du désert les jours de khamsin. Elle en vint à ce qui devait le préoccuper, les militaires britanniques qui avaient envahi les rues du Caire, leurs camions, plus nombreux que les automobiles, les bruits insistants sur leurs exigences, notamment la révocation du Premier ministre, l'aimable Sirri Pacha... Toutes ces nouvelles incertaines qu'on lisait dans la multitude de journaux qui avaient fleuri dans toutes les langues. Et Farouk, toujours souriant, ne répondait pas.

— Je suis impardonnable ! s'écria-t-elle soudain en se précipitant vers la porte...

Elle allait appeler Moustapha, le majordome, lui demander de leur servir une collation, mais le roi lui fit signe de loin, un doigt sur les lèvres...

— Chut ! Allons, Hélène, revenez vous asseoir. Tout le monde me croit en haute Égypte, à Assiout.

— Vous vous cachez ?

Elle éclata de rire.

— J'aime bien..., répondit-il, mystérieux.

— Attendez-moi un instant.

Et elle alla chercher sa carafe d'eau bleue dans le second salon. Elle revint en disant d'une voix forte :

— Excusez-moi, Sire, j'ai besoin d'un verre.

— Vous savez que je ne bois pas d'alcool... enfin, seulement dans le verre des autres.

Lorsqu'elle reprit place sur le sofa, elle trouva près d'elle un paquet, entouré d'un ruban doré.

— Oh ! Votre Majesté me surprendra toujours. Qu'est-ce que c'est ?

— Votre cadeau de Noël, ma chère Hélène !

— Je peux l'ouvrir ?

— À moins que vous ne souhaitiez l'offrir à l'une de vos amies une fois que je serai parti…

Elle dénoua le ruban, ouvrit l'écrin et ne put s'empêcher de s'exclamer :

— Où l'avez-vous chipé ?

— À qui, plutôt… Vous devriez me demander à qui je l'ai chipé. Au chanoine…

— L'archéologue ?… Grands dieux !

Elle retira précautionneusement un magnifique collier en forme de vipère à cornes, en or finement ciselé. Il faisait partie des objets que le directeur du service des Antiquités avait présentés au roi, à Louxor, une pièce exceptionnelle, trouvée dans une tombe royale de la Ve dynastie, miraculeusement préservée. La vipère était parfaitement reconnaissable, avec ses protubérances sur le crâne, sa bouche ouverte, ses crocs aigus et sa langue fourchue.

— Je n'ai pu m'empêcher de penser à vous lorsqu'il m'a présenté ce collier. Déjà, il y a quatre mille ans, nos ancêtres n'ignoraient rien de la femme, une vipère…

Elle se jeta à son cou, l'embrassa sur la bouche. Il la repoussa doucement, l'air hautain. Elle passa le collier, l'admira dans un miroir, chercha à l'agrafer, n'y parvint pas...

— Mais j'y pense !... Je ne pourrai jamais le porter en public.

— Non ! Seulement avec vos amants, à condition qu'ils ne connaissent rien à l'Égypte antique. Mais vous pourrez le vendre lorsque vous serez ruinée... Une fortune !

Elle avala la moitié du verre de ce nouveau gin qu'on trouvait en ville, cette « eau bleue », bien supérieure aux infâmes bouteilles importées d'Angleterre. Il lui prit le verre des mains et le vida d'un trait. Elle lui demanda de patienter quelques minutes pour se passer une robe.

— Non ! exigea-t-il, autoritaire. Habillez-vous ici, devant moi !

Et lorsqu'elle lui apparut, nue, sans pudeur, la peau laiteuse, les hanches pleines, tenant ses seins dans ses mains, esquissant quelques mouvements de danse orientale, Farouk chercha son sexe à travers la poche de son pantalon. Il vérifia. Pas d'érection ; même pas une ébauche ! Il la connaissait trop. Il ne craignait ni son refus ni sa frénésie sexuelle. Elle ne l'effrayait pas, ne l'étonnait plus. Il ne pourrait plus jamais avoir de relation sexuelle avec elle. Il se servit un nouveau verre d'eau bleue et, le portant à sa bouche, lui demanda :

— Où m'emmenez-vous ?

— Surprise, surprise...

*

Une cigarette au coin des lèvres, elle conduisait la belle Mercedes très lentement. Enfoncé dans son siège, lunettes noires, chapeau américain à large bord, écharpe remontée jusqu'au nez, Farouk était joyeux. Il lui parla de cette voiture, sa préférée, son cuir couleur poil de chameau, le bois rare du tableau de bord, de la teinte exacte des sièges… Elle lui avait été offerte neuve par Hitler en personne, comme cadeau de mariage, en janvier 1938.

— Savez-vous ce qu'on raconte en ville ? Adolf Hitler est égyptien ; et musulman, bien sûr. Son véritable nom ne serait pas Hitler, mais Haidar, Mohamed Haidar. L'un de mes ministres y croit dur comme fer. Il m'a même proposé de m'emmener visiter sa maison natale, à Tanta, dans le Delta. On dit aussi que, lorsqu'il gagnera la guerre, les terres des riches seront distribuées aux pauvres et que moi, grâce à lui, je pourrai frapper le talon de ma chaussure sur la tête de George… Ça ne vous fait pas rire ?… George VI, le roi de Grande-Bretagne…

Elle stationna dans un petit passage, rue Soliman-Pacha. Elle le conduisait dans un lieu qu'il connaissait bien, où il avait ses habitudes. Il préférait sans doute y entrer seul ? Elle le rejoindrait aussitôt. Farouk se présenta donc, à la porte du Turf Club, élégant rendez-vous des noctambules, fréquenté par les officiers anglais et les très riches Égyptiens. Il ne prêta pas attention à l'affiche, près de la porte d'entrée, annonçant une célèbre danseuse. Les portiers firent mine de ne pas le reconnaître, mais, sitôt qu'il eut le dos tourné, s'écrièrent : « Le roi !... Le roi ! » Le maître d'hôtel se précipita à sa rencontre. Il ne le savait pas au Caire, sans cela, sa table aurait été prête à le recevoir. Voulait-il rejoindre une table de poker ? Plusieurs étaient possibles, avec des hommes dont il apprécierait certainement la compagnie, celle des Anglais... peut-être pas en ce moment, non... Celle des banquiers, alors ? Ou bien celle des producteurs de cinéma... Farouk demanda un endroit tranquille, près de la scène.

Quelques minutes plus tard, Hélène entra à son tour. De loin, il lui adressa un petit signe amical. Ils jouèrent la rencontre fortuite, toute la salle les observait. Elle commanda du gin, et ajouta : « Avec beaucoup de glace ! » C'était une femme, après tout, alors transparent et dilué, l'alcool pouvait passer pour de l'eau minérale ; lui demanda un grand verre d'orange pressée.

La ronde commença autour de la table, un ministre ; un autre, un colonel de l'armée égyptienne, un autre de l'armée britannique. Ils s'inclinaient devant lui, voulaient simplement le saluer, lui témoigner leur sympathie... Farouk, toujours aimable, toujours distant, ne ratait pas un bon mot. Il gronda gentiment son ministre : « Que le roi passe ses soirées dans un night-club, on le comprend. Mais un ministre est censé travailler, n'est-ce pas ? » Il demanda à l'Anglais : « Votre roi vous manque ? Vous pouvez user de moi comme d'un ersatz. Vous ne serez pas le premier... »

On éteignit les lumières. Un projecteur dessina un cercle sur la scène. D'abord un long solo de kanoun, la cithare orientale, voluptueuse progression d'une mélodie qui montait en volutes, reprise ensuite par une meute d'invisibles violons... La flûte vint alors agacer les violons, interrompre leurs phrases, les mimer, les déformer... et, à chaque fois, les percussions les réconciliaient... Un roulement de batterie. Un homme en smoking s'approcha du micro. On ne distinguait pas son visage. On pensa qu'il allait parler, présenter la soirée, chanter, peut-être...

Elle surgit de l'obscurité, comme un diable, enveloppée de voiles couleur de feu qui voletaient harmonieusement au rythme de ses mouvements. Elle sautait comme les flammes, le silence scandé par ses pas. Elle s'empara du micro. L'homme se tourna vers le public, les bras ballants. Elle se mit à tournoyer autour de lui, lui tendit le micro, et, lorsqu'il voulut s'en saisir, elle fila comme une flèche. La musique l'accompagnait maintenant, collant à chacun de ses pas. Le projecteur s'attarda sur le visage de l'homme éconduit, perclus d'amour...

Il recupéra le micro et chanta : « Ô Dieu !… Si tu laisses venir le jour où elle me dira oui, je t'offrirai le restant de mes jours, le restant de mes nuits et tous les contenus de mes rêves… »

Le public poussa un soupir de satisfaction. Farid el Amesh lui-même, le grand, le chanteur à la voix de miel était venu pour eux. C'était Noël ! Et elle s'approchait de lui, le frôlant, l'aguichant et, avant qu'il ne l'attrape, s'envolait enveloppée de ses voiles. Et lorsqu'il chanta : « Sur ma terrasse, le jasmin est jaloux de son parfum… », elle se saisit du voile qui recouvrait sa tête, lui en flattant le visage… « Et les roses envient la douceur de ses joues… » Cascade de longs cheveux sauvages. Un deuxième projecteur éclaira le visage de la danseuse et l'on vit briller ses grands yeux pers comme ceux d'un chat dans les phares, en pleine nuit.

Farouk tressaillit. Il pressa le bras d'Hélène. « C'est elle ?… Oui ! C'est elle, n'est-ce pas ? » Ce visage ouvert, harmonieux, à la fois angélique et mutin, celui d'une enfant se révélant catin. C'était pour lui, pour le roi… le genre qu'il préférait !

La danseuse prit à nouveau le micro, s'affaissa sur le sol, d'où elle se dressa soudain sur la pointe des pieds jusqu'à dépasser le chanteur. « Je suis une femme serpent, un serpent d'airain, qui porte malheur quand on le guette et apporte le bonheur à qui s'en détourne. Je suis la femme-serpent… » Sa voix douce tapissait l'espace, l'offrant aux fantaisies des hommes. « Elle est le mystère de mes nuits et sa mélodie m'enivre mieux que le vin. Dieu, je t'en supplie, fais qu'elle me dise oui… » Le rythme devenait plus oriental. Prise de frénésie, elle fit tourbillonner ses hanches, sa poitrine, en répétant : « Je suis la majesté serpent ! Incline-toi ! Tu n'es qu'un homme… » Et il chanta encore la douleur de son espoir, son désir anxieux… Et elle venait épouser ses rêves, effeuillant ses voiles. Si bien qu'à la fin de leur romance, le dernier, translucide, laissait apparaître un corps de nymphe, les seins à peine couverts, une étoile scintillante entre les cuisses. Le chanteur, enfin comblé, entonnait : « La vie est belle à qui veut la comprendre… La vie est belle. Si tu prends ce qu'on te donne, la vie est belle ! La vie est belle à qui veut la comprendre… La vie est belle. » La danseuse découverte, tournée vers le public, répétait le couplet. Et le public le reprenait à son tour en frappant dans ses mains…

Ce fut un triomphe. La salle chantait debout, reprenant indéfiniment la ritournelle. Les hommes approchaient, voulant grimper sur la scène. Farid el Amesh leva les deux bras, invitant au silence. Dans le micro, il dit seulement : « Ce soir, pour vous… *Only for you*… La merveilleuse, *the wonderful*… Ben't Jinane ! » Applaudissements interminables. Elle prit le micro : « *Tonight*, cette nuit, *the sweet Farid el Amesh*… » Ils chantèrent encore quatre chansons, chacune déclencha l'enthousiasme, mais, à la fin, on les rappela, exigeant la première, la délirante chanson de Kacim, «La vie est belle», qui encensait le plaisir pris avec les courtisanes. Ils la chantèrent à nouveau, et le public la voulait encore.

On ralluma les lumières de la salle. Farid el Amesh avait déjà disparu en coulisse. Farouk leva ostensiblement le bras. Masreya vint s'asseoir à sa table. Elle le regarda au fond des yeux.

— Tu me reconnais ? lui demanda le roi, qui ne savait que dire, qui ne pensait qu'à la toucher, qu'à la saisir.

— Votre Majesté est partout. Dans les journaux, au cinéma, sur les timbres-poste, sur la moindre pièce de monnaie, même la petite d'un millième... Comment ne pas vous reconnaître ? Comment savoir si vous êtes réel ou seulement une image de mon rêve ?

«La garce ! pensa Hélène ; elle a deviné qu'il fallait l'étonner.»

— Vous êtes bien jeune, mademoiselle, lui dit-elle. Mais déjà une grande professionnelle...

Farouk l'interrompit :

— Vous devez avoir besoin de quelque chose. Dites-moi ! Qu'est-ce qui vous manque ? De quoi auriez-vous besoin ? Un seul mot de vous, je vous en prie.

Et il répéta en chantonnant : «Ô Dieu ! Laisse venir le jour où elle me dira oui...»

— Vous avez une mémoire étonnante, Sire !

Il l'invita pour le mardi, en fin d'après-midi. Mutine, elle lui demanda si elle devait venir avec ses musiciens. « Je n'ai pas besoin de musique, répondit le roi. Mon âme chante en vous voyant et mon cœur bat la mesure… » Il ajouta qu'il s'agissait d'un rendez-vous privé, entre elle et lui, exclusivement. Elle baissa la tête en signe d'assentiment. Farouk sentit une érection gonfler son pantalon. « Vous laisserez votre adresse à Hélène. Une voiture viendra vous prendre chez vous. » Elle demanda quel serait le lieu du rendez-vous, mais il ne répondit pas. Plus tard, dans la soirée, lorsque Masreya disparut dans sa loge, Farouk chargea Hélène de louer une chambre au Savoy pour le mardi suivant. Il avait promis d'assister à la réunion du Rotary Club, qui se tenait dans les salons du rez-de-chaussée. Il pourrait facilement s'éclipser après une demi-heure, pour rejoindre la danseuse.

— Les garçons d'étage, les grooms, les femmes de ménage… n'importe qui pourra vous reconnaître.

— Bakchich, ma chère Hélène ! Distribuez généreusement les bakchichs, je compte sur vous ! En amour, le risque augmente le plaisir, n'est-ce pas vrai ?

Abdine

Lors de leur première rencontre, au troisième étage du Savoy, elle avait fait grimper son désir à l'apogée. Elle avait tourné autour de lui en chantant, lui permettant de la frôler; elle lui avait soufflé des mots d'amour au creux des oreilles, s'était jetée à ses pieds, caressant ses jambes. «Viens sur moi! suppliait-il. Viens t'asseoir sur mes genoux, fillette.» Et elle venait, Masreya, la démone, se poser là, un instant; il s'embrasait à ses parfums, s'engourdissait au satin de sa peau, dérivait en des sensations d'infini. Mais elle repartait aussitôt. Il aimait ce jeu dont il avait eu un aperçu durant la chanson avec Farid el Amesh... «La vie est belle! lui susurrait-elle; la vie est belle à qui veut la comprendre.» Certainement, pensait Farouk, mais qu'a-t-elle à s'échapper ainsi comme un chat sauvage? «Oui! chuchotait Masreya, oui, Votre

Majesté ! Mais il ne faut pas que vous puissiez me voir... » Et elle lui avait bandé les yeux avec un foulard. Il avait tâtonné à travers la chambre, ivre d'excitation, la cherchant sur les fauteuils, derrière la porte, à quatre pattes sous le lit... Elle s'était évanouie. Il avait retiré son bandeau, fouillé chaque recoin. Volatilisée... Il était sorti dans le couloir, la chemise ouverte, la cravate pendante... Il ne l'avait pas trouvée.

Le lendemain, elle recevait douze bouquets de douze roses. Et une phrase de sa belle écriture, en arabe : « Les roses envient la douceur de tes joues. » Par l'intermédiaire d'Hélène, il avait arrangé un second rendez-vous, au Mena House des Pyramides. Elle avait dit oui mais n'était pas venue. Elle envahissait son esprit ; son parfum l'obsédait, il voyait son visage partout, sur les femmes qu'il croisait, au bar des hôtels où il fumait son cigare ou dans les clubs où il taquinait les jokers. Il finit par la joindre au téléphone. « Pourquoi as-tu pris la fuite ? Demande et tu obtiendras ce que tu désires, quel qu'en soit le prix. » Elle exigea de le rencontrer au palais. Au palais ? C'était difficile, certainement... Le lieu était saturé d'agents, qui renseignaient le Wafd, les Britanniques, les Italiens, aussi... qui guettaient la moindre de ses fautes. Elle argumenta. Puisqu'il se prétendait croyant, musulman... Selon la foi, un homme est tenu d'épouser la femme avant d'avoir des relations sexuelles avec elle, même s'il s'agit d'une prostituée, quitte à la répudier le lendemain au réveil… Alors que lui entendait seulement la consommer, comme un de ces loukoums, de couleur rose ou vert pastel, dont il raffolait…

Oui ! Tout ce qu'elle voulait, oui ! avait-il répondu. Il était prêt à tout. Mais elle devait comprendre qu'il était le roi, qu'il ne pouvait déshonorer son épouse légitime, la mère de ses enfants.

En ce cas, elle acceptait que le mariage fût secret, conclu dans une salle du palais. Après cela, elle lui appartiendrait. Hébété de désir, il le lui promit. En présence d'un témoin, exigea-t-elle encore… C'est ainsi que l'ordonne la foi. Il hésita… Un tiers ? Pour le coup, il sentit qu'elle tirait sur la corde, testant ses limites. Mais il était prêt à tout pour la revoir. « Et qui donc ? lui demanda-t-il. Qui serait ce témoin ? » Un moment de silence… Puis elle lâcha : « Mon frère ! » Nouveau silence au bout du fil.

Il songeait à l'attachement qui le liait à sa propre sœur, Faouzia – cette sœur qui lui manquait tant depuis qu'elle était partie rejoindre son empereur de mari, Mohamed Reza Pahlavi, le tout jeune shah d'Iran. Il s'était du reste opposé à ce mariage. « Trop loin, avait-il argumenté. — Mais non ! lui avait-on répondu, il y a des avions, maintenant. — Et ces jeunes gens ne parlent pas la même langue, avait-il encore essayé, comment pourraient-ils communiquer ? — En français, bien sûr ; ils le parlent tous deux fort bien. Et puis, les Iraniens sont chiites, ils ne respectent pas les mêmes coutumes que nous… Pas de problème ! Il n'existe pas d'obstacle légal au mariage d'un chiite et d'une sunnite. » Un autre argument lui trottait à l'esprit, qu'il garda par-devers lui. Le jeune Reza était un malade, affligé de tics, une sorte de débile. Faouzia, si pure, si belle, ne le supporterait jamais. Le mariage eut lieu, bien sûr ; leur mère, la reine Nazli, avait tout arrangé. Et Farouk, roi d'Égypte, dut se résigner à en être le témoin. Quelques jours plus tard, le départ de sa sœur pour Téhéran l'avait bouleversé. Et depuis deux ans, une idée l'obsédait : la faire revenir et obtenir son divorce. Il était certain qu'elle était malheureuse chez ces demi-sauvages des montagnes. Il le sentait… Oui ! Un frère et une sœur peuvent entretenir un lien subtil, en deçà de l'existence quotidienne. Cela, il pouvait le comprendre.

Il céda à la demande de Masreya. Elle viendrait au palais, avec son frère, c'était entendu. Il les recevrait en audience royale, dans son cabinet, comme il le faisait couramment pour toutes sortes d'hôtes. Puis il leur ferait visiter des salles interdites au public. Il l'épouserait dans une salle dérobée. Et il se vanta : il en existait une bonne dizaine dans le palais, dont il était le seul à connaître l'existence, hormis les serviteurs.

Elle le fit encore attendre. Elle retarda la rencontre, prétendant qu'elle devait d'abord se rendre dans le Delta, visiter sa famille. La cérémonie sauvage ne put avoir lieu qu'après le jour de l'an. Masreya était dressée comme un coq, fière et belle ; Zohar se tenait en arrière, élégant, discret. En présence du frère, Farouk avait repris son attitude distante. Zohar rappela au roi qu'ils s'étaient rencontrés voilà bien longtemps. Le roi s'excusa. Il en avait perdu la mémoire ; il voyait tant de monde... Et l'autre précisa : c'était lui qui avait retrouvé le collier égaré de la reine Nazli. Farouk leva un sourcil et prit le temps d'examiner le jeune homme... Drôle de personnage ! Une grâce naturelle. Un air étrange. Origine indéfinissable, pensa-t-il... Pas un Arabe, en tout cas ! Peut-être un Grec... ou un Juif ? Il était fasciné par les banquiers juifs avec lesquels il jouait aux cartes et discutait des finances. Il admirait ces entrepreneurs qui avaient réussi à ne pas se cantonner aux frontières du royaume. Depuis quelques mois, il arrivait de nouveaux Juifs, comme on n'en avait jamais vu en Égypte, des Juifs d'Europe qui ressemblaient à des Allemands ou à des Anglais. Ceux-là n'étaient pas comme ceux qu'il connaissait, les Levantins ; ils étaient moins souples, moins joyeux, moins malins, aussi. Il n'osa pas demander comment un Juif pouvait être le frère d'une Arabe, une paysanne du Delta, qui plus est.

Des histoires de famille, sans doute ; peut-être un second mariage ?

Les deux hommes se sourirent, échangèrent des politesses puis des jeux de mots. Après tout, c'étaient des Égyptiens ! Une sympathie s'installa entre ce roi âgé de vingt-quatre ans, privé d'amis, et ce tout jeune homme entreprenant et sensible, qui avait étrangement l'air d'être à la fois un enfant et un vieil homme. Farouk, pince-sans-rire, lui demanda s'il n'était pas gêné d'offrir ainsi sa sœur à Pharaon. « Votre Présence ! s'exclama Zohar, le plaisir de Pharaon est le sourire de l'Égypte entière. » Le roi fit un geste de la main, comme s'il chassait une pensée. Il aurait tant voulu croire à cette parole.

Dans cette petite pièce au charme passé qu'on appelait la « salle au harem », Farouk prononça la prière qui l'unissait à Masreya, scellant l'union secrète entre une fille du peuple, appelée « l'Égyptienne », et le roi d'Égypte dont l'esprit était envahi par elle, le jour comme la nuit.

*

Dans les rues, on voyait de plus en plus de soldats. Le mois de janvier 1942 fut en Égypte celui de toutes les angoisses. De nouvelles troupes avaient encore débarqué d'Angleterre pour renforcer la 8e armée. On parlait de deux cent mille hommes, peut-être davantage, qui étaient venus s'ajouter aux effectifs déjà énormes des casernes du Caire, d'Isma'leya, de Port-Saïd, d'Alexandrie... Et ce n'étaient pas les seuls étrangers. Fuyant les pays occupés par le IIIe Reich, les réfugiés se comptaient par milliers, des Européens du Nord et, depuis quelques semaines, des Grecs, terrorisés, hagards. La nourriture devenait rare. L'armée britannique monopolisait les vivres et le peuple ne trouvait rien à acheter dans les souks. Les pauvres avaient faim et accusaient le marché noir. Tout manquait, le blé, le maïs, les fèves et surtout les pommes de terre, sans lesquelles un Anglais ne pouvait considérer avoir déjeuné. Des révoltes éclataient. Les magasins étaient pris d'assaut, les épiceries pillées. Les mesures en demi-teinte prises par le gouvernement n'avaient aucun effet, d'autant que nombreux étaient ceux qui, parmi les ministres, eux-mêmes grands propriétaires terriens, stockaient les céréales pour faire grimper les prix. Le petit peuple des villes était proche de la famine. Et les riches s'enrichissaient plus encore.

Les armées de l'Axe avaient repris leur offensive ; Rommel remportait victoire après victoire. Des manifestations anti-britanniques éclataient au Caire et à Alexandrie aux cris de : « Ô Rommel, arrive au plus vite, mon prince ! Accélère ! » ou : « Longue vie à toi, Rommel, notre libérateur ! » On pensait que Berlin expédierait des renforts et que l'invasion de l'Égypte serait inéluctable.

Les services de renseignements britanniques étaient persuadés que les Égyptiens transmettaient à l'ennemi la position des régiments, les cartes de leurs déplacements et même les plans de bataille. Profitant de l'absence de Farouk durant les fêtes de fin d'année, sir Miles Lampson, l'ambassadeur de Grande-Bretagne, le géant à la voix d'ogre, convoqua le débonnaire Premier ministre, Hussein Sirri Pacha, à l'état-major de Kasr el Dobara. « Remettez-moi sans délai la radio cachée dans le palais d'Abdine. » Il avait de bonnes raisons de penser qu'il n'existait de lieu mieux protégé que le palais royal pour émettre en direction des Allemands. L'Égyptien, suffoqué, la bouche entrouverte, restait silencieux. « Faute de quoi, menaça l'Anglais, je débarque avec un bataillon de blindés et je fouille pièce par pièce jusqu'à ce que je mette la main dessus. » Comment un ambassadeur se permettait-il de parler en ces termes au Premier ministre du pays où il officiait ? Rouge de rage rentrée, Sirri répondit qu'il s'agissait d'une violation de la souveraineté de l'Égypte. « Ah oui ! rugit l'autre, qui ne tenait pas les hommes politiques égyptiens en haute estime. Une souveraineté implique un souverain ! Où donc est passé le vôtre ? » Le Premier ministre n'aurait su répondre. Il ne s'y hasarda pas, du reste. Ces derniers temps,

ils étaient nombreux à se demander où disparaissait le roi. Profitant de la sidération de Sirri Pacha,
l'ambassadeur ajouta : « Et ce n'est pas tout ! Vous
allez immédiatement répondre aux demandes
adressées à plusieurs reprises par mon gouvernement. » Il exigea que l'Égypte rompît sur-le-champ
ses relations diplomatiques avec Vichy, dont les
espions pullulaient dans les rues du Caire, et
qu'elle reconnût le gouvernement français en exil
du général de Gaulle. Sirri, comprenant que, aux
abois, les Anglais étaient capables de renverser le
gouvernement et de déposer le roi, leur remit, dès
le lendemain, la radio cachée sous les combles. Il
diligenta ensuite au 29 de l'avenue de Gizeh une
note à Jean Pozzi, l'ambassadeur de France, l'infor-
mant que l'Égypte rompait ses relations diplomatiques avec le gouvernement de Vichy. Désormais
persona non grata, l'ambassadeur était invité à
quitter le pays dans les plus brefs délais.

*

Masreya céda à Farouk, sur le grand canapé de
la salle du trône, sous un portrait de lui-même en
habit blanc bardé de décorations dans les derniers
jours de janvier. Il avait vidé l'aile du palais de tout
le personnel, prétextant l'arrivée d'un émissaire
secret. Son entourage était persuadé qu'il était en
pourparlers avec Rommel. On guetta donc l'arri-

vée d'un officier allemand, peut-être déguisé en Bédouin. En Égypte, les histoires extraordinaires naissent d'un rien et se répandent à la vitesse des paroles. L'un l'avait vu entrer, un grand blond aux yeux verts, la tête couverte d'un keffieh – on aurait dit le colonel Lawrence. Il avait l'allure d'un prince et le roi semblait heureux de l'accueillir. L'autre l'avait vu sortir ; en femme vêtue comme une star de cinéma, avec d'immenses lunettes noires qui dissimulaient la moitié de son visage. Cette nouvelle Mata Hari avait dévalé les marches en courant pour se précipiter à l'arrière d'une Cadillac blanche.

Seuls les deux gardes du corps albanais auraient pu raconter la vérité. Mais l'un était muet et l'autre aurait donné sa vie plutôt que de révéler le moindre secret de son roi. Et comme on dit en Égypte au début des histoires racontées aux enfants : « Cela fut ou cela ne fut pas… » Nul ne pouvait témoigner que cela fut, alors, cela ne fut pas. Car nul n'avait pu apercevoir Masreya entrant au palais ; elle y était déjà. Elle avait dormi dans un appartement secret de Farouk dont il était seul à détenir la clé. Elle y avait passé la journée en compagnie de ses deux gouvernantes, s'apprêtant, se maquillant, se parfumant pour Pharaon.

À la tombée de la nuit, lorsque, après s'être assuré que nul ne traînait dans les corridors, il était venu la chercher, il l'avait trouvée recouverte des sept voiles qui déclinaient les couleurs du feu. Il s'était approché, avait découvert son visage, et les beaux yeux de Masreya l'avaient saisi. « Ô ma sœur !... » Il avait eu une bouffée d'émotion et, se reprenant, il avait ajouté : « Le palais est rayonnant, ô la sucrée ! Ta présence illumine ma demeure. Tu es née pour le plaisir des rois. » Ils jouèrent encore des heures avant que, lassé, Farouk s'étendît nu sur le sofa. C'est alors qu'elle lui glissa : « J'ai une faveur à vous demander, Votre Majesté ! » Les yeux clos, il grogna : « Je t'écoute ! » Et elle lui parla de Nino, injustement emprisonné, l'ami intime de son frère Gohar avec qui, il s'en souvenait certainement, il avait pris du plaisir à bavarder. L'esprit embrumé, il promit, bien sûr. Demain à l'aube, il s'occuperait de l'extraire de prison. Puis, soudain autoritaire, il ordonna : « Maintenant montre-moi ce que tu sais faire. » C'était le 29 janvier 1942. À Benghazi, la garnison britannique venait de rendre les armes. Masreya aussi !

Farouk mit bien du temps à tenir sa promesse de délivrer Nino Cohen de la prison des étrangers. C'est que les événements politiques s'étaient précipités. Il avait passé une partie de la nuit avec Masreya, « l'Égyptienne ». Il s'était même assoupi quelques minutes, juste après l'amour. Au réveil, il lui avait dit : « J'ai dormi dans le lit du Nil. Et j'ai compris le plaisir qu'y prennent les crocodiles. » Le lendemain matin, découvrant que son

Premier ministre avait cédé devant les Anglais sans l'informer, une rage froide s'empara de lui. Il démit Hussein Sirri de ses fonctions et envisagea de confier le nouveau gouvernement à Ali Maher, opposé au Wafd et notoirement pro-allemand. On le savait compétent, certes, mais dans l'ambiance du moment, les chatouilleux Britanniques considérèrent cette nomination comme une provocation.

Le sang de l'ambassadeur ne fit qu'un tour. « Ah, le gosse (c'était ainsi qu'il appelait Farouk, *The Kid*) veut jouer au plus malin. Je vais lui apprendre ce qu'est un officier de la couronne. » Lampson sortit en trombe de son bureau, réunit quelques officiers, sauta dans sa Rolls et débarqua au palais à la tête d'un bataillon de blindés. Ses troupes encerclèrent les bâtiments; il en franchit les portes au pas de course, revolver à la main, suivi par les officiers. Il écarta les chambellans qui tentaient de s'interposer, les menaçant de son arme, et ouvrit brutalement la porte du cabinet du roi.

Farouk, qui était debout, en train d'examiner une carte posée sur une table, leva la tête, surpris.

— Eh bien, sir Miles, dit-il l'air détaché, vous devez être bien inquiet pour vous promener ainsi, un revolver à la main. Rangez donc votre arme, vous êtes en sécurité ici, dans mon palais.

L'ambassadeur menaça le roi.

— Ali Maher, jamais !…

Il hurla :

— Vous m'entendez ?

Il exigeait que le nouveau gouvernement fût confié à Moustapha el Nahhas Pacha, le chef du Wafd, qu'il savait acquis aux Alliés. Sinon, aboyait-il, il dénicherait facilement un autre pantin pour tenir le rôle du roi.

Farouk se raidit devant l'insulte. Mais il se contint. Il comprit que l'autre le poussait à la faute, cherchait l'incident. Il n'allait pas se laisser manipuler ainsi. S'il maintenait son projet de nommer Ali Maher, l'armée anglaise le déposerait. Lampson ferait appel au khédive Abbas II, en exil à Genève, pour l'installer sur le trône. Ce dernier décréterait la loi martiale, et c'en serait fini des rêves de grande Égypte que nourrissait Farouk, qui se voyait alors roi d'Égypte et du Soudan.

— C'est donc Nahhas que vous voulez ? finit-il par lâcher, les lèvres tremblantes de colère. Ne vous mettez donc pas dans un état pareil, sir Miles. Vous voulez Nahhas, vous aurez Nahhas !

Lorsque les Anglais eurent quitté le palais, Farouk, livide, surgit de son cabinet sans un mot. Son chambellan, ses majordomes tentèrent d'intervenir, lui demandant où il souhaitait se rendre ; il les écarta brutalement du bras. Il dévala le grand escalier, vêtu de son costume de ville, tête nue, les cheveux en bataille. Il parvint à la porte de son garage personnel. Les chauffeurs, les mécaniciens se précipitèrent, chacun auprès de la voiture dont il était responsable, et se mirent au garde-à-vous, arrangeant leur uniforme. Il hésita un instant, jeta un regard rapide sur la dizaine d'automobiles alignées, impeccables, rutilantes. Il voulait la moins reconnaissable. Son choix se porta sur la Jeep avec laquelle il partait à la chasse aux antilopes dans les oasis du Sud. Il bondit au volant et démarra à la barbe des gardiens, qui le regardèrent partir, interdits.

Habituellement, Farouk conduisait vite, mais ce jour-là, il était comme enragé. Au carrefour Soliman-Pacha – du nom de son ancêtre, l'arrière-grand-père de sa mère la reine Nazli, et de son vrai nom Joseph Anthelme Sève, un Français de l'armée de Napoléon converti à l'islam –, il arracha en passant l'aile arrière de la voiture d'un officier britannique. Les policiers s'époumonèrent dans leurs sifflets et plusieurs Jeep de la police militaire se lancèrent à sa poursuite. Au pont Qasr-el-Nil, il les avait semées. Il le traversa en trombe, la main crispée sur son klaxon, louvoyant pour éviter les piétons, les ânes et les camions. « Hé ! hurla un vieux qu'il avait frôlé, la vitesse est la marque du démon ! » Parvenu à l'île de Roda, il vira sans ralentir et la Jeep, sur deux roues, oscilla un moment avant de retomber sur son assiette pour repartir de plus belle. Les pneus hurlaient à chaque virage ; le moteur, poussé à ses limites, rugissait et une odeur de brûlé avait envahi l'habitacle.

Arrivé rue Osman-Bey, il sauta de la voiture, qui vint buter contre le trottoir, et frappa à la porte. Il était essoufflé, en sueur, le cœur battant. Ouahiba entrouvrit la porte.

— Mademoiselle est sortie.

Il la repoussa violemment.

— Si tu fermes la porte devant ton roi, lui dit Farouk, que t'arrivera-t-il lorsque tu te présenteras au paradis, espèce de demeurée ?

Elle laissa tomber la gargoulette qu'elle tenait à la main, qui se brisa sur le sol.

— Le roi ! balbutiait-elle... Le roi !

Masreya, étendue sur son lit, vêtue seulement d'une galabeya, lisait les paroles d'une nouvelle chanson de Kacim.

— Sire ! s'écria-t-elle. Que vous est-il arrivé ?

La voix de sa maîtresse apaisa Farouk. Il vint s'asseoir sur le bord du lit, silencieux, les yeux dans le vague. Elle prit sa tête entre les mains, posa un baiser sur son front. Elle leva les yeux au ciel...

— Ô Dieu ! Toi qui as offert un roi à l'Égypte, donne lui aussi la force d'affronter les violents et les fourbes.

Il l'examina, surpris par la justesse de ses paroles. Il se déshabilla, s'étendit sur le lit auprès d'elle.

— Qu'as-tu, mon cœur ? poursuivit Masreya.

Qu'as-tu, mon âme ? Qu'as-tu, mon œil ? Qu'as-tu, mon roi ? Est-ce l'amour qui te trouble ainsi ?

Et Farouk se laissa faire. Il aimait par-dessus tout assister à la renaissance de son sexe, à la frayeur qui le saisissait alors, comme lors de sa toute première érection, surprise par sa gouvernante anglaise, sans doute le premier espion britannique qu'il eut à subir, entre sa cinquième et sa treizième année.

— Entre tes mains, murmura Farouk, je suis comme le sable du désert arrangé par le vent. Selon son plaisir, il érige des montagnes ou creuse des fossés.

Lorsqu'il quitta la villa de Masreya, le soleil était sur le point de se coucher, orange de feu couronnant le minaret. Un attroupement l'attendait, encadré par un cordon de soldats britanniques. Le capitaine en charge du garage avait choisi la Cadillac, l'une des préférées du roi, carrosserie rouge carmin, capote blanche. Il ouvrit la portière en s'inclinant jusqu'au sol. Furieux, Farouk grimpa à bord, négligeant de saluer la foule qui l'acclamait.

Place Edmond-Rostand

Au café « Le Rostand », face au jardin du Luxembourg.

Les femmes sont souvent étrangères à leur propre désir. Si bien que, parfois, leur sexe est en feu et leur tête l'ignore.

La nuit dernière, j'ai fait des rêves érotiques. C'était bien moi, dans le rêve ; je reconnaissais ma voix avec ses intonations chantantes et les « r » en poil de chameau. Un souvenir me revient... Celui d'une nuit de folie, sur les rives du Nil, à bord d'une dahabeya, une maison flottante, roulé dans des draps de satin, bercé par le clapotis du rivage.

Souvenirs, en vrac, ordonnés en fonction de deux critères, les dates et les lieux. Si les événements de l'année 1942 sont décisifs, à la réflexion, leur évocation reste floue. En 1942, j'avais débuté une relation amoureuse avec Masreya, ma sœur de lait, non seulement de petits moments de passion soudaine comme par le passé, mais un véritable amour, au point que nous avions sérieusement envisagé de nous marier. Enfin, c'était moi qui le voulais. Je sais qu'il est interdit aux hommes d'épouser leur sœur... aux hommes ordinaires, je veux dire ; pas aux rois divins, comme les pharaons ! J'ai lu l'histoire de ce pharaon qui avait épousé la fille qu'il avait eue avec sa propre sœur. Est-il possible de réussir un mariage plus pur... plus intense et plus pur ?

Et la nécessaire altérité ?... L'altérité renaît de ses cendres. Et du cœur de ceux qu'on avait cru réduits à la multitude du quiconque, surgissent des dieux nouveaux et de nouvelles idoles.

Je suis bien vieux. Quelquefois, je me demande si la mort m'a oublié. Aujourd'hui, je ne la crains plus guère, devenue mon alliée ; si elle vient, je la remercie, si elle m'évite, je remercie Dieu.

Nino Cohen avait gravi les échelons au sein de la confrérie... jusqu'à devenir l'un de ses dirigeants. C'est à peine croyable.

Je hèle un taxi. Ironie de la destinée, le chauffeur est égyptien. Il conduit très calmement ; on entend à peine ronronner le moteur. Il jette des regards furtifs dans le rétroviseur. Il finit par me parler... Il a grandi au Caire... Est-ce que par hasard je connaîtrais Le Caire ? À peine âgé d'une quarantaine d'années, grand et large d'épaules, une fine moustache donne une certaine classe à son visage. Je lui réponds : « Le Caire, la ville de tous les secrets... » Nouvel échange de regards. Le Caire, précise-t-il, Al Qahera, en arabe, « La Victorieuse ». On peut se demander qui cette ville a pu vaincre, lui pense que Le Caire a triomphé de l'ordre. Nous traversons le pont Saint-Michel. Geste ample de sa main, désignant le Palais de justice : « Paris, par exemple, voilà une ville en ordre. On dirait un musée, un gigantesque musée. On ne peut pas dire que Paris est victorieux, non ! Paris a perdu ; l'ordre a triomphé. Il reste des bâtiments, bien propres, au style visible, mais la vie s'est échappée. » Et Le Caire, alors ?... Comment dire ? Il use d'une métaphore. C'est comme si l'on observait un tronc d'arbre glissant au fil de l'eau, et soudain une bouche énorme s'ouvre en un rugissement terrible, comme celui d'un lion. Et l'on prend conscience que ce n'est pas un tronc d'arbre, mais bien un crocodile. Le Caire est ainsi. Du haut du ciel, on pense que c'est de la matière morte, des pierres, du sable... Et lorsqu'on s'approche, c'est de la vie sauvage.

Il s'excuse de sa maladresse en français... Je hasarde une question : a-t-il connu le roi Farouk ? Suis-je bête, il est bien trop jeune pour ça. En a-t-il entendu parler ? Sans doute... Qu'en dit-on aujourd'hui au Caire ? « Ah, Farouk ! répond le chauffeur de taxi, lorsque les vieux parlent du temps de Farouk, c'est comme d'un paradis dont ils auraient été chassés. »

Farouk et les voitures, par exemple… Son père, le roi Fouad, lui avait offert une automobile, une vraie, une Austin Seven, en 1931. Il avait onze ans. Elle était déjà rouge. Par la suite, il a fait peindre toutes ses voitures – et Dieu sait s'il en eut beaucoup – de ce même rouge carmin métallisé. Plus encore, il interdit par décret à toute personne vivant en Égypte de posséder une voiture rouge. Si bien que, lorsque, au temps de Farouk, on voyait passer une voiture de cette couleur, on savait que c'était le roi, le roi Farouk, à nul autre pareil.

« C'est bien possible, tout ce qu'on raconte, conclut-il. Farouk était tellement riche… Nous autres, Égyptiens, nous étions heureux de la richesse du roi. C'était comme si nous la partagions un peu. Mais la richesse de Moubarak ! Chaque piastre de cette richesse appauvrissait chaque Égyptien. Allez comprendre… »

Quais du Nil – Dahabeya

Zohar était de jour en jour plus inquiet. Des étudiants rencontrés au café lui avaient raconté, eux qui en avaient goûté, les violences subies par les détenus dans les geôles égyptiennes. Enfermés presque nus, par vingtaines, dans des cellules minuscules, sans lumière, nourris une fois par jour d'un maigre plat de fèves qu'ils devaient avaler avec leurs mains, soumis à la vindicte de geôliers nubiens qui les fouettaient pour leur faire chanter des hymnes à la gloire du roi Farouk, sans parler des humiliations sexuelles... Ce qui leur manquait le plus était un souffle d'air. La brise du soir se monnayait à une livre les quelques minutes, durant lesquelles le gardien consentait à laisser la porte entrouverte.

Un mois après l'incarcération de son ami, un étudiant avait transmis un billet à Zohar, libellé au crayon sur un coin de papier journal. Nino lui demandait seulement du linge propre. Il ne supportait plus sa propre puanteur. Pauvre Nino! Lui, maniaque de la propreté, confronté à une promiscuité sauvage dans la pénombre d'un cachot antique... Il devait être devenu presque fou – la preuve, il terminait par ces quelques mots en arabe: «Qu'Allah te garde, mon frère.» Il n'y avait rien d'étonnant à ce qu'un Juif d'Égypte appelât Dieu Allah; les trois religions partageaient le même mot. Si on le décompose en *al-lah*, on peut simplement comprendre: «le dieu», donc: «Dieu», laissant à l'interlocuteur la liberté de lui conférer l'identité de son choix. L'Égypte avait compris de longue date que l'ambiguïté était mère de la liberté. Mais Nino avait ajouté: «Mon âme est sereine; si Dieu l'a décidé, je mourrai en martyr afin que triomphe notre foi.» Cette dernière phrase avait tinté comme une sonnette d'alarme. «Notre foi»? Mais de quelle foi parlait-il? Zohar en avait eu la chair de poule.

Voilà des semaines que Joe ne cessait de l'alerter pourtant. «Zohar, lui répétait-il, tu devrais aller voir Nino, discuter avec lui seul à seul. Tu es son ami! Sais-tu qu'il s'est converti à l'islam?» Et Zohar haussait les épaules. «Et alors? S'il s'est converti à l'islam, il pourra se convertir ensuite à autre chose. C'est comme un billet de banque. Disons une livre sterling, tu la convertis en dollars. Après, les dollars, tu pourras les convertir en francs ou en roubles… C'est toujours de l'argent, non ? Tu montes, tu descends, de toute façon, tu es juif. » Mais Joe insistait. « Non, Zohar ! Tu n'as pas compris. Ce n'est pas une conversion de l'esprit. La sienne provient du ventre. » Zohar ne pouvait le croire. Lorsqu'on est juif, on le reste ! Sinon, comment expliquer qu'il existe encore des Juifs après tous ces siècles d'efforts pour les faire disparaître ? Il voulait croire que la phrase mystique du billet de Nino était un cri de désespoir ; pour l'alerter, sans doute, une sorte de hurlement…

Et lorsqu'il se rendit ce vendredi soir célébrer le shabbat dans la ruelle aux Juifs, sa mère lui demanda ce qui le tracassait. Son père palpa ses joues, eut un soubresaut en les sentant tendues, posa la main sur sa tête et le bénit.

— Mon fils, que ton esprit s'apaise.

Zohar s'immobilisa sur sa chaise. Son père se concentra avant de dire :

— Vois-tu, les uns pensent qu'ils gagneront par la vitesse, les autres par la puissance. Mais toi qui as été bercé aux paroles du Seigneur, tu sais que c'est en nous souvenant de son nom que la sérénité gagne notre cœur… Car c'est le Nom qui apaise l'esprit.

Au lieu de se détendre, Zohar serra les dents. Motty réagit aussitôt :

— Ce ne sont donc pas les affaires qui affligent ton âme…

— Non, mon père ! Mais qu'importe…

Motty se détournait pour bénir le vin, mais Esther le tira par la manche.

— Insiste ! Ne le laisse pas, Motty, supplia-t-elle. Ses bras sont solides, son cerveau est puissant, mais son âme est légère comme le vent.

Et Motty leva la tête et les mains vers le ciel, et un verset du Cantique monta jusqu'à ses lèvres. Sa voix profonde, plus grave qu'à l'accoutumée, un peu éraillée par l'heure tardive, emplit la petite pièce illuminée de bougies : « Celui que mon cœur aime, je l'ai saisi et ne le lâcherai point que je ne l'aie fait entrer dans la maison de sa mère, dans la chambre de celle qui l'a conçu… » Esther posa sa main sur celle de son mari et le regarda en souriant. Elle l'aimait comme au premier jour. Elle l'aimait contre l'adversité, elle l'aimait contre les vents, elle l'aimait pour la joie qu'elle éprouvait chaque matin en s'éveillant près de lui, elle l'aimait plus que sa propre vie.

Entendant s'élever la voix de son père, Zohar s'apaisa enfin. Il regarda ses parents et sourit à son tour. De quoi pourraient-ils avoir besoin, ces deux-là ? Adam et Ève au Jardin, voilà ce qu'ils étaient ! Décidément, il faut un homme aveugle pour que la femme abandonne toutes ses peurs…

— C'est mon ami Nino, ô mon père ; c'est lui dont je me soucie. Si je ne parviens pas à le sortir de prison, il mourra, je le sais !

Esther et Motty étaient au courant de l'incarcération de Nino. Tout le monde était au courant ! Les nouvelles circulaient plus vite que l'air dans 'Haret el Yahoud. Motty reposa sur la table la coupe de vin qu'il s'apprêtait à consacrer et demanda à Esther de le guider jusqu'à l'armoire. Il tâtonna de la main derrière ses chemises et en sortit un vieux livre bilingue, en hébreu et en arabe. Il compta sept pages, posa le doigt sur une ligne et le tendit à Esther.

— Tiens ! ordonna-t-il. Lis les premiers mots afin que je me remémore le début du psaume.

Surprise, Esther regarda le livre, le retourna pour déchiffrer la couverture. Elle se demandait pour quelle raison son mari dissimulait ainsi des textes ésotériques dans l'armoire à linge, lui qui ne pouvait les lire. Elle commença, en hébreu :

— « Rends-moi justice, ô mon Dieu ! Défends ma cause contre une nation d'infidèles… »

Et Motty de commenter par-devers lui : « Et contre la philosophie de l'endroit, celle des autochtones, aussi vieux que les pierres, aussi placides que le sphinx… »

Et il reprit à l'adresse de tous :

— La justice des hommes est toujours injuste. Il n'est pas juste que les hommes jugent les hommes. Au jour du Messie, les juges seront jugés !

Et il chantait : « Rends-moi justice, ô mon Dieu… J'irai vers l'autel, je prendrai ma harpe ; ma joie et mon allégresse monteront vers toi. Ô Dieu ! Ô mon Dieu ! Rends-moi justice, ô mon Dieu ! »

La voix de Motty dessinait des volutes sur les murs, les flammes des bougies vacillant au rythme de sa mélodie. Esther reprit le couplet avec lui et sa voix, aiguë, un peu acide, violente, la voix du peuple, se mêla en harmoniques à celle de son mari. « Ô Dieu ! Ô mon Dieu ! Rends-moi justice, ô mon Dieu ! » Alors Zohar se mit à chanter, lui aussi. Et l'allégresse du shabbat s'éleva au-dessus de la petite épicerie de la ruelle aux Juifs.

Attirée par la musique, la vieille Mass'ouda entra la première, suivie de son mari, l'oncle Élie.

— Qu'est-ce que c'est que ça ? Peut-être une fête secrète… La maison est celle de nos pères et nous serions exclus des réjouissances ?

Esther se précipita.

— Entre, ma mère ! Nous chanterons ensemble. Il y en a tant qui l'invoquent ce soir qu'il nous faut prier de toutes nos forces pour qu'il distingue nos voix parmi toutes les autres.

L'oncle Élie reconnut aussitôt le psaume qui libère les prisonniers et demanda à Motty :

— Serait-il arrivé un malheur ?

Et Motty chantait : « Délivre-moi de l'injustice des hommes, ô mon Dieu, mon protecteur, mon salut ! » Et ils chantèrent ensemble, l'oncle Élie et son épouse la robissa Mass'ouda et Motty et Esther…

Zohar, le cœur soudain gonflé d'une émotion qu'il ne savait nommer, pensait à la complexité du monde... Les affaires, où l'on pouvait tout perdre en un jour, la circulation au risque de sa vie dans les cours des puissants, et que faire de ces dieux, celui des coptes, celui des musulmans, celui des orthodoxes, celui des Arméniens, celui des Juifs... tous différents, tous jaloux, aussi hargneux que des femmes amoureuses ? Ah ! Le monde est bien difficile et nul ne sait où se dissimulent les véritables guides. Ce soir, il regrettait son enfance où il était simplement un élément du monde, un oiseau ou la feuille d'un arbre...

Et les tantes d'Esther, Maleka, d'abord, puis Tofa'ha et même Adina, rejoignirent le chœur improvisé avec leurs maris. La petite épicerie trépignait sa foi, avec une sorte de fureur, sachant par expérience la surdité de Dieu. La voix de ténor de Motty s'éleva soudain comme un milan cherchant à rejoindre le soleil : « Ô mon Dieu, ô mon rocher ! » Les autres de répéter... et Motty de reprendre encore : « Ô mon Dieu, ô mon rocher !... Rends-moi justice, ô Dieu ! Défends ma cause face à toute une nation. Délivre-moi ! Délivre-moi ! »

Après les chants, ils s'installèrent autour de la table. Motty rompit le pain et commenta une dernière fois :

— Ce psaume, à ce que l'on dit, fléchit le cœur des juges en l'emplissant de terreur.

Zohar regardait son père, abasourdi.

— Vraiment ?... Crois-tu que notre prière fera sortir Nino de prison ? ne put-il s'empêcher de lui demander.

Et Motty répondit par des phrases mystérieuses :

— Il y a bien des prisons, mon fils... Celles entourées de murs où l'on sait ce qui nous sépare du monde et celles si étendues qu'on n'en perçoit pas les limites. Le désert est aussi une prison – saurais-tu en trouver l'issue ? L'errance de celui qui ne sait plus poser les questions est pire que le désert. Ton ami s'est égaré. Il échappera à la prison des hommes, c'est certain, mais je ne sais ce qui le ramènera parmi les siens.

Lorsque Zohar quitta 'Haret el Yahoud, le ciel s'était poudré de myriades d'étoiles. Moins d'un an auparavant, il passait encore ses nuits à sillonner la ville à la recherche d'amoureux des herbes et des poussières. Est-ce cela que son père appelait « l'errance » ? À cette époque, il se sentait pourtant plus libre et tranquille qu'aujourd'hui.

À longs pas, il balançait les bras comme un seigneur le long de Soliman-Pacha, s'étonnant du nombre d'enseignes illuminées malgré l'interdiction. Craignant les bombardements allemands, la défense passive avait ordonné de voiler l'éclairage derrière des rideaux bleus. Mais le roi lui-même, en révolte contre les Anglais, faisait briller son palais de mille feux. Il faut dire que, jusqu'alors,

404

Le Caire avait été épargné par l'aviation ennemie. Le Caire où la chaleur de la nuit suffit à déclencher l'ivresse.

Zohar n'entendit pas la Buick qui vint stationner contre le trottoir, tout près de lui, en un souffle. Bourdonnement de la capote électrique qui le fit sursauter, lui fit tourner la tête... Sur la banquette arrière, une femme, entièrement voilée de noir, lui fit un signe de la main, lui indiquant la place avant. Le chauffeur, un Soudanais en livrée, ouvrit la portière. Zohar hésita.

— Tu ne reconnais pas mes yeux ? demanda Masreya derrière son masque. Nos grands-parents imaginaient des romans rien qu'en échangeant leurs regards...

Il grimpa d'un bond sur le siège. Et tandis que la voiture démarrait, il répondit seulement :

— Tu m'as fait peur.

Il enjamba le dossier de son siège et se jeta sur la banquette arrière.

— Mon prince ! dit-elle en se lovant contre lui. Beauté du monde qui me fait respirer le parfum de ton âme...

Puis, d'une voix autoritaire qu'il ne lui connaissait pas, elle s'adressa au chauffeur :

— Abdou-la-Folie, à la dahabeya !

Originaire du grand Sud, le pays des chrétiens et des fétiches, c'était ainsi qu'il se nommait, Abdou-la-Folie – tant il était beau, à la folie... Il se retourna et, laissant éclater son sourire, lui répondit :

— Tes ordres sont une caresse, ô ma maîtresse !

— La dahabeya ? sursauta Zohar. Quelle dahabeya ?

Ils roulaient décapotés. Les Anglais en goguette se retournaient stupéfaits du tableau. Ils voyaient passer, en un écrin rutilant, une Roadmaster couleur sable aux chromes marqués de lune, un tout jeune homme, vêtu comme un dandy, qui embrassait avec fougue une femme voilée. Sans doute se disaient-ils qu'on avait bien exagéré dans le briefing aux soldats lorsqu'on leur avait parlé de la pudeur atavique des Égyptiens. Dès que s'ouvrait le monde de la nuit, l'Égypte devenait Los Angeles et Hollywood les quais du Nil…

Abdou-la-Folie vira brutalement au niveau de Qasr-el-Nil et s'engagea le long du fleuve. Il connaissait les goûts de sa maîtresse. Il accéléra et les huit cylindres grondèrent leur chanson de chalutier. Et Masreya criait au vent :

— Plus vite !… Allons, accélère ! La mort nous poursuit et l'amour est devant nous, tout au loin…

Et Zohar revenait à sa question :

— Quelle dahabeya ?

— La mienne ! finit-elle par lâcher.

Il ne lui en fallut pas davantage pour comprendre.

— Un cadeau ? demanda-t-il.

Il s'efforça de ne rien laisser paraître, mais l'idée s'infiltrait comme un poison et lui vrillait le ventre. La voiture roula longtemps en se dandinant sur les ornières. Ils s'embrassaient encore et sa bouche était la sienne et ils n'avaient qu'une seule langue, et ils parlaient du monde. « Dans la 'hara, la guerre n'est pas arrivée, plaisantait Zohar ; j'en sors. J'aime les voir ainsi, préservés du mal, qui parlent à Dieu et craignent toujours le pharaon. » Ils riaient des gens de là-bas, des gens qu'ils croisaient, des gens qui n'étaient pas eux ; ils se touchaient à travers leurs vêtements, se reniflant comme des chats en chaleur. « Et dans les cabarets, répondait Masreya, il n'y a que des soldats qui ne veulent pas partir à la guerre. Le Caire est devenu terre des plaisirs. » Et c'était vrai ! Et ils s'immobilisaient un moment, se tenant par la main, les yeux absents. S'imaginaient-ils jumeaux en un même ventre ?

— Et la Buick ?... Un cadeau aussi ? ne put-il s'empêcher de lui demander.

Elle éclata de rire.

— Peut-être... On m'a seulement remis les clés. Tu avoueras que ces sièges en cuir... Je compte bien la garder ! Mais qu'as-tu Gohar ebn Gohar ? Serais-tu jaloux ?

Le chemin faisait un coude. Abdou-la-Folie s'y prit à trois reprises avant de réussir à tourner. Ils débouchèrent sur une sorte de clairière. La rive avait été aménagée. À l'entrée, deux palmiers s'élevaient comme les colonnes d'un temple. La voiture stoppa le long du ponton. La dahabeya, bercée par l'indolent clapotis du rivage, grinçait en cadence. Un hublot diffusait une lumière rougeoyante. Surgie de nulle part, Ouahiba ouvrit la portière de la voiture. Masreya cligna des yeux.

— Allons, viens ! dit-elle à Zohar.

— Où m'emmènes-tu ?

— Je t'ai aménagé un berceau sur le Nil.

Dans l'urgence de s'aimer, ils négligèrent l'eau de l'entrée. Ils ne burent ni ne firent d'ablutions. Ils ne prirent pas la peine de regarder l'endroit, éclairé par quelques lumignons. Dans la pénombre, il était sa nuit ; elle était son jour. « Beau comme la lune », dit-on en arabe… La lune y est au masculin. Elle était forte comme le soleil qui, en Égypte, est un dieu. Ils s'aimèrent sur le pas de la porte. Ils s'aimèrent debout, dans l'incapacité de se séparer, ne fût-ce que pour faire un pas vers le lit. Ils s'aimèrent sans se lâcher, siamois des origines, prisonniers d'un grimoire. Ils s'aimèrent sans bouger, de peur de se détacher.

Sur le ponton, Ouahiba, la plus grande des deux sœurs, les entendant gémir, fut prise d'angoisse. Elle murmura à Baheya :

— Peut-être que c'est 'haram… que c'est un péché ; mais c'est tellement fort… Ce n'est pas leur faute.

Et la plus jeune de lui répondre :

— Ô ma sœur, j'ai peur ! Je sens déjà la terre trembler.

Ô Zohar ! Toi dont l'âme est légère et le sang doux comme le miel, pourquoi ne pas te contenter d'aimer avec ton cœur ? Ignores-tu que le danger de l'amour réside dans les humeurs qui sourdent du corps pour donner naissance aux êtres de la nuit ? Ô Masreya, poisson nerveux aux yeux de lumière, écoute-moi ! L'amitié d'un frère est le socle du monde. Qu'est-ce donc qui vous pousse au mélange des chairs ? Vous auriez pu vous établir dans l'alliance des puissants. Frère et sœur, jumeaux parfaits, jusqu'à devenir roi et reine, tel aurait pu être votre destin, si vous n'aviez été happés par votre passion pour les liqueurs visqueuses. Ô Zohar, ô Masreya, enfants magiques, trop beaux pour le monde, votre souvenir antique des eaux du ventre vous a voilé le soleil.

Étendu nu sur le lit, les cheveux collés d'amour, semblant examiner le plafond, Zohar, en reprenant ses esprits, avait retrouvé la question acide qui tourmentait son âme.

— Un cadeau du roi ? demanda-t-il encore.

— Qui d'autre ? soupira-t-elle.

— Je le tuerai !

Était-il fou ? Bien sûr, elle lui rappela le rôle qu'il lui avait lui-même attribué : celui de séduire Farouk pour obtenir la libération de Nino. Elle y

avait travaillé, il pouvait la croire ! Son ami sortirait de prison avant la fin de ce mois. Et le travail
n'avait pas été facile. Certes, le roi pouvait tout,
mais il devait tout de même justifier quelque peu
les ordres qu'il donnait... Et Zohar savait-il que
Nino avait pris des responsabilités au sein de la
confrérie ?... Qu'il était considéré par les moukha-
barat, les services de renseignements, comme un
personnage particulièrement dangereux, un fana-
tique, susceptible de déclencher une révolte, de
poser des bombes ou d'entraîner les étudiants à
l'attaque d'une caserne anglaise ? Sur sa fiche de
police, elle avait même pu lire cette phrase : « Doc-
trinaire enflammé, d'autant plus intransigeant
qu'il est intelligent et instruit. » Ceux-là, trop
intelligents pour être modérés, habituellement,
la police les étranglait avec un lacet dans leurs
cellules et les expédiait au fond de l'eau, dans les
environs d'Assouan, pour nourrir les perches du
Nil.

Et Zohar baissait la tête, ne sachant que répondre. Puis il leva des yeux immenses, un peu
hagards.

— Fallait-il vraiment aller jusque-là ? se lamen-
tait-il. Voilà que maintenant il t'aime à la folie, au
point de t'offrir une maison flottante sur le Nil et
une américaine décapotable.

Elle leva les épaules en soupirant.

— Toz sur l'américaine et toz sur sa capote !

Et elle ajouta encore :

— Toz sur ce guignol de roi qui, chaque jour, retourne plus près de l'enfance.

Il sourit. Elle le rejoignit sur ces draps encore trempés des humeurs de leur tendresse. Et ils s'enlacèrent, roulant, unis, imbriqués, tresse de serpents. Ils étaient parfaits, nus comme au premier jour, elle à la peau si brune au bas de son dos que les plis en devenaient bleus ; lui clair et presque totalement glabre comme un éromène. Leurs respirations étaient accordées, d'un même souffle. À ce moment, leurs cœurs battaient à l'unisson, exactement...

— Veux-tu m'épouser ? demanda Zohar.

Elle sursauta.

— Quoi ?

— Je veux dire... Lorsque tu en auras fini avec lui. On m'a dit qu'il ne gardait pas une femme bien longtemps.

— Tu es fou !

— Pourquoi ?

— Renierais-tu ta foi ?

— Ton dieu, le mien... nous les marierons aussi. Et nous y ajouterons les autres... les seigneurs, ces petits dieux si puissants qu'on honore dans les quartiers, à Bab el Zouweila, et tous les dieux de la terre, aussi, si tu veux...

— Les seigneurs ne sont pas des dieux,

mécréant ; rien que des croyances de vieilles femmes !

Il éclata de rire...

— Les seigneurs tirent puissance de tes doutes.

— Tais-toi, Gohar ebn Gohar, ne blasphème pas !

— Nous sommes l'Égypte. Tu es la terre, je suis le fleuve ; je suis la ville, tu es le soleil ; je suis le passé, tu es l'avenir.

— Écoute-moi, fils de rien !...

Elle allait parler lorsque Ouahiba frappa avec force à la porte de la cabine.

— Maîtresse !... Ô maîtresse...

— Qu'y a-t-il ? s'écria-t-elle avec humeur à travers la porte.

— Des voitures arrivent sur le chemin, ô maîtresse ! Beaucoup de voitures... Le roi, le roi !

Masreya se leva d'un bond, fourra dans le placard les vêtements répandus sur le sol, sur la chaise, sur le lit. Si on le trouvait là, Zohar risquait fort de partir rejoindre son ami Nino dans un cul-de-basse-fosse.

Il avait déjà enfilé son pantalon. La chemise ouverte sur la poitrine, il lui lança un regard interrogateur. Sans un mot, elle lui désigna une trappe dans le plancher. Il la souleva. Des marches s'enfonçaient dans la cale. Il dégringola jusqu'au fond, heurta une caisse, s'enfonça dans les entrailles de la coque jusqu'à l'autre extrémité et s'accroupit

sous un hublot entrouvert. Il entendit Masreya sortir sur le pont. Un homme demandait à parler à la
demoiselle nommée Ben't Jinane. « Je suis celle-là,
votre présence ! » Et l'homme de lui expliquer
que le roi se trouvait en son palais de Montazah à
Alexandrie, et lui demandait de le rejoindre sans
plus tarder. Elle pourra prendre son automobile,
les deux voitures ici présentes ainsi que les quatre
motocyclettes l'escorteront toute la route durant
jusqu'à Alexandrie. Avait-elle au moins le temps de
faire un brin de toilette ? Oui, bien sûr ! Ils l'atten-
dront là, sur le quai, à condition que cela n'excède
pas quelques minutes. Le roi était pressé.

Zohar attendit que Masreya revînt dans la
cabine pour soulever la trappe. Il passa la tête.

— Veux-tu m'épouser ? lui demanda-t-il encore.

Montazah

Elle l'abandonna là, dans la maison flottante, la dahabeya, cette folie dorée, et Zohar restait étendu sur les draps de satin, fixant le plafond en fumant des cigarettes. On ne pouvait dire s'il pensait ou si les idées s'échappaient de son cerveau, comme la vapeur d'une marmite d'eau en ébullition. Il avait entendu démarrer le moteur de la Buick et aboyer les ordres des militaires qui indiquaient à Abdou-la-Folie la place qu'il devrait occuper dans le convoi. Les moteurs des voitures vrombissaient, fiers, graves, puissants, et ceux des motocyclettes, saccadés, les encadraient comme des roulements de tambour. « Allez !... Allez ! Le roi attend... » Et taratata... Il aurait voulu sortir ; il s'imaginait ouvrant la cabine, une mitraillette à la main et arrosant ces saltimbanques en uniforme. Taratata... Il aurait voulu cracher des éclairs par la bouche,

414

appeler sur eux la foudre du ciel; il aurait hurlé les
terribles injures qui envahissaient sa langue et les
éléments seraient venus à son secours. N'était-il pas
l'enfant des seigneurs ? Mais il restait allongé et, les
yeux fermés, il voyait, Zohar, il les voyait s'affairer
au-dehors; s'impatienter en attendant Masreya qui
n'en finissait pas d'ajouter des bagages aux bagages,
et la cage aux oiseaux, et le carton de chapeaux,
et les gants blancs pour les réceptions, et le col en
renard doré... Il fermait les yeux en tirant sur sa
cigarette comme un forcené et il se retenait, et des
mots inconnus se pressaient dans sa tête, des mots
qu'il n'avait jamais prononcés, dans une langue
interdite, celle de Bab el Zouweila... Il réfléchis-
sait un instant. De l'arabe ? Non ! Plutôt une langue
du Sud, une langue des Soudanais, ou des Éthio-
piens... Lorsque la kudiya prononçait ces mots
étranges qui, ce soir, lui revenaient par rafales et
trépignaient dans sa tête, les flammes s'élevaient
en crépitant, le ciel se couvrait et la terre se mettait à gronder. Alors oui ! Il sortirait, il se tiendrait
devant eux, nu, et il hurlerait ces mots; la terre
vomirait alors sa lave fumante et leurs voitures
prendraient feu et ils seraient engloutis dans les
ténèbres jusqu'au dernier. Masreya resterait là au
milieu d'un monde pacifié, sans soldats, sans roi,
sans Égypte, nue comme lui, sa sœur, son épouse...
Ils seraient tous deux à nouveau seuls au monde et
ils s'emploieraient à désigner les êtres par leur nom.

Il se dressa soudain et expédia un coup de poing contre la porte de la cabine, de toutes ses forces, creusant un trou craquelé dans le bois verni. Inquiète, Masreya était réapparue ; elle avait passé son visage dans l'ouverture et l'avait interrogé du regard. « Qu'y a-t-il ? » lui demanda-t-elle d'un mouvement des sourcils. Il leva les épaules, résigné, et posa avec ses seules lèvres la même question, lancinante, qui le taraudait :

— Veux-tu m'épouser ?

Elle lui envoya un baiser en soufflant dans sa main creusée et disparut. Il entendit claquer les portières, s'animer les moteurs, crier le capitaine. « Allez !… Allez ! » Il se retourna alors sur son ventre, enfouit sa tête dans les oreillers et plongea en un instant dans un sommeil opaque.

*

Encadrée par les motards, la Buick roulait en se dandinant avec majesté à une vitesse irresponsable – peut-être cent kilomètres à l'heure ou même davantage. Tout le long de la route, ils avaient dépassé en klaxonnant d'énormes camions militaires, des semi-remorques, par dizaines, qui transportaient des chars d'assaut vers le désert occidental pour faire face aux poussées de Rommel. Sur la chaussée, les premiers rayons de soleil dessinaient les ombres immenses des palmiers lorsqu'ils pénétrèrent dans les faubourgs d'Alexandrie. Abdou-la-Folie avait viré sans ralentir en faisant crisser les pneus sur le chemin de la corniche. À l'arrière, Masreya, les yeux mi-clos, se laissait caresser le visage par la brise du matin. Au détour de la route, soudain, elle l'aperçut, ce château, tout droit sorti d'un livre pour enfants. Excité, le chauffeur se retourna :

— Montazah, maîtresse ! C'est le palais de Montazah.

Elle ouvrit des yeux éberlués. Surgissant de jardins à perte de vue, il était immense, la façade parsemée d'élégantes ogives, les murs parcourus d'arabesques de couleur, les coins en fine dentelle de pierre. Elle tressaillit. Tant de beauté pour dissimuler combien de belles disparues, au bois, dormantes...

— Le palais des fous, oui !

Car c'était ainsi que l'on nommait l'asile psychiatrique, en Égypte, le « palais des fous » ou parfois, à cause de la couleur de sa pierre, le « palais jaune ». Celui qu'elle avait devant les yeux était blanc, souligné de motifs roses et rouges – la couleur du roi –, flamboyant. Et alors que le convoi ralentissait pour pénétrer dans les jardins, un coup de canon fit sursauter Masreya.

— Qu'est-ce qui arrive sur moi ? s'écria-t-elle. Abdou ! Qu'est-ce que c'est ?

— C'est pour vous, maîtresse !

— Pour moi ? Qu'est-ce que tu chantes là ? Insinuerais-tu que j'ai une tête de soldat allemand ?

— Éloignez le mauvais sort, maîtresse ! C'est pour vous honorer, au contraire... Le roi accueille ses hôtes de marque par un coup de canon.

Les deux voitures militaires bourrées de soldats avaient disparu dans les allées. Les motocyclettes s'étaient séparées, deux par deux, et se tenaient à l'entrée des grilles, leurs conducteurs, casque dans une main, adressant de l'autre le salut militaire à la Buick qui avançait maintenant au pas. Et, sortie de nulle part, une fanfare, avec des trompettes, et des bassons et des cors et une grosse caisse entamait le couplet du célèbre duo de Masreya avec le divin Farid : « La vie est belle à qui veut la comprendre... La vie est belle. Si tu prends ce qu'on te donne, la vie est belle ! »

Les larmes lui vinrent aux yeux. Tout ceci pour elle, une enfant du peuple, encore imprégnée des senteurs de bufflonne, encore engluée dans les fanges du Delta ? Si au moins son frère, son véritable roi, ce diable de Gohar ebn Gohar, pouvait être là, partager sa joie... Où est-il à cette heure ? Que Dieu maudisse sa foi !

Le majordome ouvrit la portière, l'invitant à descendre, alors que déjà une armée de domestiques en livrée se précipitait sur le coffre et déchargeait ses bagages. En relevant la tête, elle aperçut le roi

418

qui descendait les marches du perron pour venir à sa rencontre. Il n'était pas seul. À son côté droit, une femme, jeune, le visage clair, une coiffure à la Vivien Leigh, vêtue d'un tailleur sophistiqué – les rayures de la jupe en négatif de celles de la veste –, semblait sortir d'un film américain. À son côté gauche, un homme élégant, en costume sombre, les cheveux brillants séparés par une raie rectiligne. Les dépassant d'une tête, Farouk, en costume trois pièces, ses éternelles lunettes de soleil sur le nez, lui tendait les bras en souriant.

Masreya se retourna vers Abdou qui, des yeux, lui fit signe d'avancer. Elle s'élança telle une gamine, grimpa d'un bond les quelques marches et se jeta dans les bras du roi. Il la serra contre lui, l'énorme, le chaleureux, l'inhumain, le sultan, l'insultant, l'ogre, le prince, le vampire, le dispensateur de bienfaits, le maniaque, le commandeur des croyants… il la serra si fort qu'elle crut étouffer. Que voulait-il signifier ainsi ? Et se tournant vers l'élégante jeune femme qui l'accompagnait :

— Ma chère, je te présente la célèbre Ben't Jinane, la plus prometteuse de nos artistes. Elle est si jeune. Je l'ai quelque peu adoptée.

Et il serra à nouveau Masreya contre sa poitrine en ajoutant :

— Elle est comme ma fille… plutôt ma sœur, corrigea-t-il en souriant d'un air entendu.

Et Masreya, d'en rajouter :

— Je n'ai jamais eu de père, vous comprenez ?
Ma mère était chanteuse...

— Je te présente Nazli Hanem, ma cousine
d'Alexandrie, l'interrompit le roi. Et son mari,
Omar Bey. Ils passent quelques jours de vacances
au palais. Va vite te rafraîchir ; nous partons en
mer.

Abdou-la-Folie l'accompagna jusqu'à sa
chambre. En chemin, elle le questionnait et il lui
répondait...

— Ne t'éloigne pas trop, conseillait le chauffeur, il a dépassé le temps de la jalousie. Il pourrait
te congédier. Ne te rapproche pas trop, le sol est
brûlant... Tiens-toi juste à l'emplacement du désir.

— Ah, Abdou ma folie, si nous vivions au
temps des Mamelouks, je te nommerais chambellan du harem.

— Nous avons changé d'époque, maîtresse.
Comme autrefois, les femmes disposent de l'intelligence ; aujourd'hui, elles ont de plus acquis les
moyens. Ce sont elles qui se tiennent derrière le
rideau et les hommes se succèdent à leurs pieds.

Deux semaines durant, elle fut la reine en son
palais. Suivant les conseils d'Abdou, elle ne gou-
verna ni ne commanda ; elle n'exigea ni même
ne demanda. Rayonnante et joyeuse, et calme, et
grave, et sereine, à l'heure où la lune s'effaçait, elle
s'imposait maîtresse du désir.

Le premier jour, ils pêchèrent le thon au large des côtes en zigzaguant entre les destroyers britanniques. À la vitesse des dauphins, Farouk conduisait le canot automobile au pont recouvert de bois verni. Les cheveux au vent, il riait des officiers anglais qui le menaçaient de leurs mitrailleuses. Le soir, après le dîner et la partie de poker qui les entraînait bien au-delà de minuit, en ses appartements, il s'abandonnait aux doigts aériens de Masreya. Le lendemain, ils chassaient dans les marécages et tiraient les cailles et les canards sous le nez des commandos du Long Range Desert Group, au point qu'un colonel vint expressément demander au roi de quitter la zone militaire. Et Farouk répondit dans un anglais parfait : « Vous vous vautrez dans mes terres, mon jeune ami. Demandez plutôt à vos hommes de jouer un peu plus loin durant ma chasse. Ils effarouchent les oiseaux. » Ce roi qui défiait les Anglais, qui les provoquait au cœur de leur dispositif militaire, n'attendait que le moment de déserter sa conscience sous la direction de sa reine de la nuit.

La journée, elle se tenait à l'écart, se laissait noircir au soleil, dans son maillot de bain immaculé, répondait avec humilité aux questions des invités. Le soir, il lui arrivait de danser pour eux et ils comprenaient, ces béotiens, ces innocents aux poches pleines, ce qu'était le don, cette faculté d'ouvrir son cœur qui échoit aux âmes engendrées par les forces de la terre. Masreya, mystérieuse et limpide, sensuelle et sévère, légère comme son pas de danse et dont le nom tirait sa profondeur des palmes du Delta : « l'Égyptienne » ! Elle était l'incarnation de l'Égypte, confiée pour quelques jours – autant dire quelques instants – à un pharaon en voie de momification.

Et la réserve de Masreya, ce silence sur ses propres désirs que lui avait conseillé Abdou-la-Folie, avait incité le roi à se confier. Il ouvrit son cœur, peut-être pour la première fois, à cette enfant née vieille, portant par-dessus le sien l'âge de son Gohar ebn Gohar, son jumeau, son véritable amour. Et Farouk lui parla à nouveau de sa sœur, la divine Faouzia, qu'il appelait Wizy, cette sœur dont la beauté avait traversé les mers. On la chantait alors jusqu'en Amérique... Couverture de *Life*, clichés d'art des plus grands photographes, de Cecil Beaton... Eh bien son mari, ce foutu shah d'Iran, il l'avait observé lorsqu'il était venu au Caire présenter sa demande en mariage. Un fou !... Et ce possédé des démons avait installé cette femme à la beauté parfaite, sa sœur, la sublime Wizy, dans ses appartements, et il était parti, dès le premier soir, assouvir sa passion avec un homme, son valet. Oui ! Une lopette, voilà ce qu'était ce soi-disant empereur qui se faisait prendre à quatre pattes par ses domestiques... Un adepte de Loth ! Et Farouk avoua à Masreya qu'il n'avait qu'une idée en tête, le matin quand il se levait, le soir quand il se couchait : rapatrier la pauvre Wizy. Masreya le consolait, et dans ses moments d'égarement, il l'appelait « ma sœur ».

Quelques jours plus tard, le roi décida d'organiser, avec l'aide du nabil Mohamed Abdel Halim, son parent qu'il avait réussi à extraire des geôles britanniques, un rallye automobile à travers le désert occidental. En pleine guerre du désert, alors que les chars de la 8e armée volaient en éclats sous les obus des terribles canons de 88 de Rommel, le roi imposait de partir en balade, suivi d'un cortège de millionnaires en goguette, pour visiter le petit peuple des oasis. Certes, c'était en Libye que la guerre sévissait, mais les campements britanniques pullulaient le long de la frontière et notamment aux alentours des oasis de Siwa ou de Bahariya. La nuit, lorsqu'il retrouvait Masreya, le roi exultait. « S'ils me laissent divaguer dans le désert, ils ridiculisent leur guerre ; s'ils me l'interdisent, ils dresseront contre eux le petit peuple d'Égypte. » Et il éclatait d'un rire satanique, l'enfant roi à qui rien n'avait jamais été interdit sauf – et il s'en souvenait ! – la masturbation du début de l'adolescence. Masreya tentait de le dissuader. « Non, ô mon roi, non ! Ils penseront que tu veux les espionner, transmettre leurs positions aux Allemands. Souviens-toi des événements de février... » Mais il riait de plus belle et il bombait le torse devant sa belle, et de sa grosse voix, il s'écriait : «Je suis Farouk, roi d'Égypte et du Soudan ! Sais-tu seulement ce que signifie mon nom. Farouk… Celui qui sépare… Oui ! Qui sépare la vérité du mensonge, le bien du mal. Ce que je dis est vrai ! Ce que je fais est bien, pour mon peuple, pour mon pays…» Ô folie des puissants, qui ne savent reculer, poursuivis qu'ils sont par la mort ! Et Masreya calmait son excitation en le caressant. La scène était toujours identique, sorte de rite antique aux divinités. Il s'offrait nu sur le dos, cachalot échoué sur des draps de soie, et elle s'appliquait à ressusciter son sexe, avec les mains, les pieds, avec la bouche, le liant et le déliant, l'emprisonnant et le libérant… Elle y parvenait toujours ; et il la disait sa magicienne.

Un homme était arrivé en pleine nuit au palais. Il avait franchi les grilles à bicyclette, immédiatement appréhendé par la garde royale ; mais lorsqu'il avait exhibé un billet écrit de la main du majordome du roi, on s'en fut prévenir Farouk. Le roi le reçut dans son bureau sur-le-champ. Qui était cet inconnu, maigre comme un héron dans son uniforme défraîchi, un beau nez busqué, le teint de terre brûlée des gens du Sud ? Les rumeurs fusaient. Comment un simple militaire, à peine gradé, un lieutenant de l'armée de terre, spécialiste des télécommunications, avait-il obtenu un rendez-vous privé avec le roi ? À deux heures du matin, qui plus est… Ceux qui l'avaient vu circuler dans les corridors racontaient qu'il semblait aux abois, regardant sans cesse derrière lui. Était-il poursuivi par les Anglais ? Ils restèrent longtemps à parler, tous les deux, sans témoin.

Le lendemain, Farouk annonça au commandant britannique qu'il renonçait à son projet de rallye, mais qu'il tenait à se rendre dans l'oasis de Siwa. Il voulait permettre à Masreya de découvrir ce lieu merveilleux, ce jardin en plein désert, de plonger dans les fontaines où s'était autrefois baigné le grand Alexandre. Les Anglais, heureux d'éviter une nouvelle crise, autorisèrent l'expédition, à condition qu'elle ne comportât qu'une seule voiture. Le roi, soudain devenu raisonnable, leur assura qu'ils seraient seulement deux, son invitée et lui. Joyeux, dès lors, il plaisantait sans cesse et à propos de rien, avalait des dizaines de sodas au goût d'orange et grignotait de perpétuelles pistaches qu'il puisait dans ses poches par poignées. Sa cousine, qui le connaissait bien, avait glissé à Masreya : «Il a ses airs !… Comme lorsqu'il a fait un mauvais coup. Peut-être a-t-il dérobé un cendrier en cristal au casino… Je me souviens du jour où il a abattu d'un coup de fusil le chien du gardien. Nous n'avions pas dix ans… Il avait ce même air.»

La nuit qui précédait le départ dans le désert, plus excité qu'à l'ordinaire, Farouk bouscula Masreya qui s'attardait dans la salle de bains. Du lit, où il était étendu, nu, il s'écria : « Tu crois peut-être que je te paie à traîner devant les miroirs ? » Elle ne répondit pas. Il l'appela de son nom. Silence… Il surgit d'un bond. Le temps d'enfiler une robe de chambre, il entendit la porte claquer ; elle était partie. Il erra dans le couloir, hurlant comme un forcené. Les gardes, ensommeillés, se précipitaient au-devant de lui et il les balayait du bras avec sa force de taureau. « Où est-elle, cette putain ? Où se cache l'Égyptienne ? » Il dévala le grand escalier, son vêtement voletant derrière lui comme les ailes d'un pélican, suivi par la garde en armes. Elle avait disparu. Il réveilla les deux cents serviteurs, militaires, femmes de chambre, des caves aux greniers et leur ordonna de partir à sa recherche. On illumina les lieux. On fouilla les coins et les recoins du palais, on sillonna le jardin en brandissant des lampes torches, on appela, on supplia, on menaça. Des automobiles partirent à sa recherche le long de la route, d'autres roulèrent en cahotant sur le sable en direction de la plage. Masreya s'était fondue dans la nuit. À quatre heures du matin, dégoulinant de sueur, Farouk réunit à nouveau son personnel pour les agonir d'injures : « Idiots, demeurés, incapables… et dire que je vous entretiens, tous, autant que vous êtes ! Lorsqu'on nourrit des animaux, on obtient des services en échange, du lait, de la viande… De vous, je n'obtiens rien. Rien ! Vous êtes des parasites. » Et il remonta tristement le grand escalier, tête basse. Seul le petit groom osa lever la tête. Et c'est lui qui l'aperçut, Masreya au beau visage, accoudée à la rampe, qui regardait monter le roi. Il s'écria en la désignant du doigt : « La voici ! Elle est là, la diablesse ! »

Elle ? Ici ? Ce n'était pas possible... Comment avait-elle pu échapper à la fouille systématique du palais ? Et les femmes commencèrent... « Qu'il en soit selon votre loi, ô seigneurs ! » Non, elle ne s'était pas cachée ; elle avait seulement pénétré les murs. C'est chose aisée aux êtres de la nuit. « Avez-vous vu comme elle danse ? insinuait l'une, l'air entendu. Aucune enfant d'Adam ne peut ainsi s'enrouler sur elle-même comme un serpent... » Une autre d'ajouter : « Au nom de Dieu, je l'ai vue de mes yeux prendre feu comme une allumette. Elle brûlait et elle était indemne ; et plus elle brûlait, plus elle était belle, la noiraude. » Et les femmes, épouvantées d'avoir côtoyé une sorcière, de s'écrier : « Que le malheur soit sur nous ! » Le roi, hypnotisé par la vision de sa belle au ciel de son escalier, se hâtait comme un chien apercevant son maître. « Regardez un peu, murmurait une femme, regardez comme il rampe. » Et une autre de lui souffler : « Elle use d'une pommade noire, une sorte d'onguent dont elle badigeonne son sexe. Elle la prépare sur le balcon les nuits de pleine lune... Je l'ai vue ! »

Farouk était déjà sur le palier, un peu essoufflé :

— Ô le cadeau, ô la douceur ! Tu as eu peur de ma grosse voix ? Viens, je t'offrirai la plus belle des parures pour me faire pardonner...

Il ne lui posa aucune question, ce pharaon au cœur de sexe. Il voulait seulement qu'elle se saisisse de lui, comme elle seule savait le faire ; il fermerait les yeux, elle le prendrait et il viendrait à renaître. Et pour l'apaiser, il se confia – il savait qu'elle aimait l'entendre parler des affaires.

— Sais-tu qui j'ai reçu la nuit dernière ?... Cet homme qui s'est glissé dans le palais... sais-tu qui il était ?

— Non ! Comment le saurais-je ?

— Imagine qu'ils sont des centaines, comme lui, qui en ont assez des Anglais. Ils m'ont d'abord écrit des lettres lorsqu'ils ont appris la violation de la souveraineté égyptienne par l'ambassadeur Lampson, en février dernier. Ils avaient honte de la couardise de notre armée qui n'a pas réagi devant l'affront. Ils m'assuraient qu'ils étaient prêts à prendre les armes pour défendre l'honneur de leur roi et l'indépendance de leur pays. Celui qui est arrivé au palais l'autre nuit s'appelle Anouar. Il fait partie d'un groupe d'officiers qui travaillent au rapprochement de l'armée égyptienne et de l'armée allemande.

— Il a des relations avec les Allemands ? questionna Masreya, surprise que le roi se compromette avec des rebelles.

— Oui ! Ils disposent d'un émetteur que leur ont fait parvenir les services allemands. Très bientôt, dans les semaines qui viennent, Rommel attaquera. Je pense qu'il prendra Alexandrie et foncera sur Isma'leya et Port-Saïd pour contrôler le canal. C'est alors que l'armée égyptienne devra sortir de sa torpeur.

— Est-ce prudent, ô mon roi, de prendre parti pour l'une des armées en guerre ? N'as-tu pas au contraire veillé à maintenir la neutralité de l'Égypte ? Et si Rommel n'attaquait pas ?... Et s'il perdait la bataille ?...

— C'est pourquoi il faut l'aider ! Vois-tu, la politique est compliquée. Ce que tu dis, et même son contraire, tu ne dois pas le faire, et ce que tu fais, tu ne dois surtout pas le dire – même pas son contraire ! Tu comprends ? J'emmènerai Anouar avec nous dans le désert. Je le ferai passer pour mon chauffeur. Lui saura repérer les positions anglaises et transmettre les informations aux Allemands... C'est un spécialiste.

C'était donc cela, comprit alors Masreya, tel était son plan... faire passer l'officier de liaison des militaires rebelles pour son chauffeur... c'était cela qui le réjouissait et l'excitait tout à la fois. Sa cousine avait raison, l'enfant roi avait encore fait une bêtise, mais, cette fois, elle engageait le pays tout entier. Et elle eut peur, Masreya, non pour elle – pouvait-on s'en prendre à un élément de la nature, une montagne, une rivière, car c'était ainsi qu'elle se vivait, une part du monde, éternelle. Elle eut peur pour son frère, son jumeau, son Gohar ebn Gohar... Si les Allemands venaient à occuper l'Égypte, ils poursuivraient les Juifs, ils les tueraient, ou les déporteraient au loin, dans des camps perdus au fond de steppes glacées. Et elle perdrait son double, son ombre, son souffle, son âme, son amour...

— Tu ne vas pas faire cela, ô mon roi ! dit-elle en s'efforçant de garder son calme. C'est trop dangereux ! Tu ne vas pas emmener Anouar...

Il s'étendit alors nu sur son lit et lui demanda du ton le plus doux :

— Viens ! Prends-moi ! Fais ce que tu sais faire...

Ils ne dormirent pas longtemps, à peine deux heures. Le soleil était déjà brûlant lorsqu'ils s'installèrent tous deux à l'arrière de la Cadillac rouge. Anouar, dans un uniforme neuf, tenait le volant. Farouk était d'humeur joyeuse. Il posa la main sur l'épaule de son nouveau chauffeur.

— Que ton matin soit empli de bonté, ô Anouar, le bienheureux...

L'homme se retourna. Une certaine élégance, la peau sombre, un beau visage, de grands yeux étonnés et une fine moustache qui lui donnait un petit air britannique.

430

— Ô mon roi ! Que ton matin éclaire le monde, toi dont l'éclat égale celui du seigneur soleil.

Il jeta un regard furtif à Masreya et baissa les yeux. Il était poli, Anouar, et respectueux des préceptes de la religion. Il se dirigea vers l'ouest.

Partis d'Alexandrie, ils suivirent d'abord le littoral et firent une première halte à Damanhour, non loin du village de la famille de Masreya. Farouk était heureux de surgir comme un inconnu parmi les paysans du Delta, de s'asseoir, siroter une gazeuse, bavarder en simple bourgeois dans un café de cette petite ville d'une province éloignée. Frayeur des naïfs lorsqu'ils découvraient soudain qu'ils se trouvaient en présence du roi. Et sa joie de galopin, alors... Ils quittèrent la place, des centaines se pressant autour de leur voiture, criant : « Vive Farouk ! » Farouk Iᵉʳ, ce roi qui n'hésitait pas à s'aventurer sous les bombes en pleine guerre pour prendre des nouvelles de son peuple. Il riait...

— Vois-tu comme ma seule présence les rend heureux...

Masreya restant silencieuse, il insistait :

— Allons, tu ne dis rien ?

Elle de répondre alors :

— Ta présence leur est douce, ô mon roi ; c'est ton absence qui leur est douloureuse.

À ces mots, Anouar se retourna. Ses yeux s'exprimaient plutôt que sa bouche : « Qui donc est cette si jeune femme à la parole coupante comme le rasoir ? »

Le long de la route c'étaient légions de soldats pliant sous la ramure de leurs armes ; cohortes de camions, moteurs lions hurlant dans des nuages de sable ; chars d'assaut, éléphants mécaniques à la trompe de feu et canons par centaines, innombrables sexes érigés des dragons de la mort. Farouk connaissait chaque modèle de fusil, chaque marque de camion, l'origine de chaque blindé, et Anouar photographiait avec son minuscule appareil Minox.

Ils s'arrêtèrent dans les villages de pêcheurs transformés en forteresses, à El Alamein, la bien nommée, « les deux mondes », l'endroit précis où l'Occident affronte l'Orient ; à Sidi Abd el Rahman, en la demeure d'un saint pluricentenaire, l'œil dardé sur eux du fond de son tombeau. Anouar notait fébrilement l'emplacement des aérodromes et des réserves de carburant.

À Marsah Matrouh – encore une forteresse hérissée de baïonnettes –, rudement accueillis par un colonel nerveux, ils quittèrent la côte pour s'enfoncer dans les dunes, beaux seins de femme, à l'infini, qu'un géant caresse tout le jour, toute la nuit, en sifflant. Anouar se guidait au compas solaire inventé par le célèbre major Bagnold. Ils ne pouvaient guère se perdre, cependant, suivis par un bimoteur de l'aviation égyptienne qui les survolait toutes les trois heures, leur parachutant de l'eau, des vivres et des sodas glacés. Le lendemain, à mi-journée, ils parvinrent à Siwa, dont la présence s'annonçait depuis longtemps au vol des oiseaux. Ils n'étaient plus alors qu'à une vingtaine de kilomètres de la frontière libyenne. Chaleur d'enfer, immensité, solitude à perte de vue d'où émergeaient fragments de squelettes de dromadaires et tôles rouillées de camions, chaos de rocailles et masures de terre battue, tout de cette même couleur jaune poussière... Et la rouge voiture royale, la Cadillac elle-même, avait pris cette couleur, déjà presque statue de sable. Masreya fut traversée d'un frisson.

— Est-ce encore la terre des humains ?

— Là ! s'écria Anouar...

Un chemin, étroit, entre les rocs... Ils entendirent d'abord comme une chute d'eau toute proche. Soudain, brutalement surgi du sol, un palmier, puis un autre ; des palmiers ; une véritable forêt de palmiers. Et en son cœur, un bassin, une sorte de piscine, bâtie au temps d'avant le temps... Là, l'eau bouillonnait en un roulement continu. Solennité de cet instant où ils virent l'être surgir du non-être ; la vie du fond des sables... Farouk était croyant, sans doute l'était-il à sa façon, égocentrique, superstitieuse, désordonnée, mais tout de même. Il s'approcha de l'eau, fit ses ablutions, se prosterna et se mit à prier. Et Anouar se

prosterna à son côté et pria, lui aussi. Ils s'avancèrent encore et, à la sortie de la forêt, ils virent
une mer – oui, une mer ! – en plein désert, un
grand lac, avec une île de rocaille en son centre
et des palmiers sur le rivage, et des ruines très
anciennes… Là vécurent des hommes, au temps
d'avant le temps, qui s'enrichissaient du bivouac
des caravanes, des hommes pour qui chaque pierre
correspondait à une étoile. Il y eut ces hommes
d'avant dont on ne sait rien ; puis les hommes
du temps des Ramsès, qui, déjà, accueillaient
les soldats, tantôt ceux du Levant, tantôt ceux
d'Occident ; ces mêmes hommes du désert qui
hébergeaient aujourd'hui les soldats de la 8ᵉ armée,
peut-être ceux de l'Afrikakorps demain. Heureux
peuple des oasis, parfois voleur, parfois prodigue,
qui s'enrichissait toujours d'objets, de chansons et
de mots nouveaux.

Car ils chantaient, ces bergers, chasseurs, agri-
culteurs, brigands, marchands et poètes – poètes,
surtout ! Pour leur roi, qu'ils n'avaient vu qu'en
effigie sur leurs billets de banque, ils sortirent les
grands tambours en peau de gazelle et les violons
à une corde, et se livrèrent à un concours d'improvisation. Les visiteurs ne saisissaient pas parfaitement leur langue, l'arabe certainement, mais avec
des mots étranges, venus d'ailleurs ou d'autrefois.
Mais ils comprenaient que ces hommes chantaient
leur chance de recevoir le roi d'Égypte, le pharaon

maître des chars, et déclinaient en vers la beauté de la femme qui l'accompagnait, princesse des désirs, et la grâce de son chauffeur, dont la pipe exhalait un permanent encens de gomme. Et ils prédirent non pas au roi, non pas à la femme, mais au chauffeur, un destin digne des dieux antiques. Lui, le sans-grade, monterait un jour sur le trône, serait un grand roi, rétablirait le panthéon, le lieu des cent dieux, et disparaîtrait en un jour, dans un crépitement de feu. Anouar se rembrunit; il croyait aux prédictions des devins.

Ils burent du lait de chamelle fermenté et, lorsque la musique envahit l'espace jusqu'à se confondre avec son propre écho, Masreya dansa pour eux. Elle se dressa, la femme au corps de déesse, voiles rouges sur sa peau sombre; ses yeux de lune pleine et ses hanches endiablées... « Ah, c'est bien le roi d'Égypte ! s'écriaient les hommes, saisis par tant de beauté, et cette femme est une princesse ! » Et ils répétaient : « C'est bien le roi d'Égypte ! »

Ô roi des deux Égypte, vois comme le désert, ce lieu où la nourriture est à chaque fois un cadeau, permet l'éclosion de la beauté, alors que les palais d'abondance cultivent la laideur...

Farouk était le plus résistant, buvant, mangeant, infatigable fêtard, riant, parlant de rien, badinant, comme s'il se trouvait à la cour, entouré de ses généraux et de ses ministres de mascarade, de ses coquettes et de ses messieurs, ses khawagates à costume, canne et chapeau.

Lorsqu'ils furent amis, ceux de la ville à l'infini et ceux du désert, les hommes guidèrent Anouar jusqu'à la compagnie de blindés australiens camouflés au cœur de la forêt de palmiers. Et il photographiait, toujours… jusqu'à épuiser la totalité des micropellicules de son Minox.

Les hommes du désert avaient préparé un thé pour le roi, grande cérémonie, nappe et serviettes blanches, tasses de porcelaine, cuillers et pots d'argent – à l'écart, à l'ombre d'une dune de sable. Ils leur avaient réservé ce moment, pour elle et lui, seuls ; ils avaient tamisé et lissé le sable, dressé la table parfaite au milieu du désert océan. Farouk était debout attendant que Masreya, voile rouge sur les épaules, prenne place sur les coussins de feutre.

Du haut de ses deux mètres, immense, enveloppé de la tête aux pieds d'étoffe et de plis, l'homme avait versé le thé, plus noir que le café, plus sucré que le miel… au roi, d'abord, puis à la favorite. Et il s'était retiré au loin, derrière une dune. Ici, dans le désert, les êtres apparaissent et s'évanouissent dans l'instant.

En ce salon improvisé, ils ont parlé.

— Je voulais te montrer l'Égypte à ses frontières. Tu l'as vue ! Je voulais te voir danser, le sable et le soleil pour décor. J'ai rendu jalouses les gazelles…

436

Et Masreya à l'élégance du vent, à voix basse, en détachant ses mots :

— Tu seras un grand roi si tu t'oublies ; tu seras oublié si tu te crois grand…

Un bruit vint l'interrompre. Au loin, les vautours avaient été les premiers à l'entendre. Ils avaient dressé la tête, remué les ailes en mouvements désordonnés, et décollé, d'abord l'un, puis deux, puis d'autres. Tous avaient rejoint le ciel quand la brume se mit à rugir et la terre à vibrer. Il apparut au loin, en silhouette, énorme baleine du ciel tanguant à la surface des dunes.

— Armstrong Albemarle ! s'écria Farouk.

Et comme Masreya s'étonnait, il précisa :

— L'avion, c'est un AW 41 Albemarle. On peut être tranquille, il nous mènera au Caire sans encombre.

Et le bruit devint terrible, un tonnerre d'orage qui durerait des minutes entières. Un vent venu des horizons grésillait sur les joues, aux oreilles, dans les yeux. Puis on entendit les tôles supplier, le caoutchouc des roues se soumettre aux pierres et les objets brinquebaler. Le bimoteur toucha terre en un brouillard jaune et roula longtemps, s'éloignant jusqu'à l'extrême limite de la piste de sable, fit demi-tour et revint jusqu'au pied des misérables bâtisses de terre en crachotant.

Les hélices brassaient le vent, impatientes. Le voyage se terminerait ici. La ferraille tremblait ; les hommes, oisillons affamés d'amour, tournoyaient autour de la carlingue fumante, mère oiselle aux ailes déployées. Ils allaient embarquer en direction du Caire. Deux militaires, descendus de l'avion, conduiraient la voiture jusqu'au palais d'Abdine. Les vacances à Alexandrie, au féerique palais Montazah, l'expédition au désert, prendraient fin à l'instant où le roi franchirait la porte de l'avion – elle le savait.

— Ô roi, ô seigneur !

Il se retourna vers elle d'un mouvement.

— Ta parole m'est une caresse, princesse ! Ordonne, c'est mon plaisir...

— Ô mon seigneur, voilà des mois que je t'ai parlé de l'ami de mon frère enfermé dans la prison des étrangers. Me laisseras-tu penser un seul instant que le roi d'Égypte et du Soudan ne peut commander aux sombres geôliers de la rue Nazli ?

Et elle se retourna pour cacher son sanglot.

— Sur ma tête ! jura le roi. Tu m'entends ? Sur mes yeux, sur mon âme ! Demain ! Le soleil ne se couchera pas avant que l'ami de ton frère, ce malheureux, ne rentre manger à la table familiale.

Elle se retourna alors, les yeux rougis, s'agenouilla devant lui et baisa sa main. Les hommes du désert ont tiré en l'air avec leurs carabines. Leurs femmes ont fouillé leur gorge pour en extraire les youyous des fêtes, les plus aigus. Il semblait qu'au loin, les chacals leur répondaient. Peut-être était-ce seulement l'écho de leur joie réverbérée par l'immensité...

*

De retour de l'oasis de Siwa, l'avion atterrit sur une piste militaire, à Helouane, une banlieue chic du Caire. L'ambassadeur, sir Miles Lampson, se tenait au pied de la passerelle, cachant la vue au Premier ministre égyptien, Moustapha el Nahhas, entouré de ses ministres. Un bataillon des forces spéciales britanniques avait encerclé l'appareil, interdisant à quiconque de s'en approcher. Farouk sortit le premier, pantalon de sport blanc, polo de tennis, souriant, la main levée pour saluer le peuple... Lorsque ses yeux se furent habitués au soleil, il aperçut cette forêt de casques anglais en forme de casserole, hérissés de baïonnettes. Effrayé, il recula d'un pas, pensant que, cette fois, sir Miles, son ennemi déclaré, avait obtenu sa tête. Fébrile, la main moite, il pressa le bras de Masreya qui se tenait derrière lui. L'ambassadeur le salua avec un sourire satisfait qui n'augurait rien de bon.

— Heureux de vous savoir de retour, Votre Majesté !

— Qu'est-ce que c'est ? s'exclama Farouk, furieux. Un kidnapping ?

— Mais non ! le rassura l'ambassadeur, vous

pourrez rejoindre votre palais à votre guise, si vous acceptez d'être fouillé.

Suffoqué, le roi regarda autour de lui. Pas un seul soldat égyptien, pas même ses gardes albanais, qui ne l'avaient pas accompagné en voyage et qui n'étaient pas venus l'accueillir. Même ses ministres, ces incapables désignés par les Anglais, se tenaient en retrait. Il était seul.

— Pas ici ! bougonna le roi, résigné.

— Préférez-vous remonter dans l'avion pour que l'on procède à la fouille ? demanda Lampson.

Il hésita, pensa au scandale, se dit qu'il devait tenir son rang… Dépité, en un geste de défi, il retourna les poches de son pantalon avec humeur ; elles ne contenaient qu'une poignée de pistaches qui se répandirent sur le sol en une grêle futile. Puis il s'avança, fendant le bataillon d'un pas rapide, la tête haute.

Mais les Anglais fouillèrent méticuleusement l'avion. Ils découvrirent le Minox et les pellicules dissimulées dans l'arrière-fond d'un sac de voyage, et des documents, aussi, démontrant les contacts avec des agents de l'Abwehr, le renseignement allemand, et une liste de noms d'officiers et des tracts appelant à la lutte contre l'occupant. Anouar fut incarcéré, jugé et condamné à une longue peine de prison. Masreya, conduite à l'état-major de Kasr el Dobara, longuement interrogée, ne fut relâchée qu'au bout de deux jours entiers. L'officier de renseignements la traita en courtisane, alternant plaisanteries grivoises sur la sexualité de Farouk et menaces d'emprisonnement. Désemparée, la belle Égyptienne finit par avouer sa pensée à cet homme qui restait insensible à son charme – un Anglais. «Pourquoi vous agitez-vous ainsi ? Ne craignez rien ! Vous ne serez pas chassés d'Égypte par les hommes, mais par les dieux !» Elle ne fut libérée qu'après s'être engagée à fournir des informations aux services britanniques.

Quant au roi, son humiliation avait été cinglante ; après la rage, vint le temps de l'amertume. Triste, il se faisait rare, évitait les cérémonies que fréquentaient les Anglais, devenu avare de ses habituels jeux de mots et de ses éclats de rire. On le vit de plus en plus souvent à la mosquée. Et lorsqu'il paraissait en public, il veillait à ce que ce fût en famille, en compagnie de son épouse, la reine Farida, et de ses fillettes.

L'affaire de l'aérodrome de Helouane resta secrète ; tout le monde avait intérêt au silence. Mais le feu couvait sous la braise. Les Anglais pensaient tenir Farouk qui craignait qu'on étalât ses frasques amoureuses au grand jour et Farouk ruminait silencieusement sa vengeance.

Rue de la Reine-Nazli

10 novembre 1942. En ce jour de fraîcheur et de lumière, Nino sortait de prison, ermite antique à la galabeya crasseuse, bonnet de laine usé, balluchon de linge sur l'épaule. Il avait passé près d'une année dans ce cachot moyenâgeux, où il abandonnait un rat apprivoisé, devenu compagnon d'infortune. Il pouvait réciter par cœur la totalité du Coran, arborait sur la poitrine une barbe hirsute de fakir et sur le front le durillon des prieurs que les Égyptiens appellent avec humour zbiba, «le raisin sec».

Traînant les pieds nus sur le sable du trottoir, il avançait en clignant des yeux, épouvanté par l'agitation de la rue. Joe l'attendait au volant de sa pétaradante MG.

— Hé!... Ô Nino! Où vas-tu ainsi?... Te serais-tu égaré au septième royaume de la kabbale? Allez, monte!

Nino s'arrêta, plissant ses yeux de myope sur le visage de Joe qui répétait en riant :

— Allez, monte ! C'est moi, Joe, ton ami, ton compagnon, ton associé…

Et sitôt installé sur le siège, voilà que Nino lui demandait déjà :

— N'est-il pas l'heure de la prière, mon frère ? Conduis-moi d'abord à la mosquée…

L'été 42 avait été celui d'El Alamein. Durant des mois, les Égyptiens avaient inlassablement répété le nom de ce petit port. El Alamein s'étalait à la première page des journaux, grésillait dans les postes de radio, accompagnait les images de chars fonçant dans des fossés, aux actualités des cinémas. Certains le chantaient avec espoir, avec des : « Allez, Rommel ! Allez, ô Rommel ! Montre-leur ta force, laisse exprimer ta nature ! » Du fond de son cachot, Nino avait été de ceux-là. Pour d'autres, ce mot était chargé d'une angoisse de fin du monde. Dans quelques semaines, pensait-on, El Alamein tomberait ; les Allemands prendraient Alexandrie, quelques jours plus tard, Le Caire… Le moral était si bas, les prévisions si pessimistes, qu'au mois de juillet les Britanniques brûlaient leurs archives et expédiaient leurs épouses en Palestine ou en Irak ; les Juifs parcouraient les cartes à la recherche d'une destination. Jérusalem ?… Et pour combien de temps ? L'Amérique, alors ?… Mais avec sa politique de quotas, elle avait presque totalement fermé ses portes... Plus loin alors, l'Australie ?... Ou le diable vauvert... À qui s'adresseraient-ils pour obtenir un visa, devenus vermine planétaire, sans nationalité ?

El Alamein, ce mot qui signifie « les deux mondes »... Ceux qui s'affrontaient en une apocalypse mondiale ?... Ou ceux qui s'offraient à l'Égypte, qui devrait choisir entre un avenir européen et la sédition arabe contre l'Occident ?

Été d'angoisse, la chaleur avait été torride ; le goudron fondait sous les pneus des voitures, mais, figés par l'attente, nul ne songeait aux villégiatures à Alexandrie, encore moins à Ras el Barr, si proche de Port-Saïd et du canal, objectif prioritaire des forces de l'Axe.

Pas une fois, Farouk n'avait convoqué Masreya dans ses palais, n'était venu la visiter, sur l'île de Roda ou dans la dahabeya, ne l'avait emmenée dans une folle escapade aux confins du pays. On aurait dit qu'il l'avait oubliée. Peut-être son souvenir, confondu avec l'humiliation que lui avait fait subir l'ambassadeur Lampson à l'aérodrome de Helouane – foutus Anglais ! –, lui était-il devenu odieux ? Il était ainsi, ce roi enfant, impulsif et versatile, qui exhibait ses instincts comme des décorations, qui confondait ses désirs et les besoins du pays, qui croyait que, lorsqu'il mangeait, l'Égypte engraissait et que, lorsqu'il éprouvait du plaisir, la terre en était fécondée.

Étrange été, les milans immobiles au zénith, le temps semblait interrompu, sans un souffle ; on regardait sans cesse derrière soi ; on sursautait au moindre bruit, même le plus familier, qui fracassait l'âme comme une explosion.

Masreya accueillait Zohar chaque nuit dans sa maison flottante. Et chaque nuit, après l'amour, Zohar lui demandait de l'épouser. Et chaque nuit, elle était sur le point d'accepter... Avant de s'endormir, elle murmurait : « Laisse-moi réfléchir ; demain, je te répondrai. » Mais, au matin, les paroles d'amour s'étaient dissipées. Comme dit le proverbe : « Les douces paroles de la nuit sont faites de beurre ; elles fondent au premier soleil. » À la lumière, Zohar perdait consistance, son image s'évanouissait, comme s'il était seulement apparu en rêve. Elle n'y pensait plus de sa journée, jusqu'au soir, où il surgissait auprès d'elle, sans un bruit. « Je n'ai rien entendu. Par où diable es-tu passé ? Traverserais-tu les parois comme un guenn ? » Durant tout cet été, Masreya, l'Égyptienne, n'était « ni mariée ni divorcée », en suspens, à l'image de son pays, la tête vide et le cœur perplexe.

Tout en conduisant, Joe racontait à Nino : « Tu as manqué la visite de Churchill, qui a débarqué au Caire, casque colonial sur sa grosse tête, chemisette kaki, en short et chaussettes... Tu aurais dû le voir, ce lion déguisé. C'était drôle... » Et

Nino regardait la rue, comme fasciné. Les militaires britanniques par dizaines, manifestement éméchés, cigarette au bec... Il serrait les dents, il serrait les poings. « Pourquoi le compares-tu à un lion ? Hein ? C'est un chien ! Un chien d'impérialiste, à l'origine de tous nos malheurs. » Joe sourit. Il n'avait aucune envie de se disputer. Aujourd'hui, il était prêt à tout pardonner à son ami. Ému, il regardait le visage émacié de Nino, ses bras maigres, ses doigts aux ongles noircis et ses yeux – ses yeux, surtout ! – que le désespoir avait creusés, deux petites perles ténébreuses au fond de ravines dépressives. « Tu as perdu tes lunettes ? » lui demanda-t-il. Et Nino mit un temps infini avant de répondre. « Un garde les a écrasées sous son talon, le premier jour... Mais qu'importe ! Crois-tu qu'il existe une seule chose en ce monde qui mérite d'être contemplée ? »

Le 31 août, la nouvelle avait éclaté, terrifiante, paradoxalement apaisante, aussi, comme le premier coup de tonnerre après une journée de canicule. Rommel lançait l'attaque, la grande, l'ultime ; ses meutes de panzers montaient à l'assaut d'El Alamein. Les titres des journaux hurlaient comme des sirènes. On s'interpellait en pleine rue : « Des nouvelles du front ? » Comme des serpents poursuivant leurs proies, les rumeurs rampaient à travers la ville. Rommel aurait percé les défenses britanniques ; il foncerait sur Alexandrie. Les premiers side-cars allemands auraient été aperçus dans ses faubourgs, et l'on vantait la beauté des combattants blonds, hâlés par le soleil, sourire carnassier et mitraillette au poing... Certains auraient contourné la ville, se seraient perdus aux alentours de Tanta en se dirigeant vers Isma'leya. Ils offriraient du chocolat et des bonbons aux enfants des villages...

Et ces rumeurs se répandaient, et l'angoisse montait. Celle de ne pas savoir ; celle de trop bien savoir, aussi, le sort qui serait réservé à certains. Tension, inquiétude, espoir...

« À la fabrique, ça ne désemplissait pas, racontait Joe. On vendait l'eau bleue par caisses entières, tant les clients avaient peur de manquer. » Nino se retourna brutalement. « L'eau bleue ?... Quelle eau bleue ? » Il semblait avoir oublié jusqu'au nom de l'alcool qui avait fait leur fortune. « Mais oui ! L'eau bleue, le rhum des trois Juifs, la transpiration de 'Haret el Yahoud... » Nino fit une grimace et murmura une conjuration où l'on pouvait reconnaître le nom des animaux impurs, les chiens et les porcs, associés au mot « juif ». Et Joe, qui avait pris le parti de se comporter comme s'il se trouvait en compagnie du Nino d'autrefois, fit mine de se réjouir. « On n'a pas à se plaindre : plus les blonds faisaient la guerre aux roux et plus les pièces d'or pleuvaient dans nos caisses... » Et toujours taquin, il en rajouta : « Tu as gagné beaucoup d'argent, mon ami ! Sacré veinard ! Tu n'as rien dépensé en prison… (Et il lui posa la main sur la cuisse.) Sacré Nino, jamais un rire, toujours le cerveau à cent à l'heure… »

— Je ne m'appelle plus Nino ! lui dit l'autre en repoussant sa main.

La réponse jeta un froid, mais Joe prit le parti de plaisanter.

— Ah oui… Et comment t'appelles-tu alors maintenant ? Abraham ? C'est ton vrai prénom, je crois, non ?

— Abou l'Harb ! Désormais, tu m'appelleras Abou l'Harb.

Abou l'Harb… « Le père de la guerre ». Qu'est-ce qu'il était allé chercher, ce cinglé ? Joe fut traversé d'un frisson. Il avait entendu que des détenus devenaient fous en prison. Il ignorait que, dans la confrérie, on attribuait des pseudonymes à ceux qui avaient fait vœu de combattre jusqu'au sacrifice de leur vie. Une fois encore, il évita le conflit, par stratégie, par habitude, aussi. Après tout, les Égyptiens sont des Levantins, qui savent que l'affrontement se nourrit de son explicitation. Alors, comme s'il n'avait rien entendu, il poursuivit :

— Qu'est-ce que je te racontais, déjà… Ah oui ! Il y a une semaine, les radios ont annoncé la déroute des armées allemandes mais les Égyptiens ne voulaient pas le croire. Si bien que les Anglais ont fait défiler des centaines de prisonniers dans

448

les rues du Caire… et les Égyptiens s'approchaient d'eux, les touchaient, les questionnaient… Par la suite, le bruit a couru à travers la ville que les prisonniers n'étaient pas allemands, qu'il s'agissait d'un simulacre et que les Anglais avaient revêtu leurs propres soldats d'uniformes allemands pour dissimuler leur défaite.

— Les Anglais sont des menteurs ! bougonna Nino.

Mais, en ce 10 novembre, la victoire était totale. Montgomery avait défait l'Afrikakorps de Rommel et ils pavoisaient, les faces rouges. Les drapeaux flottaient sur les édifices, les soldats avaient envahi les terrasses des cafés. Partout, on croisait des voitures de tourisme qui klaxonnaient de joie. À l'intérieur, les bras s'agitaient, pour saluer, pour offrir des friandises, pour brandir le « V » de la victoire. Les restaurants étaient à nouveau bondés. Des fenêtres s'échappaient des musiques rythmées, honteuses, et les verres des hommes tourbillonnaient, obscènes, et les fesses des femmes balançaient, comme aux portes de l'enfer…

Nino gardait les yeux baissés, remuant sans cesse les doigts, en une sorte d'automatisme étrange. Tout le long du chemin, Joe, l'ami, le fidèle rival, le frère et l'adversaire, tentait de rappeler l'âme de Nino à la vie – à leur vie de naguère, d'insouciance et de soleil, de tendresse et de rires.

— Te souviens-tu de Kathleen ?... Mais si ! L'Anglaise avec des seins gros comme des pastèques ! Je ne sais combien de nuits tu as passées avec elle...

— Le Prophète aussi a connu l'indécence de la vie profane avant d'être appelé. Grâce à Dieu, les prières ont purifié ma mémoire.

Nino se faufila de son pas de prophète dans les ruelles qui bordaient la grande mosquée. Joe s'impatientait en tapotant un air de charleston sur la bakélite du volant. Une grappe de gamins s'accrochaient à la voiture, grimpaient sur le marchepied en demandant : « C'est une voiture de course, ô monsieur ?... Et elle file plus vite que le tramway ? » Joe plaisantait avec eux. « Ce n'est pas une voiture de course, idiot, c'est un avion. Regarde, si j'accélère, elle va partir dans le ciel... » Et il faisait rugir le moteur, il leur montrait le ciel ; et ils regardaient son doigt en éclatant de rire.

Nino revint de la mosquée, accompagné par un homme de grande taille, la silhouette épaisse, en costume gris, chemise blanche, barbe taillée. Ils s'arrêtèrent à quelque distance, poursuivant leur discussion tout en regardant dans la direction de Joe. L'homme désigna la voiture du doigt en remuant la tête d'un geste réprobateur, puis remit à Nino un paquet de la taille d'une boîte à chaussures, enveloppé de papier journal. Ils continuaient à parler. Nino écoutait, la tête baissée, l'air absorbé ; l'autre multipliait les regards inquiets. Finalement, ils s'embrassèrent et se serrèrent longuement la main.

— Ça va mieux ? demanda Joe lorsque Nino grimpa dans la voiture.

Il ne répondit pas, défaisant le paquet tout en dissimulant son contenu. Il en tira un chapelet de bois qu'il se mit immédiatement à égrener. Joe regardait fasciné les doigts de sa main séparant, regroupant, comptant et recomptant les petites billes, et il l'entendait murmurer des mots en arabe parmi lesquels il reconnut besmellah, « au nom de Dieu », et d'autres paroles encore où revenait sans cesse le nom de Dieu.

— Qu'est-ce que tu me demandes ? finit par répondre Nino. Si prier fait du bien ? Écoute-moi, une fois la prière terminée, tu penses seulement à la suivante… À rien d'autre ! Tu comprends ?

— Je comprends ?… Oui… Non… Je ne comprends pas… Je ne sais pas ! conclut Joe, décidé à éviter la confrontation.

Mais lorsqu'il le vit sortir le revolver du paquet et l'enfouir dans la poche de sa galabeya, il ne put se retenir. Lui saisissant la manche, il lui demanda :

— Qu'est-ce que c'est, Nino ?… Tu es devenu fou, ma parole ! Tu ne penses pas à faire des bêtises, au moins…

Et l'autre, triturant toujours ses grains, les yeux

clos, psalmodiait de plus en plus fort. Alors, Joe ne put s'empêcher de s'exclamer :

— Crois-tu qu'il plaît à Dieu de te voir armé comme un brigand ? Une main sur le chapelet, l'autre sur le revolver... C'est ça ?... C'est ça, croire en Dieu ?

Nino se retourna vers lui, les yeux rouges, exorbités.

— Dieu est partout ! Que peux-tu y comprendre, fils du diable, toi qui es né dans la soie et n'as jamais touché que des objets faits de l'or du Sheytan ?

Il ne criait pas, non. Sa voix provenait de son ventre, grave, éraillée, nimbée d'écho. Mais il était terrifiant de détermination. D'un geste, il tira le revolver de sa poche et enfonça le canon dans les côtes de Joe.

— Il est là ! ajouta-t-il, menaçant, là, dans cette arme. Dieu est cette arme lorsqu'elle débarrasse le monde de ceux qui empêchent qu'on suive les règles qu'il nous a fixées ; lorsqu'elle nettoie le monde de ceux qui le souillent. Dieu est dans la balle qui te traversera la peau pour arracher en un instant ce souffle de vie que tu ne mérites pas. Dieu existe par ta mort... par la mort de chaque mécréant !

Et il releva le chien du revolver. Sur l'instant, Joe crut qu'il allait tirer. Il freina brutalement et rangea la voiture dans un nuage de poussière. Puis il se tourna vers lui.

— Nino ! s'écria-t-il. Range ça !

L'autre avait toujours ses yeux fous.

— Range ça ! Cache-le au fond de ta poche. Oublie ! Oublie tout ça ! C'est comme un mauvais rêve. C'est fini... Je ne suis pas ton ennemi. Je suis Joe... Joe di Reggio, tu te souviens ? Un Juif tout comme toi. Nous aimons les blagues et l'anisette bien frappée. Nous aimons le soleil et les jolies filles, celles avec la taille bien serrée et des seins en forme de bombes... et pour nous, rien ne vaut un plongeon à la piscine du Sporting ou au club Shell. Joe !... Tu te souviens des longueurs que nous tirions à la piscine ? Tu me battais, mon salaud, à la distance. Tu pouvais en enfiler dix sans t'arrêter.

Et devant le silence têtu de Nino, il poursuivait :

— As-tu pensé aux tiens, à ta famille ? Je connais ta mère ! Tous les jours, elle me l'a dit, tous les jours elle a ton image devant les yeux, du lever au coucher, et la nuit, encore, elle rêve de toi, de toi, toujours de toi. Allez ! Tu n'as pas oublié ses bele'hat... Nul ne sait cuisiner comme elle les boulettes de viande au cumin. Et tes sœurs ?... Elles t'attendent. Depuis le jour où elles ont appris que tu étais emprisonné, elles se tiennent derrière la porte, tressaillant au moindre bruit de pas dans l'escalier. Crois-moi, elles n'ont manqué de rien. Depuis que tu t'es malheureusement absenté, que Dieu nous garde, pas une semaine sans que je vienne les rassurer, les soutenir… Range donc ce flingue, tu as l'air d'un fou.

Nino finit par rabattre le chien du revolver. Sa main tremblait. Les mâchoires crispées, la voix chevrotante, il finit par lâcher :

— Ne me parle pas de Dieu !… Jamais !

Et il ouvrit la portière, esquissant un mouvement pour s'échapper.

— Mais où vas-tu ainsi ?

Nino se retourna et fixa Joe dans les yeux sans répondre.

— Allez ! Referme la portière. Nous allons retrouver Zohar. Il nous attend dans un endroit extraordinaire. C'est une surprise, tu verras !

Nino restait immobile, statue de pierre, monument de rage. Joe se pencha par-dessus ses jambes pour claquer la portière et démarra en faisant crisser les pneus. Il se mit à parler, volubile, pour oublier ce qui venait de se passer, pour chasser ce silence où il apercevait un monde soudain vidé, pour dissimuler sa propre frayeur, pour entretenir cette illusion d'amitié de toujours, pour toujours… Il raconta l'argent qu'ils avaient gagné, les relations qu'ils avaient maintenant au plus haut niveau, dans les ministères, dans l'armée britannique, parmi les gradés égyptiens. Il lui dit comment ils avaient, du jour au lendemain, multiplié par trois le prix de vente de leurs flacons, tant la demande était insatiable. Il expliqua qu'ils avaient fait de tels

454

bénéfices qu'il leur était impossible d'en dépenser même un dixième. Il raconta les projets de développement et d'exportation de leur production, demain au Soudan, au Congo, en Europe, peut-être, bientôt...

Il était intarissable. Nino s'était enfoncé dans le siège, les yeux mi-clos, manipulant son chapelet. Mais Joe ne le regardait plus. Il parlait à un autre Nino, devant lui, tout là-bas, qui ressemblait à celui d'autrefois avec lequel on pouvait discuter de médecine, de jolies filles et de philosophie, ce Nino qui allait revenir, il en était certain, après avoir été nettoyé des souffrances de la prison. Et, entraîné par sa rhétorique, parce qu'à cet âge on ne peut retenir trop longtemps une pensée, il lui dit :

— Je n'ai pas compris, vois-tu... Le nabil a été libéré moins d'un mois après votre arrestation. Ils avaient bien plus à lui reprocher qu'à toi. Pourquoi t'ont-ils gardé ? Pourquoi si longtemps ?... Malgré tous nos efforts... Que s'est-il passé ?

On aurait dit que Nino attendait cette question. Sortant de sa torpeur, il expliqua :

— C'était écrit ! Dieu l'a voulu ainsi. Il lui fallait s'enfermer seul avec moi, comme un nouveau marié retrouve son épouse pour une première nuit, sans témoin. Il m'a retiré du monde, celui que j'aime passionnément, et, là où je me trouvais, il n'y avait personne d'autre que lui, personne d'autre que moi...

Et il referma les yeux, absorbé par ses psalmodies intérieures. Joe resta sans voix. Celui qu'il aime passionnément... Sur le moment, il n'avait pas compris. L'idée lui avait traversé l'esprit que son ami était tombé amoureux d'un homme. Il avait même pensé à l'homme aperçu à la porte de la mosquée. Et puis il avait réalisé... Mais non ! Celui qu'il aime passionnément, c'est Dieu !

La phrase avait sonné étrangement, pourtant. Peut-on être amoureux de Dieu ? C'est une façon de parler, pas une sensation que l'on éprouve réellement... Et d'ailleurs, doit-on dire Dieu ou les dieux ? Existe-t-il un dieu ou plusieurs ?... Le dieu des musulmans n'est pas celui des juifs, c'est certain ! Lequel des deux avait arrangé la succession des événements de ce mardi 10 novembre ? Il ne devait pas être serein, celui-là...

Ce matin-là, Le Caire baignait pourtant dans une atmosphère de beauté ; la douceur de la température, une lumière irréelle venue des cieux, une allégresse de la nature... Pourquoi l'harmonie du monde n'apaise-t-elle pas l'âme des humains ? Nino aurait pu se calmer, s'effondrer entre les bras de son ami. Et pleurer... Pleurer, surtout ! Joe n'aurait su y résister. Les hommes remplacent si souvent la tristesse par la fureur... Il s'était raidi, Nino, contenant sa rage entre ses mâchoires crispées. Mais c'est par la suite que s'est révélée, acide, la perversité du destin.

Ô Dieu ! Ô dieux ! Qui que vous soyez… Dieu des juifs ou des musulmans, des Coptes, des Grecs ou des Arméniens, dieux des Égyptiens, peut-être, si gracieux dans leurs fins dessins hiéroglyphes, Ô dieux ! N'avez-vous donc jamais pitié des humains ?

Nino aurait pu tarder à la mosquée, bavarder plus longtemps avec son ami de la confrérie, s'arrêter à une terrasse, boire un café très fort et très sucré, comme il les aimait, se rafraîchir les mains au contact d'un verre d'eau glacée. Il aurait pu héler un vendeur ambulant de ta'meyas – les beignets de farine de fèves au goût de l'enfance, qui lui avaient tant manqué en prison –, ou le vendeur de jus de réglisse ou de jus d'orgeat ou de tamarin… Joe l'aurait accompagné. Il aspirait sincèrement à le réintroduire aux plaisirs du monde. En place de quoi, comme des pantins dont les ficelles étaient tirées depuis un autre monde, ils avaient filé dans leur voiture du diable, à l'allure du diable… Car le diable est vitesse.

Zohar ne les attendait pas si tôt. Comme toutes ces dernières nuits, il avait dormi auprès de Masreya et, au petit matin, alors que les premiers oiseaux saluaient bruyamment le soleil, il avait posé cette même question, lancinante : « Veux-tu m'épouser ? » Elle ne lui avait pas répondu. Il avait épié ses pieds nus parcourant la maison flottante. Il l'avait suivie, comme son ombre ; l'avait précédée comme son souffle, collé à elle, comme sa peau. « Toi… », disait-elle en pointant son doigt sur la poitrine de Zohar… Puis, se désignant elle-même : « Moi… » Et lui de répondre sur l'air d'une chanson du timide Kacim : « Toi et moi… » Et Masreya accompagnait les oiseaux de son chant. « Tu es né de moi, je suis née de toi, ô mon âme, ô ma vie. Tu es né de moi comme l'arbre de la terre ; je suis née de toi comme la branche pousse du tronc. » Assis sur le lit, il la contemplait de dos, elle se coiffait devant son miroir. « Toi et moi… », chantait l'Égyptienne, « Toi sorti de moi ; moi issue de toi… » et il reprenait ému : « Ô mon âme, ô ma vie ! » Elle se retourna, un sourire illuminant son visage.

— Tu es fou, Gohar ebn Gohar, totalement fou ! Notre amour est l'enfance.

— Notre amour est ma vie.

— Ta vie, c'est l'enfance ! Sais-tu ce que m'a raconté Sett Jinane ?

— Ta mère ?

— Mais oui, ma mère ! Connaîtrais-tu une autre Jinane ?… Lorsque nous étions enfants, à peine âgés de quelques jours, un rabbin a fabriqué un 'herz pour nous deux.

— Un 'herz ?… Une amulette ?

— Oui ! Une écriture magique, sur une sorte de parchemin… en hébreu, une écriture diabolique, comme toi, dans une langue de sorciers, la tienne,

458

avec les noms des démons et des esprits inscrits partout autour, en cercles – les noms de vos saints ! Et lorsqu'on s'avisait de les lire, les lettres se mettaient à danser. C'est vrai ! Jinane a eu peur. Elle l'a gardée longtemps, roulée au fond d'un flacon, se demandant s'il lui fallait la garder ou la détruire.

— Où est-elle cette amulette ?

— Apprenant que tu m'avais détournée du chemin de Dieu…

— Que *tu* m'avais détourné…

— Que nous nous étions détournés du chemin de Dieu… Elle a pensé que l'amulette en était la cause. Elle a décidé de la détruire. Elle l'a cherchée dans ses armoires, elle l'a cherchée dans son jardin, elle l'a cherchée partout…

— L'amulette était partie.

— Pourquoi dis-tu qu'elle est partie ?

Il lui expliqua qu'une amulette n'était pas une chose mais un être puisqu'on y avait inscrit des noms puissants, des souffles de vie… qu'elle était vivante, donc, un peu comme un animal. Et lorsqu'on veut tuer un animal, il réagit, il crie, il prend la fuite.

Elle a encore répété qu'il était fou. Pour elle, Jinane avait seulement égaré l'amulette. Un jour, elle la retrouverait, et ce jour-là Zohar disparaîtrait. Un matin, elle regarderait la porte de sa maison et il ne serait plus là, même les murs auraient oublié sa silhouette. Elle creuserait sa mémoire et son nom y serait effacé; elle se glisserait dans son lit et ses pieds ne rencontreraient que la fraîcheur des draps propres.

Il releva la tête, étonné. Pensait-elle vraiment que leur amour n'était que le résultat d'une diablerie de rabbin? Elle était debout face à lui, les poings sur les hanches, nue. Ses longs cheveux ondulés cachaient à peine ses seins, qui avaient, pensa-t-il, la taille exacte de ses mains. Elle était belle, si longue, si brune; ses hanches s'offrant comme une promesse...

— Tu es belle, ô mon âme!

Et il l'approcha. Elle se coula dans ses bras. Un parfum de musc et de feu émanait d'elle qui le rendait fou de désir. Il enfouit son visage au creux de son cou pour s'enivrer plus encore.

— Ton nom résonne, murmura-t-elle, il emplit mon esprit. Ma tête en est pleine.

Ils se tenaient nus, debout, intriqués des jambes, lèvres contre lèvres, ventre contre ventre, lui la serrant, elle le serrant et ils se manquaient pourtant. Et même lorsqu'ils furent unis par l'acte d'amour, elle, les cuisses serrées autour de sa taille, lui l'étreignant de ses bras, ainsi articulés, scellés, ils étaient encore trop éloignés l'un de l'autre. Car ils aspiraient à se fondre, à s'unifier, à se perdre, pourtant, à se confondre, aussi, à se confondre, surtout...

— L'amulette, murmura Zohar, je la sens! Ce n'est pas toi, ce n'est pas moi, mais ce qui nous entoure et qui nous tient collés ainsi, à jamais. Tu m'entends?

À chaque fois, c'était la même chose. Il pensait que c'était trop... trop fort, trop parfait... que ça ne durerait pas. À chaque fois, il s'imaginait que c'était la dernière fois. C'est pourquoi il répétait, comme une conjuration: «collés à jamais». Elle ferma les yeux. La force qui les attirait l'un vers l'autre lui faisait peur. Elle ne savait y résister, mais ressentait l'imminence d'un danger. Elle se laissa glisser dans l'abyme, sombre et chaud, d'où se réverbérait l'écho de son nom. Elle ne s'entendait pas crier; il ne s'entendait pas gémir. Ils n'entendaient plus rien qu'une sorte de note de musique, en fond, comme un diapason qui n'en finirait pas de vibrer. La porte de la cabine s'ouvrit soudain. Et ils ne l'entendirent pas.

Joe entra le premier. Il voulut retenir Nino, mais l'autre était déjà dans la place. Et les deux amoureux qui roulaient sur le lit de satin, formant à eux deux l'image d'un être unique, un poisson sautillant dans un filet... Et les deux hommes éperdus l'instant d'avant de passion politique, restaient figés devant le spectacle... Et le poisson sautait, haletait, frétillait... Et les intrus, tous deux saisis, l'un envahi de colère et l'autre ne pouvant retenir son rire... Et Joe accompagnait de ses rires les spasmes des amoureux... Et Nino broyait entre ses dents les injures qu'il retenait...

461

Et leur plaisir explosa.

Et ce ne fut pas comme toujours, lorsqu'ils s'abandonnaient, repus d'amour, l'un contre l'autre, chauds animaux, si près des champs éternels, le corps soubresautant encore, soumis aux volontés inconnues ; comme lorsqu'ils fermaient les yeux sur des images fugaces de rêves, où elle était terre, où il était pluie, où il glissait sur la glaise, où elle se laissait baigner par la pluie… Non ! Il bondit hors du lit, Zohar, prenant conscience en un éclair du regard de Nino… Non ! Elle surgit sur ses fesses, Masreya, tirant à elle le drap dont elle recouvrit sa poitrine. Et elle poussa un cri, strident. Et il était debout, le jeune Zohar, l'âme exhibée, épanouie… guerrier du ciel soudain privé de cuirasse.

— Que tu sois maudit, Gohar, fils de chienne !

C'était la première fois que Nino l'appelait de son nom arabe, ce nom qui était apparu dans le journal lorsqu'il avait rapporté le collier de la reine Nazli ; celui dont usait Masreya, par jeu, par dérision… Dans la bouche de Nino, ce nom avait claqué comme une gifle.

— Que tu sois maudit, Gohar, répéta Nino, que ta foi soit maudite, que ta race soit maudite.

— Mais pardon ! essaya faiblement Zohar. Pardon ! Je ne vous avais pas entendus arriver…

— Et l'autre, cette traînée, qu'elle soit maudite, aussi ! Qu'elle aille brûler dans la Guehanam.

Lorsqu'elle sera lapidée devant la grande mosquée, je viendrai de mes mains lui arracher les yeux.

Et une pensée traversa Zohar, qu'il trouva d'abord ridicule. Nino était un Cohen, de ceux qui sont autorisés à bénir, à maudire, aussi, sans doute. Le savait-il, Abraham Cohen, que jusqu'alors tout le monde appelait Nino ? S'en souvenait-il ?

— Fais attention à ce que tu profères, ô Nino ! N'oublie pas que tu es un Cohen, finit-il par lui rappeler. Tes paroles pourraient animer le monde.

À ces mots Nino fut pris d'une véritable rage.

— Un Cohen ? Pfff…

Et il cracha sur le sol. Puis il ajouta :

— Dieu a dévasté la terre pour cette même raison, celle que vous m'avez donnée à voir. Il n'y a de dieu qu'Allah ! Allah est grand. Il m'a dessillé les yeux. Et je le remercie. Souviens-toi, il a provoqué le déluge, des trombes d'eau pour laver le monde. Et tu viens de me montrer les saletés qu'il avait décidé de nettoyer ; la pourriture dont il voulait nous laver. Sais-tu ce qui se passait alors, du temps de notre père Noé ? Les êtres humains s'accouplaient avec les bêtes ! Oui !… Les hommes avec des truies et les femmes avec des singes… Et qu'est-ce que j'ai vu ? Une femme, une musulmane, se vautrant dans la boue avec un singe, un juif. Alors, cette femme, cette musulmane, ce n'est pas une femme, c'est une truie !

Les yeux rouges, exorbités, il hurlait à fendre les

tympans... Et il tira le revolver de la poche de sa galabeya, et, le brandissant, il hurlait encore :

— N'as-tu pas honte, Gohar fils de chienne ? Non seulement elle est musulmane, mais elle est ta sœur !... Ta sœur de lait, c'est-à-dire plus encore que ta sœur ! Tu es bien comme les chiens et les singes qui s'accoupleraient même avec leurs propres excréments.

Ô Dieu ! Ô dieux ! Dieu des juifs ou des musulmans, des Coptes, des Grecs ou des Arméniens, dieux des Égyptiens, si gracieux en leurs fins hiéroglyphes, ô dieux ! N'avez-vous donc jamais pitié des humains ? Pourquoi avoir rendu Nino fou de rage à la vue de l'amour le plus pur, celui du ventre, celui du lait ? Il a tiré une balle de revolver qui a rasé la chevelure de Zohar avant de se ficher dans le bois de la porte. Ô Dieu, ô dieux ! Pourquoi avoir détruit en un instant l'amitié qui bâtit ; pourquoi l'avoir remplacée par la haine qui dissocie, qui fragmente, qui détruit ? Joe l'a frappé ; Nino est tombé.

Ce 10 novembre 1942, Rommel avait été vaincu. Du soleil fardé de khôl, la lumière descendait parfaite de l'azur, comme une pyramide. La vie bruissait. Les oiseaux frileux du Nord s'ébattaient nombreux dans les marais. Pour la première fois l'armée nazie reculait. Et Zohar aimait Masreya... Ô Dieu, ô dieux !

Depuis El Alamein

C'est à El Alamein que le sens de la guerre s'était inversé. Avant cette bataille, les Allemands déferlaient sur le monde ; après, le monde allait progressivement déferler sur l'Allemagne. Une fois de plus, l'Histoire s'écrivait en Égypte, à El Alamein, la bien nommée, où un ciel avait heurté un autre ciel, en cet automne de lumière...

Depuis ce jour de soleil, jour de victoire, rien ne fut plus comme avant. Rommel, malade, quitta l'Égypte sans espoir de retour, vaincu par le désert, la dysenterie, le narcissisme de son führer et l'opiniâtreté britannique. Les Égyptiens allaient devoir compter sur leurs propres forces pour se débarrasser des Anglais. Ils ne furent pas attristés, à peine surpris... Ma'lech ! « Ça ne fait rien ! » dirent-ils ; ce mot, bien plus fréquent dans la langue d'Égypte que le fameux maktoub, « c'est écrit »... « Ça ne fait rien ! » Ce qui voulait dire que la partie était à recommencer, comme au jeu de dames ou de jacquet… En Égypte, tout arrive au café. « Ça ne fait rien ! » Il leur fallut seulement ajuster leurs pensées à la marche du destin. Ils basculèrent vers la religion. Les Frères devinrent plus nombreux, plus puissants, mieux organisés, mettant en œuvre une formule politique inédite : le communisme avec Dieu. Et les communistes, les vrais, qui adoraient une divinité caucasienne à moustache, réduits à quelques poignées d'intellectuels, étaient poursuivis par la police et chassés par les Frères lorsqu'ils s'aventuraient auprès des ouvriers. Les militaires, religieux bien tempérés, constituaient des cellules, des clubs, des groupes, rêvant de faire le coup de poing contre les Anglais et de prise de pouvoir. Quant au roi, le commandeur des croyants, Barbe bleue se rêvant Machiavel, il n'en finissait pas de défier l'autorité – étrange roi, qui aurait dû l'incarner.

Depuis ce jour de lumière, jour de folie, rien ne fut plus jamais comme avant entre les trois compères de l'eau bleue. Le coup de poing de Joe avait laissé Nino étourdi sur le plancher. Zohar s'était empressé de ramasser le revolver, qu'il avait immédiatement dissimulé sous les draps, en lieu sûr, sous les fesses de Masreya. Sitôt qu'il reprit ses esprits, Nino disparut. Joe partit à sa recherche dans les rues alentour, sillonna le quartier au volant de sa voiture, partit rôder autour de la grande mosquée, poussa jusqu'au carrefour Salah-el-Din, vers la vieille mosquée Mehemet-Ali... Nulle trace de son ami. Il revint, tourbillonna, morfondu, pressentant le malheur. Il erra ainsi jusque tard, jusqu'à ce qu'une intuition lui vînt. Comment n'y avait-il pas pensé jusque-là ?

Il était dix heures du soir lorsqu'il se rendit à l'impasse Khamis-el-'Ads, où logeaient les Cohen. Il grimpa quatre à quatre les marches brinqueba-lantes. Parvenu sur le palier, il entendit des cris à l'intérieur, et des pleurs et des youyous, comme s'il s'agissait d'une veillée funèbre. Pris d'angoisse, il frappa à la porte. Loula, la plus âgée des deux sœurs de Nino, ouvrit aussitôt. Elle se jeta dans ses bras en sanglotant. «Ah, c'est toi, Joe ! Que le ciel soit béni !» Et elle sanglotait ; et elle recom-mençait... «Que Dieu te garde, Joe, que Dieu te garde ! Un grand malheur s'est abattu sur nous.» Et il aperçut la mère, sur le sol, assise à même le carrelage, les vêtements déchirés. Elle criait, la pauvre femme, les cheveux dressés, folle de dou-leur, on aurait dit qu'elle pleurait et riait en même temps. Joe n'osait demander, essayant d'imaginer. Nino avait eu un accident, avait été transporté à l'hôpital, peut-être... Patiemment, il consola Loula, lui pressant le bras ; il porta un verre d'eau à la mère, lui tendit son mouchoir. Mais elle recom-mençait à se frapper le visage. Elle se giflait... Une main, puis l'autre; les deux à la fois. «Voilà! Voilà ce que je mérite. J'ai perdu mon fils, mon aîné, mes yeux, mon âme… Je l'ai perdu par ma faute.» La douleur morale était trop intense; sans doute la soulageait-elle en s'infligeant une douleur physique. Puis, prise d'une colère soudaine, les yeux révulsés, le visage écarlate, elle se mit à invectiver Dieu et son mari disparu. «Ô Dieu, notre père! Retire-t-on un enfant à sa mère? On dit que tu es un dieu juste… Non! Ce n'est pas vrai! Un dieu injuste, plutôt, une saleté… Voilà ce que tu es! Où est-il écrit que c'est un acte de justice d'ôter son fils à sa mère comme le morceau de pain de la bouche du miséreux?… Et mon mari, ce Gaby, ce fils de chien, qui m'a abandonnée seule avec trois enfants sans une piastre…» Puis elle roula sur le sol en criant, un cri profond, déchirant, comme celui d'une bête à l'agonie.

Aussitôt après avoir quitté la maison flottante, Nino était venu chez sa mère. Il était entré comme un forcené en réclamant de l'argent. Elle ne l'avait pas revu depuis près d'une année. Elle avait sursauté, poussé un cri, tenté de l'apaiser… «Mon fils!… Entre! Assieds-toi, bois un verre d'eau… Viens près de moi… Laisse-moi te regarder, je te reconnais à peine. Tu as l'air épuisé, mon fils…» Ô mères! Mères de la Méditerranée, vous parlez trop, le savez-vous? Beaucoup trop! Quelquefois vos paroles forment un rideau, comme une

468

pluie torrentielle d'été, un brouillard, un infernal vacarme des sens…

Et Nino était étrange, vêtu comme ces mendiants qui vous tirent par la manche aux portes des mosquées. Debout, il trépignait, exigeant qu'elle lui remette sur-le-champ tout ce qu'elle possédait. Elle avait essuyé ses mains sur son tablier et s'était approchée de lui. Elle avait voulu le prendre dans ses bras. C'est alors qu'il l'avait repoussée avec tant de force que la tête de la pauvre femme avait heurté le bras du fauteuil. Lorsqu'il l'avait vu étendue sur le sol, le visage ensanglanté, les jambes dénudées, il avait hurlé :

— Loin de moi ! Ne m'approche pas ! Ne me touche pas, chienne !

Les deux sœurs, les mains contre la bouche, se tenaient pétrifiées à l'entrée de la pièce. La mère avait fini par balbutier :

— Ta mère… Que la pourriture soit sur toi… Je suis ta mère.

Et, lui montrant son ventre, elle avait ajouté :

— Comment peux-tu te comporter ainsi ? Là, regarde ! Je t'ai porté neuf mois dans ce ventre-là…

À ces mots, il s'était saisi d'une chaise et l'avait fracassée sur la table.

— Allah est le plus grand ! s'était écrié Nino. Tu n'es pas ma mère ! Ma mère, c'est la confrérie.

Les sœurs avaient poussé le même cri : « Que Dieu éloigne de nous le mauvais sort ! »

— Confrérie... ? avait demandé sa mère, redressée sur un coude. De quelle maudite confrérie parles-tu ?

Puis, comprenant ce que son fils venait de dire, elle s'était relevé lentement, s'était tenue sur ses genoux et, le fixant dans les yeux, elle avait sifflé :

— Que dis-tu, Nino ?... Tu as renié ton dieu ? Le dieu de tes ancêtres, tu l'as jeté comme une paire de chaussures usées ?...

Et elle lui avait craché au visage.

— Que la pourriture soit sur toi !

Et elle avait levé les bras au ciel.

— Ton père, que Dieu le berce dans sa matrice, s'il m'entend, ce salaud qui n'a jamais su te faire obéir... Sa dernière lâcheté a été de mourir...

— Mon père est vivant ! Il me montre le chemin d'une main d'acier. Mon père, c'est notre guide suprême, le seigneur Hassan.

Elle avait répondu par un long cri ; sa voix avait changé. Elle ne parlait plus aux vivants, elle appelait le mort, son mari, comme s'il était dans la pièce voisine ou peut-être au coin de la rue :

— Gaby !!! Gaby, que maudite soit ta foi, ô fils de chien, tu entends ce que dit ton fils ? Oui, tu l'entends, je le sais !... Et comme toujours, tu ne réagis pas, tu ne fais rien. Gaby ! Reviens ! Je t'en supplie... Gaby, reviens !

Et elle s'était effondrée sur la face en sanglotant.

Nino avait filé dans la chambre de sa mère,

fouillé l'armoire, jetant son linge sur le sol, s'était emparé des quelques billets qu'il savait dissimulés sous la pile de vieux draps, était réapparu dans le salon. Sa mère gémissait sur le sol; ses deux sœurs pleuraient silencieusement, serrées l'une contre l'autre. La tristesse, le désordre, le chaos avaient déclenché sa fureur. Il avait envoyé voler une autre chaise d'un coup de pied...

— Allah est le plus grand !

— Allah? avait répété sa mère. Ah !... Que Dieu t'accompagne ! Car tu seras maudit, mon fils ! Nuit et jour, tu seras maudit ! Les yeux ouverts, les yeux fermés, tu seras maudit. En montant et en descendant, tu seras maudit; en sortant, tu seras maudit; maudit si tu reviens.

Ô mères ! Mères de la Méditerranée, votre puissance est infinie. Votre matrice est bonté, vous donnez la vie en fermant les yeux, ne l'ôtez pas en ouvrant la bouche. Votre enfant, vous le savez, son âme frétille sous votre talon.

— Allah est le plus grand ! répéta Nino. Mon nom est Abou l'Harb.

Et sa mère lui avait dit :

— Que ton nom soit effacé du livre !

Et il était sorti en claquant si fort la porte que les murs du petit appartement en avaient tremblé. Depuis, sa mère faisait une véritable crise de folie. Elle déchirait ses vêtements comme si son fils était mort, se frappait le visage, griffait ses joues... Et lorsque l'une des sœurs, croyant la consoler, lui disait : « Ne pleure pas, maman ! Nino reviendra. J'en suis certaine… » Elle répondait : « Ne prononcez plus jamais ce nom devant moi. Il n'y a plus de Nino. Nino est mort ! »

*

Nino disparut durant de longs mois. Nul n'entendit parler de lui, ni ses amis, ni sa famille, ni ses condisciples, les étudiants en médecine de la rue Kasr-el-'Aini, à l'exception de l'un d'entre eux, proche des Frères, le jeune Chaker el Kenati. Il racontait dans la cour de l'université, à qui voulait l'entendre, que la fin du monde était proche puisque même les juifs se convertissaient à l'islam. Il y en avait un, disait-il, qui enseignait dans une madrasa d'Isma'leya ; un médecin qui avait une parole de feu. On l'appelait Abou l'Harb.

Zohar ne semblait pas s'inquiéter de l'évolution de Nino. « Il est chez les musulmans, disait-il à Joe, laisse-le ! Tu es chez les sionistes et moi chez le roi. Remercie Dieu que tous nos œufs ne soient pas dans le même panier. » L'autre, la bouche ouverte, restait interdit devant tant de cynisme. Et Zohar s'activait, courant d'un bout à l'autre de la fabrique, téléphonant au palais pour obtenir une autorisation de transport, recevant un directeur de grand magasin, un patron de banque, filant à

472

l'atelier surveiller la mise en bouteille du dernier fût...

Il faut dire qu'après la victoire d'El Alamein le commerce s'était développé comme jamais. En quelques mois, le chiffre d'affaires de la Compagnie de l'Eau bleue avait quintuplé. Les commandes affluaient, des grands hôtels, où il était impossible de trouver une chambre si l'on n'avait réservé plusieurs mois à l'avance ; des bars, des night-clubs, des restaurants « européens » qui poussaient à travers la ville comme des champignons ; des fumeries de haschisch de la rue Champollion, aussi, qui associaient désormais l'eau bleue à leurs vaporeux cocktails. Joe se demandait où Zohar puisait une telle énergie.

Le soir de ce 10 novembre, nuit de fraîcheur, nuit de malheur, alors que Joe consolait la famille de Nino, Zohar se rendit seul à Roda, rue Osman-Bey, dans la villa de Masreya. Il la savait à bord de sa dahabeya, sa maison flottante ; il voulait en profiter pour parler à Jinane, sa mère. Lorsqu'il sonna, Ouahiba, effrayée, prononça de manière mécanique cette phrase en français qu'elle avait eu tant de mal à apprendre : « Mademoiselle est sortie ! » Zohar la repoussa gentiment, referma la porte et, se serrant contre elle à la rendre folle : « Écoute, ma fille ! lui murmura-t-il, si tu veux faire pousser un grain de blé, tu dois cultiver un hectare. Tu le sais ? » Et il lui pinça la joue.

Elle connaissait ce proverbe qui signifie : « Si tu veux épouser une jeune fille, il te faut séduire toute sa famille. » La frayeur de Ouahiba décupla. Alors ce fou voulait vraiment épouser sa sœur de lait ? Ne sait-il pas, ce possédé du Sheytan, que c'est une insulte à la terre, au ventre des mères, à l'ordre du monde ? Elle s'écria : « Que le malheur soit sur moi ! Pourquoi te faut-il ainsi défier Dieu ? »

Au sommet de l'escalier, Zohar trouva Oum Jinane assise sur un tapis devant un sac plein de photographies. Elle les regardait une à une, longuement, en chantonnant : « Donne-moi un baiser, fils de roi, donne-moi un baiser ! Tu m'as trouvée, jeune fille à la rivière. Tu as pris ma grâce et ma beauté. Dédommage-moi ! Donne-moi un baiser, fils de roi, donne-moi un baiser. » Sa voix s'élevait dans les aigus d'un mouvement d'aile et tenait la note sans effort, comme l'aigle, qui, porté par l'air chaud, se tient immobile dans le ciel. Une fois encore, Zohar pensa que ce n'était pas la voix d'une femme mais celle d'un ange. Il s'approcha sans bruit, posa un baiser sur sa tête et resta là un moment. Il n'était pas certain qu'elle avait pris conscience de sa présence, tant elle semblait absorbée. Elle tenait la photographie jaunie, mille fois sortie, mille fois rangée, racornie, usée des caresses de ses yeux, et poursuivait sa chanson. « Regarde l'enfant que je t'ai donnée, fils de roi. Beauté entre les beautés ! Dédommage-moi ! Donne-moi un baiser, fils de roi, donne-moi un baiser. »

Par provocation, pour la tirer de sa torpeur, aussi, d'un geste, il s'empara de la photo. « Je te donnerai tous les baisers de ma bouche si tu me donnes ta fille... » Elle releva vivement la tête. « Non ! s'écria-t-elle. Rends-moi cette photo ; j'en ai une autre. Tu l'aimeras mieux ! » Et elle insistait, Jinane : « Allons, enfant turbulent, qui comprends mieux les paroles des esprits que celles des enfants d'Adam. » À ces mots, Zohar cessa de la taquiner. Il s'assit auprès d'elle, à même le sol, et ils regardèrent ensemble le contenu du sac.

Elle lui montra une vue du village de Kafr el Amar où elle était née. Du doigt, elle lui désigna sa bufflonne. « C'est ma mère ! lui dit-elle. C'est elle qui m'a nourrie. C'est elle qui écoutait mes premières chansons. Adore la bufflonne ; pour nous, Égyptiens, c'est une déesse. Adore-la, enfant des seigneurs ! » Et Zohar embrassa la photographie. Puis elle lui montra une hutte dans ce même village. Un paysan se tenait debout devant l'ouverture, appuyé sur un long bâton. Le sommet de la hutte atteignait à peine le nombril du paysan. « C'est là qu'ils m'ont enfermée, à quatre pattes, lorsque je suis revenue au village, avec dans les entrailles la créature qu'avait semée Gergess Hakim, le poète de Port-Saïd. J'ai été enchaînée à la souche d'un arbre, seule durant des mois. C'est là que je les ai entendues pour la première fois, les voix qui chantent la musique de la terre ; c'est là que j'ai appris à chanter avec elles. Adore cette retraite propice aux paroles de la terre, enfant des seigneurs. » Et Zohar embrassa la photographie.

Elle lui en montra d'autres. Elle lui présenta Abdel Wahab Mazloum Pacha, le père de Masreya. Sur une grande feuille de journal pliée en quatre, on voyait le député, un homme de grande taille, en costume européen rayé, large cravate à pois, pochette de soie déployée en forme de rose, à la sortie du Parlement, entouré d'une foule de journalistes. « C'est le jour où ils ont annoncé sa mort, le pauvre ! Sa photo était dans tous les journaux. Que Dieu le berce dans sa matrice… » Jinane versa une larme, sans ostentation, une simple petite larme qui suivit la courbe de sa joue jusqu'à ses lèvres. « Donne-moi un baiser, fils de roi », gémit-elle encore, puis elle dit à Zohar : « C'est le père de ta sœur, enfant des seigneurs. Respecte sa mémoire ! » Et Zohar embrassa la photographie du député. Déjà, elle en tenait une autre, petite, très sombre. « Regarde ! Voici les enfants du bonheur ; que Dieu les accompagne à jamais ! Qu'il les guide dans les moments de ténèbres, qu'il leur offre la joie du cœur en pleine lumière. » Et elle s'y cramponnait à sa minuscule photographie. C'étaient deux enfants, deux nourrissons, l'un avec une chevelure noire épaisse, déjà, épanoui et heureux ;

476

l'autre chauve, les traits tirés, les membres fins comme des brindilles. « Le petit, là, c'est toi ! lui dit Jinane. Et la grosse avec ses cheveux, déjà, et ses belles joues – que Dieu la garde ! – c'est ta sœur Masreya. » Et il vit et fut pris de vertige. « Jure, au nom des seigneurs, que tu ne respireras pas son air ; que tu ne marcheras pas dans son pas ; que tu ne te nourriras pas de sa chair… Jure, toi que j'ai sauvé de la mort ! Jure par le nom de tes pères, les seigneurs ! »

Zohar restait fasciné, approchant de son visage la minuscule photographie. Ses yeux se brouillèrent, les paroles de Jinane lui parvenaient lointaines, incompréhensibles. « Tu ne vas pas te trouver mal, au moins ? » s'inquiétait sa mère de lait. Ses jambes furent agitées de secousses, ses mains griffaient l'air, comme s'il tentait de se rattraper à d'invisibles branches. Et l'on entendit le râle, de sa gorge, de son ventre, celui d'une bête prise au piège, étouffée… « Non…, balbutia-t-il. — Jure ! insista Jinane, jure, enfant des seigneurs ! » D'un brutal mouvement des hanches, il se redressa. Jinane s'écria : « Qu'il en soit selon votre loi, ô seigneurs ! » Debout, vacillant, il posa ses deux mains sur la tête de celle qui était plus mère que sa mère. Et il dit, hésitant : « Tu as menti, ô ma mère, en prétendant que tu l'avais perdue… Je sais qu'elle est ici, cachée dans cette maison. Si tu me donnes l'amulette, la membrane qui nous entoura tous deux lorsque nous arrivâmes au monde, alors je prononcerai le serment. Je jurerai au nom des seigneurs que je n'épouserai pas Masreya. »

Ils étaient ainsi tous deux au faîte de l'escalier ; elle répandue sur le sol, lui la surplombant. Ouahiba et Baheya les avaient rejoints, alertées par les cris.

— Ô ma mère ! C'est un diable, un diable ! s'écriait Baheya, la plus jeune.

Et l'autre de glousser :

— Oui, ma sœur, mais un diable amoureux. Que veux-tu ? C'est arrivé même à notre prophète. Et il a bien dit qu'il n'était aucune médecine pour cet état...

C'est alors que Jinane ordonna à Ouahiba :

— Va donc chercher la bouteille d'huile, espèce de bavarde, celle que je t'ai interdit d'utiliser.

— Sous l'évier ? demanda Ouahiba.

— Mais oui ! Fais ce que je te dis sans discuter... Celle-là et pas une autre !

Et lorsqu'elle la rapporta, Jinane la lui prit des mains et, montrant à Zohar le rouleau introduit dans la bouteille :

— Cette huile, vois-tu, les olives ont été pressées à Kafr el Amar, dans mon village. L'amulette, je l'ai cachée ici, dans la bouteille. Les mots, qui ont été inscrits voilà bientôt dix-huit ans, ont quitté le parchemin et ont imprégné chaque goutte.

Elle lui tendit la bouteille.

— Prends-la et garde-la, mon enfant ! Ce que je te donne maintenant te sera une armure. Avant de partir au combat, que tu luttes pour ton peuple ou pour ta famille, que ce combat soit pour l'honneur ou pour la richesse, enduis ton corps avec l'huile de ce flacon et aucun mal ne pourra t'atteindre... Et maintenant, jure !

Et Zohar jura ! Il jura par Nofal et par tous les siens, par Bahri, par Manzoh, par Safsaf... Il jura qu'il n'épouserait pas sa sœur Masreya, qu'il ne lui parlerait plus, ne l'approcherait plus, ne la désirerait plus. Il jura qu'il se séparerait d'elle comme on sépare l'enfant qui vient au monde du placenta qui l'a accompagné durant le long voyage des ténèbres rougeoyantes et humides.

Et il dégringola l'escalier en tenant fort dans ses mains le flacon d'huile. Il savait, Zohar ; il savait qu'il ne pourrait respecter son serment !

Qassasin

Alors que la guerre allait dévaster le monde, l'année 43 s'annonçait comme l'apogée du pays millénaire. Les devises affluaient. La Bourse était au plus haut; le coton permettait des bénéfices prodigieux. Les riches s'enrichissaient comme jamais auparavant. Et les pauvres, toujours plus nombreux, toujours plus pauvres, se réjouissaient de vivre en paix, enserrés dans la vallée fertile. Farouk, qui symbolisait la résistance à l'occupation, était adulé. Le peuple d'Égypte était tombé amoureux de son roi. Lorsqu'il paraissait à la mosquée ou au balcon du palais d'Abdine, jeune beauté blanche aux yeux clairs, une foule immense l'acclamait aux cris de: «Vive Farouk, roi d'Égypte et du Soudan!» Ce Soudan dont il réclamait sans cesse la couronne aux protecteurs britanniques.

En février 1943, Farouk fêtait ses vingt-trois

ans en une réception fastueuse et, s'il donnait le change en public avec ses airs de monarque, son monde intérieur était en ébullition. Dès son plus jeune âge, il n'avait eu qu'une seule partenaire, la mort, qu'il cherchait à contraindre à bras-le-corps. Il la rencontra d'abord sous forme de destin dans le jeu de cartes, entre rois, reines et valets... Il voulait en pénétrer le secret, établir des martingales infaillibles. Il avait compris que vaincre la mort, c'était annihiler le hasard. Pauvre roi, pauvre fou ! Nul n'y parvient ! On finit toujours par perdre au casino, comme on finit tous par mourir. Alors, Farouk trichait, comptant sur l'impossibilité dans laquelle se trouvaient ses partenaires de jeu d'accuser le roi. Trompe-la-mort, maître en dérision, il parlait de lui-même comme du cinquième cavalier... le cinquième roi du jeu de cartes !

Sa cleptomanie devenait envahissante, aussi ; dans l'entourage royal, à l'état-major britannique, on le surnommait « le voleur du Caire »... Expert en chapardage d'objets de valeur, il faisait main basse sur les couverts d'argent, les montres d'or, les boucles d'oreilles de diamants, les armes précieuses qui allaient enrichir ses collections entassées dans des pièces entières de ses palais. Au moment précis où il enfouissait l'objet convoité dans sa poche, il guettait sa propre frayeur d'être surpris, le cœur battant d'entendre quelqu'un s'écrier : « Le roi est un voleur ! » Car le roi était nu, guettant l'enfant qui le démasquerait. Et ce fut une enfant qui faillit bien dévoiler sa nudité.

Farouk s'adonnait à un autre jeu à risque : la conquête des très jeunes femmes... C'étaient des chanteuses, des danseuses, des actrices débutantes qu'il hélait comme en un bordel dans les clubs les plus huppés de la capitale. Il les emmenait pour une nuit, une semaine ou un mois, les couvrait de cadeaux, s'excitait de leur consentement, devenant piège de miel où s'engluaient leurs rêves de reine. Puis, du jour au lendemain, il les abandonnait aux portes de la caverne. Le Caire bruissait des mille et une nuits de Farouk, avec Annie Bernier, jeune chanteuse française de passage au Caire, avec Irène Guinle, la belle Juive d'Alexandrie, Asmahane et ses yeux de jade, Samia Gamal au fou nombril qui brûlait les tambours... Avaient-elles toutes cédé ?... On ne prête qu'aux riches !

Mais cette fois, il avait jeté son dévolu sur une fille de famille, la gracieuse Viviane, héritière des grands magasins Cassuto and Co, à peine âgée de quinze ans, avec laquelle il avait partagé une danse lors d'un bal au palais. Elle était fraîche, elle était belle ; elle lui semblait pure, surtout, couvée par ses parents, des notables juifs qui avaient pignon sur rue... Voilà qui décuplait son excitation, qui lui permettait de défier, une fois de plus, l'ange noir qui planait au-dessus de sa tête. Il la poursuivit de ses avances, lui adressa des bouquets de fleurs, des courriers enflammés. Il l'invitait dans son palais, lui promettait or et diamants, toilettes, automobiles de luxe, vie de rêve… Et il ne recevait aucune réponse. Il ignorait que ses lettres étaient ouvertes par le maître de maison, Samy Cassuto, qui avait ses entrées à Kasr el Dobara, à l'état-major britannique.

Lorsque le roi tenta de faire enlever la jeune fille par quatre malfrats qui l'attendaient devant le lycée français dans une auto du garage royal, la coupe fut pleine. Intervention du père auprès de l'ambassadeur de Grande-Bretagne : décision fut prise de piéger le roi, de le laisser s'approcher de sa proie et de le prendre la main dans le sac. Sir Lampson exultait. Cette fois, il le tenait, le «Kid» ! Il allait exposer au grand jour, à la face du peuple égyptien, la noirceur morale de ce petit roi de carnaval. Et cette fois, il signerait son abdication, l'énergumène !

C'est dans cette atmosphère de crise imminente que Zohar se fit déposer au palais par Ann, son amie anglaise. Avant de s'y rendre, il avait pris un bain, longuement, et s'était enduit le corps de l'huile d'amulette. Il s'inclina devant le roi.

— Je te reconnais ! dit Farouk qui n'oubliait rien. Ne serais-tu pas le frère de Masreya, la belle danseuse au corps souple comme le serpent ? Comment t'appelles-tu, déjà ?

— Gohar, Votre Majesté… Gohar ebn Gohar !

— Oui ! Je suis heureux de te revoir, seigneur Gohar. Tu dois avoir un motif important pour te permettre d'importuner le roi. Que veux-tu ?

Zohar murmura entre les lèvres une prière à Sett Safsaf, la gardienne du Sahel, puis il se jeta à l'eau...

— Je viens sauver ta couronne, Sire !

Il expliqua à Farouk le piège que Lampson était en train de lui tendre. Il lui fournit les noms des hommes de main, ces Albanais de la garde royale. Ils avaient été identifiés ; ils étaient maintenant suivis par des agents britanniques. Il lui expliqua que les Anglais détenaient les billets destinés à la jeune Viviane rédigés de la main du roi et qu'ils étaient prêts à en publier le contenu dans la presse. Et Farouk semblait indifférent. Était-il inconscient à ce point ? Zohar sut trouver les mots qui brûleraient son âme. Il lui glissa que ses ennemis ne se trouvaient pas seulement à l'état-major britannique, mais ici même, au sein du palais royal, et qu'ils l'espionnaient chaque jour, chaque nuit.

— Qui donc ? grogna le roi en fronçant les sourcils.

— Dans l'environnement de la reine, Sire !

— La reine mère ?...

Voilà un moment qu'il soupçonnait sa mère, la reine Nazli, femme de pouvoir et incorrigible amoureuse, maîtresse de son chambellan. Elle avait imposé le statut de reine mère et ne comprenait pas que son fils la tînt à l'écart des décisions politiques… Elle n'avait jamais cessé de comploter, celle-là…

— La chienne ! rugit Farouk. Ne comprend-elle pas que si je perdais la couronne elle serait balayée en quelques heures. Finis les belles toilettes, les bijoux somptueux et les armées de courtisanes…

— Il ne s'agit pas seulement de la reine mère, Sire !

— Hein ?… Comment cela, «pas seulement» ? Que veux-tu dire ?

Et il saisit Zohar par le revers de sa veste.

— Vas-tu enfin t'expliquer, enfant de la rue ?

Zohar se libéra doucement de la main du roi ; il s'inclina jusqu'à terre.

— Je ne voulais pas importuner Sa Présence. Si mes paroles sont désagréables à mon souverain, je n'ai plus qu'à me retirer en rampant.

— Ah non ! hurla Farouk. Tu vas me dire ce que tu sais, tout ce que tu sais ! Et d'ailleurs, j'y pense…, pourquoi viens-tu ainsi me prévenir des dangers qui me guettent ? Qu'attends-tu de moi ?

Zohar sourit en pensant à Sett Safsaf, la gardienne des sables, avec ses voiles safran et ses breloques aux chevilles, celle qui danse au rythme du dromadaire. Il savait qu'elle l'avait exaucé.

— Pourquoi s'adresse-t-on aux dieux et aux rois, Votre Majesté, sinon pour obtenir la fortune ?

— Bien ! dit le roi. Nous verrons ce que valent tes informations. Je t'écoute.

— Je ne prétends pas enseigner au roi que, quelle que soit la femme, la jalousie se trouve au noyau de son cœur. Nous savons tous que la reine, ton épouse, attend un nouvel enfant. Sa santé est fragile, son âme frémit à l'idée que, pour la troisième fois, ce pourrait encore être une fille ; que tu pourrais en prendre ombrage, la répudier, peut-être… Alors, la reine – peut-être le sais-tu déjà – écoute d'une oreille complaisante les récits relatant la vigueur virile de son roi.

Farouk fit un bond. Surgissant de son fauteuil, il se mit à marcher de long en large.

— Farida !… Comment est-ce possible… Je l'ai choisie entre mille ! Je suis allé la chercher dans sa famille alors qu'elle n'était qu'une enfant. Je lui ai offert une vie de reine… Farida…

— Il ne sert à rien de se lamenter, Votre Majesté. Un roi ne peut accuser un sujet de félonie sans avouer sa faiblesse. Il doit agir, au contraire, pour entraver la trahison, par la force, peut-être ; mieux encore, par la ruse… Et toujours présenter son sourire qui éclaire le royaume comme un soleil…

Zohar expliqua son plan et le cœur du roi s'apaisa. Farouk avait souvent frôlé sa propre destruction ou sa ruine… Une divinité devait veiller sur lui qui, au dernier moment, venait le tirer des griffes de la Blafarde. Cette fois, pensa-t-il, la chance, qui l'accompagnait depuis l'enfance, qui lui permettait de sortir indemne de chaque piège, de vaincre sa partenaire, sa seule rivale, celle qu'il ne savait nommer mais dont il pressentait la présence derrière lui à chacun de ses pas, la lugubre, l'intense, la maudite, qui savait faire battre son cœur, cette fois, la chance avait le visage de ce beau jeune homme brun...

— Comment m'as-tu dit que tu t'appelais, ô garçon ?

— Gohar, Sire !

— Tu n'es pas maladroit. Et ta parole laisse pénétrer l'air dans des endroits confinés. Que veux-tu en échange de tes conseils ?

— Et de mes informations, Sire !...

Le roi éclata de rire, de ce rire énorme qu'il avait parfois et qui incommodait son entourage, un rire qui surgissait du ventre, comme les soubresauts cadencés de l'instinct.

— Tu es un peu trop sûr de toi, mon jeune ami. Mais je souhaite récompenser tes conseils. Dis-moi ce que tu désires.

Et Zohar raconta au roi l'entreprise qu'il avait fondée voilà maintenant un an et demi, les bouteilles d'eau bleue qui consolaient les malchanceux, donnaient du courage aux timides et guérissaient de la mélancolie. Certes, les affaires étaient prospères, l'argent rentrait, que Dieu en soit remercié, mais, en ces temps d'expansion, avec tous ces étrangers les poches bourrées de sterling qui circulaient partout en ville, il y avait moyen d'en gagner beaucoup plus. Rue Soliman-Pacha, à quelques pas de la pâtisserie Groppi, un ancien garage, propriété de la couronne, était laissé à l'abandon. Il ne demandait pas grand-chose, lui, modeste artisan, seulement la jouissance de ce local. Et il allait créer l'endroit – il l'appellerait « Au rendez-vous des pachas » – qui deviendrait le divan des amoureux de la nuit… On pourrait y acheter des bouteilles d'eau bleue ; on y boirait, bien sûr, l'après-midi, à partir de seize heures ; on viendrait surtout le soir, écouter des chanteuses, jouer aux cartes, parler politique dans une ambiance de luxe et de volupté… Le roi pouvait être assuré qu'il toucherait sans tarder le loyer qu'il en exigerait…

— De l'alcool…, dit Farouk qui se souvenait soudain qu'il était musulman. De l'alcool, tout de même !

— De l'eau bleue, Votre Majesté !

— De l'alcool…, répétait Farouk, quand, soudain, une idée lui traversa l'esprit : Et tu ne m'as rien dit de ta sœur…

Le visage de Zohar se pencha sur le côté.

— Ma sœur, Votre Majesté… ? hésita-t-il. Que vous dire… ? Elle s'est murée dans sa tristesse. Qui a échangé une fois avec les anges ne prend plus

goût au dialogue avec ses semblables. Elle vit cloî-
trée dans sa maison de Roda et je crains...

Il se tut un moment...

— Je crains même pour sa vie, Sire...

Masreya continuait à se produire dans les clubs
de la capitale. Son visage, rayonnant, couvrait
les murs du Caire pour vanter les bienfaits d'une
marque française de savon. Ses frasques amoureuses avec les ministres et les hommes d'affaires
faisaient régulièrement l'objet d'articles dans les
journaux. Zohar et Farouk savaient tous deux
qu'elle n'avait certes pas sombré dans la mélancolie. Mais c'est ainsi que circule la parole levantine,
généreuse, attentive au désir de l'interlocuteur, le
devançant, lui offrant les jalons pour se déployer.
Farouk saisit l'occasion :

— La pauvre ! Avec cette guerre et ces maudits
Anglais, on oublierait presque ses amis. Je m'en
vais l'inviter à une soirée.

— Elle reprendra vie, Votre Majesté !

*

C'est ainsi que Farouk se souvint des plaisirs
que savait prodiguer Masreya, le jour même où
il dut renoncer à ceux qu'il se promettait avec
l'infante juive, l'héritière des grands magasins
Cassuto. Il l'approcha à nouveau et, pour se faire
pardonner sa longue absence, il lui offrit un bra-

celet de cheville en or, chipé dans les collections du musée ; un bijou qui aurait appartenu, quelque trois mille cinq cents ans plus tôt, à la célèbre reine Hatshepsout.

Un an avait passé depuis la victoire d'El Alamein. Les Alliés avaient débarqué en Sicile et en Calabre. Mussolini avait sombré et le gracieux maréchal Badoglio, le visiteur du Caire, qui avait naturalisé, on s'en souvient, un bataillon de Juifs pouilleux du ghetto, lui avait succédé à la tête d'un État en lambeaux. En octobre, l'Italie avait déclaré la guerre à l'Allemagne ; les Juifs de la ruelle pouvaient à nouveau s'enorgueillir de leurs passeports obtenus ce jour d'anarchie de 1938 au consulat de la rue El-Galaa.

C'était le matin du 6 novembre 1943. Le ciel était gris ; de son balcon, le roi regardait s'éveiller la ville. La veille, il avait eu une conversation houleuse avec l'état-major britannique. L'Afrikakorps avait été réduit à néant. Les quelques survivants, poursuivis le long du littoral libyen, venaient de capituler. Qu'est-ce qu'il attendait pour déclarer la guerre à l'Allemagne à son tour ? Cette position de neutralité qu'il avait adoptée au début de la guerre pour préserver son indépendance malgré la présence britannique devenait ridicule. Une fois de plus, Farouk ne savait que faire. Il décida une promenade au bord de la mer, là-bas, là où stationnait l'armée alliée, du côté d'Isma'leya. Il enfila une tenue de yachtman, large pantalon de toile, col roulé de laine blanche, casquette de capitaine, et fila d'un bon pas vers le garage. Son chambellan, Hassanein Pacha, tenta de le retenir pour lui présenter des dossiers en souffrance. Farouk le repoussa fermement. «Demain, Hassanein; demain!»

Devant la vingtaine de voitures alignées, chacune un chauffeur et un mécanicien en livrée à sa portière, il hésita un moment, le doigt sur la bouche. On aurait dit un sultan, à la porte de son harem, au moment de désigner la compagne de sa nuit. La Rolls?... Trop officielle! La Packard?... Trop guindée! La Lincoln?... Trop américaine... Ses yeux tombèrent sur la Mercedes, la fameuse 540 K qu'Adolf Hitler lui avait offerte pour son mariage. Elle datait un peu – il s'était marié en 1938 –, grande décapotable, basse à raser le bitume, deux fauteuils de cuir blanc, une calandre chromée à l'extrémité d'un long capot strié de centaines de branchies, et les courbes des ailes avant, reprises dans l'échappée de sa queue... une folie! Elle étincelait de tous ses chromes. Il lui prit l'envie d'y laisser courir sa main. Et de s'en aller défier les Anglais au volant de la Mercedes du Führer, au bord du canal, là même où ils protégeaient les marches de leur empire...

Il désigna simplement la Mercedes du doigt. Le mécanicien se précipita pour passer un dernier coup de chiffon. Le chauffeur se glissa au volant et démarra le moteur, huit cylindres en ligne, mécanique de précision, un son rauque et profond, promettant la puissance... Farouk prit le volant et démarra en soulevant un nuage de sable. Il ne lui fallut pas plus de dix minutes pour rejoindre les quais du Nil. Masreya l'attendait dans sa dahabeya, sa maison flottante. Elle en sortit enveloppée de voiles blancs, la tête enserrée dans un foulard de soie. « Tous mes chevaux pour ma princesse ! » lui dit Farouk. Elle sauta dans le siège du passager et ils filèrent vers le littoral à l'allure du vent par la route du désert.

Farouk conduisait vite, très vite, au maximum des possibilités de sa voiture. Les automobilistes, apercevant dans leur rétroviseur les énormes phares du roadster royal, s'écartaient ; certains même préféraient s'immobiliser dans le fossé pour lui céder le passage. Il évitait les obstacles avec adresse, un coup de volant à gauche, un autre à droite. Il parlait aussi, pestant contre les carrioles et leurs ânes, sur lesquels il fondait à plus de 120 km/h, contre les paysans inconscients qui traversaient la grande route sans même regarder, sans doute pour écarter le mauvais sort, et contre les Anglais assassins qui barraient le passage avec leurs énormes blindés. Il était volubile, heureux d'échapper une fois encore à ses obligations. Il vantait son carrosse, comme le font souvent les hommes... Et le merveilleux moteur de cette Mercedes. Savait-elle que l'usine n'en avait fabriqué qu'une vingtaine, toutes destinées à des chefs d'État ou à des vedettes de cinéma ? Ce moteur, l'imaginait-elle seulement, capable de déplacer un char d'assaut ou même de faire voler un avion... ce moteur pour eux seuls, à leur service...

— Tu es fou, ô mon roi ! Tu as gardé la folie de l'enfance.

— Je suis né pour être roi, répondit Farouk. C'est mon malheur. Je le suis resté jusqu'à ce jour. C'est ma chance !

Elle sentit, Masreya à l'âme vibrante comme la corde du luth, qu'il était inquiet. Avait-elle compris qu'on évoque la chance lorsqu'on court le risque d'être détruit ?

— Que se passe-t-il, ô mon roi ? Tu es soucieux, je le sais !

— La politique, ma fille, la politique !

Elle comprit qu'il se sentait en danger. Éternel joueur, il avait choisi de quitter la ville pour ne pas abattre la mauvaise carte, pour ne pas perdre la partie. Ils franchirent les deux cents kilomètres qui les séparaient de la mer en quelques heures, sans un seul arrêt. Il était pressé de parvenir au rivage, de respirer l'air du large, de s'étourdir aux embruns... Ils firent leur première halte à l'entrée d'Alexandrie, sur la plage d'Agami ; la mer, limpide émeraude, élargit leur âme. Après déjeuner, il s'était promis de lui faire faire le grand tour, de lui offrir la promenade des rois, d'Alexandrie à Port-Saïd par la corniche, le chemin des plages, puis celui du désert…

Au restaurant, on ne le reconnut pas. Ses vêtements de play-boy, ses lunettes de soleil, la casquette… Il en fut agacé. Ce n'est qu'au moment de payer que le garçon fit une remarque.

— Vous me rappelez quelqu'un…

— Le roi, peut-être, hasarda-t-il.

— Ah non, tout de même ! Le roi n'est pas si gros…

La phrase le cingla comme une gifle. Il resta un long moment sans ouvrir la bouche. Et ce ne fut que plus tard, alors qu'ils passaient devant la plage de Stanley, déserte en ce mois d'hiver, qu'il finit par lâcher :

— Quel paysan, ce serveur de restaurant ! N'a-t-il jamais observé mon visage sur les billets de banque ? Sans doute ne s'intéresse-t-il qu'aux chiffres…

— Calme-toi, ô mon roi ! l'apaisa Masreya, qui avait compris qu'il craignait de disparaître, de quitter la scène sans laisser de traces.

Pauvres rois, pauvres fous ! Vous ne devriez jamais quitter vos palais ! Enfermez-vous dans vos lambris, drapez-vous de vos velours, faites cliqueter vos ors et épargnez le monde. Vous traînez la

494

mort à vos trousses. Pauvres rois, pauvres fous, respectez votre nature : gouvernez en secret !

Et le roi parlait, confiant ses inquiétudes à Masreya. Depuis que le cours de la guerre s'inversait, les Anglais étaient devenus de plus en plus autoritaires, imposant leurs décisions, y compris celles de politique intérieure. Forts de leurs garnisons, de leurs canons et de leurs avions, ils se comportaient en maîtres du pays. Ils ne prêtaient pas aux Égyptiens plus d'attention qu'aux fourmis ou aux moustiques. Un jour, on reconnaîtrait le courage de Farouk, qui, malgré son jeune âge, aura su leur tenir tête, seul, sans armée, par la force de son intelligence et de son charme. Ce jour arrivera-t-il jamais ? se demandait le roi. Et Masreya, l'Égyptienne, émue par tant de solitude, lui disait des mots de douceur. « Sur ma tête, ô mon roi, sur mes yeux, sur mon âme, moi qui fréquente tous les milieux, je te jure que je n'entends que des paroles d'amour à ton sujet. Patience, mon roi, patience ! On saura reconnaître ta grandeur ! » Et le cœur de Farouk s'apaisait un peu.

Depuis le carrefour d'Ezbet-Mansheya, deux motocyclettes les suivaient comme leur ombre. Farouk les avait repérées. Il avait beau accélérer, lâcher la bride à ses 180 chevaux, se cramponnant au volant en tâchant de maîtriser leur cabrade, elles ne le lâchaient pas. Il entendait même l'aboiement lointain de leurs moteurs. « Je ne distingue pas leur visage, dit-il, mais je suis certain que ce sont encore ces chiens qui sont à mes trousses. » La nuit venait de tomber lorsqu'ils parvinrent à Ras el Barr. Espérant les semer, il décida de quitter le littoral pour les petites routes qui serpentaient à travers champs. Mais les motocyclettes, puissantes et agiles, se rapprochaient à chaque virage. Il était nerveux, Farouk et une sourde peur commençait à envahir Masreya. Elle savait que les Anglais rêvaient de faire disparaître le roi et elle connaissait les méthodes expéditives de leurs services. Elle avait entendu parler de la façon dont, au tout début de la guerre, ils s'étaient débarrassés de Ghazi, le roi d'Irak qui avait manifesté son indépendance en envahissant le Koweït sans en avertir ses tuteurs britanniques. Il était mort dans un accident de voiture, précisément, le pauvre... C'était un assassinat ; tout le monde le savait.

Elle se mit à jeter des regards vers l'arrière.

— Ils sont toujours là ! le prévenait-elle.

— Que veux-tu ? Des chiens ! pesta le roi. Plus tu cours, plus ils te poursuivent.

Lorsqu'ils traversèrent la petite ville de Damiette, ne les voyant plus, elle espéra un moment qu'ils s'étaient arrêtés. Mais, sitôt sortis du bourg, les deux petits phares étaient revenus se coller à la lunette arrière. Elle pouvait maintenant distinguer les pilotes. Ils étaient harnachés de cuir, casqués, de grosses lunettes sur les yeux, mais leurs fines moustaches n'étaient pas celles d'Égyptiens.

Alors, Farouk lui intima un ordre absurde, qu'elle n'aurait jamais imaginé... Pas ici, non, pas maintenant, pas avec cette peur au ventre ; et ces virages qui surgissaient sans cesse dans le faisceau des phares et cette nuit... « Allez ! Montre-moi ce que tu sais faire », lui dit-il en lui désignant du doigt le petit renflement entre ses cuisses. Surprise, elle ne sut que répondre. « Allez ! insista le roi. Qu'est-ce que tu attends ? » Et un brusque coup de volant la jeta contre lui. Elle ferma les yeux, murmura une prière et entreprit de déboutonner son pantalon. Elle fut étonnée. Habituellement, le désir de Farouk tardait à se manifester ; il lui fallait la sagesse des mains de Masreya, la tendresse de ses lèvres et l'aiguillon de ses paroles, pour l'animer. Mais cette fois, alors même qu'il était occupé à maîtriser la voiture, le roi s'épanouit aussitôt dans sa splendeur. Pas de doute, la peur est un puissant aphrodisiaque ! « Prends-la ! lui ordonna-t-il. Prends-la dans ta bouche ! » Ils approchaient de Qassassin. Elle ne pensa plus à rien, laissant la nature s'emparer de ses mouvements. Ni Masreya ni Farouk, qui avait alors les yeux mi-clos, ne remarquèrent la disparition des motocyclettes. Deux minutes plus tard, à l'entrée du village, elle, couchée de travers, la tête sous le volant, lui le corps scindé, le haut bataillant la route et le bas abandonné à la science des caresses… Farouk ne vit pas surgir l'énorme camion GMC qui sortait d'un chemin adjacent, tous feux éteints. Un cri lui échappa. Le réflexe d'appuyer sur la pédale de frein de toutes ses forces. Trop tard, bien trop tard ! Le bref hurlement des pneus en même temps que l'explosion de son plaisir ; puis le bruit, terrible, dans la nuit, un bruit de choc et de fragmentation, de métal et de verre. Suivi d'un autre bruit, cataclysmique, comme l'éruption d'un volcan, celui du camion qui s'ébrouait sous la poussée. La Mercedes était lourde et solide : elle le traîna sur une vingtaine de mètres. Et un dernier bruit, métallique, une barre de fer dégringolant et roulant sur le chemin. Puis ce fut le silence, un silence étrange, scandé par une minuterie, le tic-tac d'une invisible horloge ou bien l'essence qui gouttait du réservoir…

Farouk tenta d'ouvrir sa portière. Coincée ! L'autre, celle du passager, avait disparu. Masreya se redressa avec difficulté, le regarda dans les yeux. Elle semblait endolorie. Du sang coulait de son arcade sourcilière.

— Je suis blessé ! s'écria le roi.

Elle ne répondit pas. Elle glissa lentement hors de la voiture. Elle se tenait sur le sol, à quatre pattes. Déjà les militaires britanniques sortaient du camion et s'approchaient de la voiture.

— Are you OK, sir ?

Ne suffisait-il pas que Dieu ait surpris leur dépravation ? Fallait-il encore que les Anglais les dévisagent ? Et Masreya se mit à courir. Déguerpir de là. Fuir ! Fuir l'humiliation... la lâcheté du roi, qui ne songera qu'à sauver sa peau. Elle voulait se contempler dans une glace, au plus vite, retrouver son image, intacte. Elle courut tout droit à travers champs sans se retourner, s'enfonçant dans la nuit.

Pauvres rois, pauvres fous ! Vous ne devriez jamais quitter vos palais !

1952

Au rendez-vous des pachas

Dans la soirée du samedi 6 novembre 1943, au volant de la Mercedes 540 K offerte par Hitler pour son mariage, le roi Farouk, l'âme tourmentée et le sexe en feu, a percuté un camion de l'armée anglaise, à l'entrée du village de Qassasin. Les soldats l'ont extrait de la voiture avec difficulté. Les vêtements déchirés, à moitié nu, il n'était pas capable de marcher, ni même de se tenir debout. Transporté d'urgence dans un hôpital militaire britannique, effondré, hagard, il répétait des phrases incohérentes. «Elle m'a eu, la maudite!... Je l'ai sentie, derrière mon dos, qui me poussait contre le camion.» Il faut dire que le choc avait été d'une violence rare, la voiture ayant heurté l'obstacle à près de 80 km/h. «Je suis mort... Je suis mort!» répétait le roi. Et il demandait: «Qui êtes-vous? Des anges?... Des démons?»

Le roi ne dut la vie qu'à la robustesse de sa Mercedes au lourd châssis, concentré du meilleur acier. En vérité, il doutait d'être vivant et demandait : « Suis-je en enfer ? Dites-le-moi, je vous en prie ! »

À l'hôpital, il reçut des soins d'urgence et des sédatifs. Dès le lendemain, les communiqués officiels s'étaient montrés rassurants, ne parlant que d'une petite fêlure au bassin et de quelques contusions. S'il est vrai que les blessures étaient relativement bénignes – plusieurs fractures néanmoins –, l'état de confusion perdura des semaines : il était poursuivi, une présence noire planait au-dessus de lui, dans la chambre, dans les couloirs de l'hôpital, au-dehors, dans la cour... Il refusait de s'alimenter, craignant qu'on ne l'empoisonne ; de sortir, prétendant qu'on l'attendait derrière la porte ; de parler, certain qu'on enregistrait ses paroles... Il répondait de manière laconique aux médecins, qu'il regardait d'un air soupçonneux.

Au Caire, les rumeurs allaient bon train. Soudain, le roi ayant disparu de la scène, le bruit courut que les Anglais avaient tenté de l'assassiner et qu'ils le retenaient prisonnier – les uns disaient qu'il était enfermé dans une villa à Chypre, d'autres en Inde. Rien n'était plus faux. Les médecins auraient préféré le laisser sortir au plus vite, au contraire, ce malade exigeant, rétif au traitement, et de jour en jour plus agressif...

Au bout de cinq semaines, l'état du roi finit par s'améliorer. Farouk ne parlait plus de la Blafarde, cet être qu'il défiait depuis l'enfance et qui l'avait rattrapé dans les faubourgs d'un petit village du Delta. Il se détendit un peu, sans toutefois établir des relations personnelles comme il aimait à le faire. Il quitta l'hôpital des Anglais le 14 décembre, après avoir décoré de l'ordre d'Ismaël les médecins et les huit religieuses qui l'avaient soigné. Le peuple du Caire vint l'accueillir à l'entrée de la ville, le couvrant de fleurs, en criant : « Vive le roi ! Vive Farouk ! » Nul ne remarqua le changement, sur son visage qui s'était figé, ses paupières qui étaient tombées, ses yeux devenus fixes derrière ses lunettes de soleil, sa démarche, plus raide, et cette lassitude, profonde, qui s'était abattue sur ses épaules. Le peuple aimait Farouk d'amour et le lui déclarait une fois encore. Mais s'agissait-il du même Farouk qui rentrait en triomphateur dans sa ville ? Le petit roi, beau comme un dieu, n'avait-il pas été enlevé par la mort lors de l'accident du 6 novembre, et remplacé par une ombre maléfique ?

*

Les deux dernières années de la guerre furent des années de grâce pour la Compagnie de l'Eau bleue. Farouk tint parole et consentit à louer à Zohar le local de la rue Soliman-Pacha. Plus encore, il prit secrètement des parts dans l'affaire, à hauteur de trente pour cent. Le succès du Rendez-vous des pachas dépassa les plus folles espérances. Le cadre était recherché, sofas moelleux, musiques modernes, tentures luxueuses, tapis, parfums, et cette eau bleue, toujours plus pure, toujours plus forte… « Plus pure que l'eau, disait la réclame, plus forte que la vie, l'eau bleue, l'eau-de-vie ! »

Pour la programmation artistique, Zohar fit appel à un metteur en scène français, Augustin Levert, un résistant, évadé d'un camp. Il produisit les plus grandes vedettes, Tino Rossi, Maurice Chevalier, Charles Trenet et la fameuse Jeanne Bourgeois, qui se faisait appeler Mistinguett… C'était une grâce de les écouter chanter là, sur cette petite scène, sous d'immenses ventilateurs de cuivre, un cocktail d'eau bleue colorée de curaçao à la main, dans l'intimité, pour ainsi dire.

Toutes les composantes de la haute société égyptienne s'y retrouvaient, libérées des raideurs de la bienséance par le caractère provisoire des temps. Les gradés britanniques fréquentaient le lieu, espérant les belles Égyptiennes ; les khawagates, les « messieurs », Européens et riches Égyptiens, pour croiser les ministres et les députés ; et tous pour apercevoir le roi. Farouk y était si régulier que sa table était dressée chaque soir. On devait faire la queue sur le trottoir durant des heures pour rejoindre les «Pachas», et, à l'intérieur, on ne trouvait pas une place libre, pas une colonne sur laquelle n'était nonchalamment adossé un noctambule en habit de soirée. Après le dîner, l'établissement devenait club où n'étaient admis que les membres. C'étaient alors tables de poker et de gin-rummy, fumoirs discrets et, sur scène, musique orientale et danseuses du ventre. Farouk y traînait sa langueur, le regard quelquefois allumé par les vibrations d'un ventre, le gras d'une hanche ou la pointe d'un sein. Tandis qu'au sortir de la guerre, avec le départ progressif des légions, l'Égypte s'enfonçait dans la crise économique, le Rendez-vous des pachas brillait au firmament, étoile sulfureuse, à la pointe du rêve égyptien, entre gentry londonienne et folle sensualité d'un Hollywood oriental.

À vingt ans, le patron, Zohar Zohar, était devenu riche, très riche. Mais il ignorait où allait l'argent. Tout à sa fougue, il était heureux de savoir qu'il en trouverait suffisamment pour acheter une villa ou une nouvelle auto… Il n'en faisait rien, cependant, absorbé par la direction de la fabrique, toujours à 'Abasseya, et par la gestion du Rendez-vous de la rue Soliman-Pacha. L'argent se trouvait dans la compagnie, il n'y touchait guère. Zohar était l'eau bleue; l'eau bleue, ce n'était que lui. Il avait perdu ses deux associés, les deux autres jeunes gens mentionnés sur l'étiquette Art déco qui ornait les flacons. Il entendait parfois parler de Nino, de ses prêches brillants à Isma'leya, de ses dénonciations enflammées de l'occupation britannique, de ses appels à la lutte armée, au combat sacré qui ouvrait les portes du paradis. Mais il ne parvenait pas à prendre cela au sérieux. Pour lui, Nino se cachait ; il se tenait à l'abri au cœur de la fraternité, le dernier endroit où l'on irait chercher un petit Juif.

Il commença plus tard à éprouver de véritables inquiétudes, en décembre 1947, lorsque Nino se transforma en imam de guerre – n'était-ce pas le nom qu'il s'était choisi, Abou l'Harb, « le père de la guerre » ? « Mes frères, j'en appelle à votre conscience. Rappelez-vous votre serment. Le Coran est notre loi, avez-vous juré ; la mort notre plus fidèle alliée ; mourir durant le djihad notre plus cher espoir. Le moment est venu ! » Et il appelait à la croisade.

Quelques semaines auparavant, le 29 novembre, l'Assemblée générale de l'ONU avait adopté le plan de partage de la Palestine. L'État d'Israël allait être créé au mois de mai. Alors Nino adjurait les croyants par le Dieu tout-puissant de défendre la terre arabe, de sauver l'honneur de l'islam. Et de sa belle voix grave, toujours posée, s'appuyant sur des textes anciens, citant le guide suprême, il délivrait de terribles messages de haine. « Tuez les Juifs ! Tuez ces chiens ! Partez défendre vos frères en

Palestine et tuez-les jusqu'au dernier… et si vous ne pouvez pas partir, tuez-les ici même, à Isma'leya, à Tanta, à Alexandrie, au Caire, partout en Égypte.» Il faut dire qu'il fréquentait depuis quelque temps le grand mufti de Jérusalem, Hadj Amin el Husseini, accueilli par Farouk après que le Quai d'Orsay l'avait opportunément fait «évader» de sa résidence surveillée en France. «Tuez les Juifs partout où vous les trouverez, avait déclaré le mufti, cela plaît à Dieu, à l'Histoire et à notre foi.»

Lorsque Zohar entendit les déclarations de Nino et du grand mufti, dans les derniers jours de l'année 1947, il eut froid dans le dos. Non qu'il se sentît menacé, il se pensait à l'abri à l'ombre des puissants, mais il imagina un pogrom comme il y en eut dans le passé, les foules rendues folles par la jalousie de leur dieu, qui déferlaient dans la ruelle en hurlant : «Égorgez les Juifs !» Comment se défendraient-ils, les pauvres de la 'hara ? Que pourrait faire un vieil homme comme l'oncle Élie… et son père, Motty, l'aveugle… et les femmes, les grands-tantes, Maleka, Tofa'ha… et Adina, surtout, qui ne savait pas tenir sa langue ? Elle provoquerait certainement les émeutiers. Dieu sait ce qui pourrait arriver.

D'un geste de la main, il chassa ces pensées. Mais les appels au meurtre des prêcheurs étaient venus inscrire dans son âme une brûlure qui ne le quitterait jamais.

Zohar ne réalisait pas que l'Égypte changeait. Il croisait souvent le roi, pourtant, qu'il pouvait observer à sa guise sur les coussins du Rendez-vous des pachas. En Égypte, du temps des pharaons comme jusqu'à la fin de l'Histoire, le roi, qu'on l'appelle pharaon, Premier ministre ou président, c'est le pays. Farouk dérivait lentement, comme un navire en panne, abandonné sans attaches au tumulte de ses pulsions. Il avait capitulé, non devant les Anglais qui perdaient chaque jour du terrain, mais devant sa rivale de toujours. La mort qu'il avait insolemment défiée depuis l'enfance, l'avait rattrapé un soir de novembre 1943 : il l'avait sentie, il l'avait même aperçue, cette ombre noire, planer au-dessus de sa tête, et il l'avait entendue. Ce soir-là, elle était venue hurler en un vacarme d'enfer (qui est sa langue) : « Le roi est nu ! » Nu, il l'était, braguette ouverte, vêtements déchirés, devant des troufions britanniques goguenards. Quelle honte !

Depuis ce jour, ses manies avaient envahi son existence, expulsant le beau petit roi d'amour. Voleur, il le fut alors comme jamais, si bien que, dans les bonnes maisons du Caire, lorsqu'il venait dîner, on faisait disparaître l'argenterie et les objets de valeur. Il devint boulimique, se mit à enfler comme une baudruche triste. Et lorsque Zohar lui demandait : « Sa Présence a l'air contra-riée. Y aurait-il quelque chose dans le service qui ne serait pas à son goût ? » Il répondait : « Comment pourrais-je être heureux ?... Regarde-moi ! Un roi chauve, obèse, presque aveugle et, comme tu le sais, totalement fou... » Sa chasse aux jeunes femmes, qui pouvait naguère passer pour un trait de caractère, devint obsessionnelle. Il lui en fallait toujours davantage, interrogeant son sexe, une fois encore, et toujours, pour savoir s'il avait pris le parti de la mort. Mais la chasse – il faut prévenir les chasseurs ! – est comme le regard, toujours réflexive. Car qui voit est vu... Un jour ou l'autre, le chasseur sera chassé.

Elle s'appelait Liliane Victor Cohen. On disait dans l'entourage du roi que la préférence de Farouk pour les femmes juives n'était qu'obéissance à une injonction de son père. Fouad aurait un jour prononcé cette phrase énigmatique : « Une femme juive ne peut qu'être exceptionnelle. » Et Farouk tentait de la valider. Brune à la peau laiteuse, des lèvres en forme de cœur, à la fois fraîche et sensuelle, pure et voluptueuse, elle n'avait pas plus de dix-sept ans. Née dans une famille pauvre d'Alexandrie, elle avait décidé de devenir une vedette de cinéma. Elle dansait dans un petit cabaret de la corniche lorsque, dans la salle, elle aperçut le roi. Elle vint tournoyer autour de lui, grimpa sur sa table, effeuilla ses vêtements au rythme de la musique. La tête levée, entre ses jambes écartées, hypnotisé par la pulpe qui s'offrait, il l'emmena sur-le-champ. Il pensait l'avoir capturée ; elle l'avait harponné.

Le lendemain, il lui demanda ce qu'elle souhaitait. « Tourner dans un film, Sire ! » En 1947, elle incarnait son premier rôle dans *Le Masque rouge*. Et le public tomba sous le charme. Le cinéma arabe tenait sa Marilyn. En quelques mois, elle devint Camelia, la vamp égyptienne, aussi innocente que Shadia, aussi érotique que Hind Rostom. Il devint de notoriété publique que la toute jeune actrice était la maîtresse du roi. Chaque fois qu'il tentait de l'abandonner, elle menaçait de se suicider. Et quand il voulait la tenir, la surveiller, elle s'échappait à l'étranger en compagnie d'un metteur en scène ou d'un riche mécène. Il redoutait le scandale, faisait des crises de jalousie, lançait des armées d'espions à ses trousses. Il s'engagea à divorcer, lui promit le mariage. Il s'était fait serrer le licol comme un banal mari adultère. Zohar, qui assistait parfois à leurs scènes, aurait dû comprendre. Si Farouk s'était laissé prendre, c'est que l'Égypte était flottante. Elle allait basculer, tomber entre les bras d'autres puissances… Farouk, c'était l'Égypte.

Joe di Reggio, qui avait accompagné Zohar depuis l'enfance, qui l'avait suivi, fasciné par son âme volatile, toujours en mouvement, insaisissable – « Tu es comme un esprit, lui disait-il, tu apparais, comme ça… on ne sait d'où tu sors. Parfois c'est pour le bien, parfois je ne sais pas… » –, Joe di Reggio s'éloigna ; souvent l'amour d'une femme vient ternir l'éclat d'une vieille amitié.

Après la terrible scène de l'impasse Khamis-el-'Ads, le 10 novembre 1942, Joe avait été ébranlé. Jusque-là, le monde était une famille ; il s'y déplaçait avec aisance, connaissait les lieux, aimait les personnes, exprimait ses dons dans la fluidité d'un monde serein. Mais, ce jour-là, l'univers avait basculé. Devant cette mère déchirée de douleur, devant ce fils rendu fou par un dieu, l'esprit de Joe s'était vidé comme l'eau d'un lavabo. Plus de croyance, plus de vérité, plus de repères… seulement cette douleur brute, le cri d'agonie de la mère de Nino injuriant Dieu. Ce moment, cet endroit étaient devenus un autel, d'où surgirait un jour le sens. Toutes les semaines, Joe était revenu dans l'impasse, souvent le vendredi soir, pour célébrer le shabbat avec la petite famille endeuillée. Il était venu consoler la mère de Nino, sans doute, l'aider à joindre les deux bouts, aussi, lui portant ce qu'il appelait « la paie de son fils », le salaire d'un travail qu'il n'accomplissait plus depuis longtemps. La mère de Nino, en manque de fils, choyait Joe comme l'enfant de la maison. Et lui, l'héritier, le fils du célèbre banquier di Reggio, n'osait pas s'avouer qu'il trouvait ici, dans cette pièce misérable, dans cet immeuble de guingois, dans cette impasse malodorante, plus de plaisir qu'en son palais.

Et une autre personne se métamorphosait au fil des semaines, au rythme des visites du shabbat, la blonde Loula, l'aînée des sœurs de Nino, qui n'avait pas encore atteint ses dix-sept ans. On lui vit d'abord apparaître une queue-de-cheval, qu'elle portait haut, à la manière des starlettes du cinéma américain. Puis sa taille se resserra, tenue par d'élégantes ceintures de cuir blanc ou rouge, ses jupes se raccourcirent, se gonflèrent de jupons bordés de dentelle. Lorsque, fraîche et joyeuse, le visage dessiné comme une poupée, les pommettes criblées de taches de rousseur, elle rapprochait à table sa chaise tout contre la sienne, une odeur de femme et de jasmin envahissait l'esprit de Joe. Le samedi, il l'emmenait au cinéma Metro voir des films américains. Parfois, il la tenait par l'épaule et elle se serrait contre lui. Puis ils passaient des heures à la pâtisserie Groppi, parlant d'avenir devant d'impressionnantes glaces à la crème Chantilly. En ces années, l'Égypte était un balcon d'où on pouvait contempler les peuples et les pays en panorama. Elle aurait tellement aimé… Paris, la France. Lorsque la guerre finira… « Si elle finit un jour, lançait Joe. — Que Dieu nous préserve ! s'exclamait Loula, elle finira nécessairement. » Et Joe faisait une moue dubitative. Sur le moment, elle ne comprenait pas.

Il l'emmena à son club de sport, au Maccabi. Ils fréquentèrent les jeunes sionistes, chantèrent des soirées entières en hébreu, s'accompagnant à la guitare, autour d'un feu de camp. Un soir, après les chants, après les danses, après les longues discussions sur la nécessité d'un État juif, dans un même mouvement, ils se regardèrent au fond des yeux. Leur décision était prise. Ils partiraient là-bas, en Palestine, tous les deux, fonder une famille.

Ce soir-là, Joe ne reconduisit pas Loula dans son impasse. Il loua une chambre à l'hôtel Shepheard et, au moment d'en franchir le seuil, il chercha une formule, une bénédiction... Mais la religion n'avait jamais été son fort. Alors, il murmura seulement le credo juif – celui-là, il le connaissait par cœur... enfin les deux premières phrases seulement : « Écoute, Israël, Dieu est notre dieu ; Dieu est Unité. » Et dans cette chambre de luxe, le balcon ouvert à deux battants sur le Nil, pour la première fois, ils ne firent qu'un. Unité... C'était donc cela, Dieu... Un homme et une femme, les corps emmêlés et les âmes fusionnées... l'Unité.

Lorsque Zohar apprit que Joe s'était fiancé avec la sœur de Nino, qu'ils fréquentaient tous deux les groupes sionistes et envisageaient de s'établir en Palestine, l'angoisse lui serra la gorge. À la différence de Nino et de Joe, Zohar ne faisait pas de politique, mais il la ressentait dans son corps. En 1945, la guerre terminée, les Frères occupaient la scène. Leur nationalisme semblait plus crédible que celui du Wafd, *a fortiori* celui du roi. Eux étaient égyptiens, issus du peuple, véritablement opposés à la présence britannique, et, surtout, ils étaient musulmans – musulmans avant tout. Dans leurs slogans, le peuple reconnaissait sa colère ; il se reconnaissait dans leurs façons d'être et dans cette religion qui le réconciliait avec son passé. Sous leur impulsion, des émeutes avaient éclaté à Alexandrie ; trois synagogues incendiées, des hôpitaux juifs, des écoles juives, des boutiques appartenant à des Juifs, pillés. Des Juifs avaient été molestés, de pauvres commerçants, des vieux, battus, jetés au sol, foulés au pied. Il y eut des dizaines de blessés, quelques morts.

Au Rendez-vous des pachas, les ministres, les banquiers, ricanaient. « Une révolution ? Vous n'y pensez pas… Le peuple égyptien est ainsi. Lorsque ça le démange, il se gratte, puis il s'ébroue. Et puis tout se calme. » Les événements semblaient leur donner raison car, quelques jours plus tard, la vie avait repris son cours nonchalant… Tout semblait comme avant. Mais Zohar sentait qu'être sioniste au Caire en 1945, c'était comme mettre le bras dans la gueule béante d'un crocodile. Quant à le faire en compagnie de la propre sœur d'un imam de combat qui prêchait la guerre sainte, Abou l'Harb, « le père de la guerre », c'était chatouiller le crocodile pour l'inciter à mordre.

Au début, Joe voulut partager son amour de Loula et du futur Israël avec Zohar. Il tenta de l'entraîner au Maccabi ; il l'invitait à des sorties à la mer avec son groupe de jeunesse. Et Zohar refusait toujours, lui répondait par des phrases étranges : « Rappelle-toi que tu n'es pas seul ; nous sommes trois, Joe ! L'eau bleue, l'eau-de-vie des trois shebabs… Ne l'oublie jamais ! » Mais qu'est-ce qu'il lui racontait avec ces trois jeunes gens ? Le monde était en ébullition ; les Anglais refoulaient les rescapés des camps qui voulaient rejoindre la Palestine. Ils expédiaient les bateaux d'immigrants en Allemagne – en Allemagne, terre maudite, gorgée du sang de leurs parents ! Et lui, Zohar, qui ne pensait qu'aux affaires… Pouvait-on être insensible à ce point aux souffrances de son peuple ?

Ils ne se disputèrent pas, non, mais ils s'éloignèrent l'un de l'autre. Joe passait de temps à autre à la fabrique, rue du Docteur-Tawfik, et c'était toujours dans l'après-midi, après la sieste, sachant Zohar occupé rue Soliman-Pacha, avec ses millionnaires, ses généraux et ses ministres. Joe ne se rendait plus au Rendez-vous des pachas.

*

— Que le jour de Votre Présence soit limpide comme une larme de crème fraîche sur une coupelle de cristal…

— Ce jour, Gohar ebn Gohar, fils de chien, est

comme la poix, et moi, je me sens comme la boue au fond du Nil…

Il était à peine dix-neuf heures, ce 22 octobre 1948. Farouk venait d'apprendre que le navire amiral de sa flotte, la frégate qui portait son nom, *L'Émir Farouk*, avait coulé, emportant par le fond un équipage de sept cents hommes. Alors qu'elle croisait au large d'Ashdod, les Israéliens avaient expédié contre ses flancs un canot bourré d'explosifs. Il ne fallut pas plus de quatre minutes pour que le bâtiment disparaisse de la surface. Quelques heures plus tôt, un télégramme lui avait appris que les trois mille soldats d'élite de la brigade du général Taha Bey étaient encerclés dans la poche de Falouga… Son armée, qu'il avait expédiée en Palestine pour en expulser les Juifs, et ses généraux qui promettaient de prendre en quinze jours leurs quartiers à Tel-Aviv avaient été défaits par ceux qu'on lui avait présentés comme une bande de va-nu-pieds équipés de vieux tromblons.

— Tes cousins, les Juifs, ajouta le roi, sais-tu ce qu'ils m'ont fait?

— On ne choisit pas sa famille…, tenta de plaisanter Zohar.

— Écoute mon conseil, seigneur Gohar, le conseil d'un roi: change de famille! Fais-le avant qu'il ne soit trop tard.

Et pour la première fois depuis qu'ils se connaissaient, Farouk l'invita à s'asseoir près de lui. Il lui entoura affectueusement l'épaule de son bras.

— Tôt ou tard, l'Égypte appartiendra aux seuls Égyptiens. Et la nature des Égyptiens, c'est d'être musulmans…

— Et pourquoi pas la religion des pharaons ?

Farouk éclata de rire.

— En secret, mon cher, en secret !

Lorsqu'il évoquait le danger d'être juif en Égypte après guerre, le roi savait de quoi il parlait. Sous l'impulsion de nouveaux conseillers allemands entrés clandestinement dans le pays, d'anciens nazis qui avaient réussi à fuir l'Allemagne occupée, il avait fait voter par le Parlement, qui lui était alors totalement acquis, des lois discriminatoires. Ce n'était pas encore celles de Nuremberg, mais ça en prenait le chemin. Au mois de juin, une nouvelle loi interdisait aux Juifs de quitter le territoire, de peur qu'ils n'aillent grossir les rangs de l'armée israélienne. Une autre stipulait que soixante-quinze pour cent des employés des affaires publiques ou commerciales devaient désormais être de « vrais Égyptiens », c'est-à-dire musulmans, excluant de fait Juifs et Anglais. Et depuis le début de la guerre de 48, on arrêtait des jeunes gens pour « sionisme », qui était devenu un délit contre l'État. Ils étaient internés par centaines dans la prison des étrangers ou dans des camps dans le désert.

Dans la salle, des clients commençaient à prendre place pour le dîner. Farouk pinça la joue de Zohar, comme on le fait volontiers aux enfants :

— Ô mon fils, je t'en conjure ! Viens nous rejoindre, reste avec nous ! Je n'ai pas envie de voir disparaître mes soirées au Rendez-vous des pachas.

*

Ce même 22 octobre, à la même heure, devant sa villa de Zamalek, Joe, rasé de frais, parfumé d'une senteur envoûtante qu'il s'était procurée à la parfumerie Nessler – une nouvelle eau de toilette appelée « La fille du Soudan » –, se regardait dans le rétroviseur de sa MG décapotée. Casquette écossaise sur ses cheveux ondulés, nœud papillon, chemise de soirée, blanche rayée de bleu… Il passa sa main sur sa poitrine pour se débarrasser d'invisibles poussières, tourna la clé et appuya sur le bouton du démarreur. Il aimait ce bruit d'échappement rauque, un peu sauvage, qui évoquait la vitesse. Ce soir, il emmenait Loula danser à l'Automobile Club. Ils étaient plusieurs du Maccabi à s'être donné rendez-vous dans cet endroit sûr, seulement fréquenté par la haute société, pour mettre au point leur départ. L'un d'entre eux disposait d'un canot automobile puissant, capable de rejoindre Haïfa. En temps de guerre, il n'était pas si facile de quitter un port comme Alexandrie.

Aussi quitteraient-ils le pays par Ras el Barr, la station balnéaire, comme s'il s'agissait d'une simple balade en mer. L'arrivée en Israël était plus périlleuse. C'était précisément la mission de Joe, de prendre contact avec des responsables de l'Agence juive, qui préviendraient l'armée israélienne de leur arrivée. Il ne s'agissait pas de se faire mitrailler par les gardes-côtes une fois le but atteint. Ils brûlaient de rejoindre les combattants de la Haganah, n'en pouvant plus de leur oisiveté anxieuse dans cette Égypte qu'ils sentaient de jour en jour plus hostile.

La rue Port-Saïd était très encombrée. Il bifurqua sur la gauche, le pouce crispé sur le petit bouton du klaxon, au centre du volant. Mais devant la mosquée Zahir-Baybars, une foule compacte s'avançait en scandant des slogans. « La Palestine aux Arabes !... Égorgez les Juifs ! » Impossible de traverser les rangs serrés de tous ces hommes en colère, qui brandissaient des bâtons. Il freina, enclencha la marche arrière. Quelques mètres et un camion arriva, lui barrant le passage. Il freina à nouveau, tenta un demi-tour. Mais déjà la foule l'entourait. Les hommes approchaient de la voiture, la touchaient. Des enfants jouèrent avec la poignée ; ouvrirent la portière. Et voilà qu'un gros, les yeux rouges de fureur, s'avança. « Je le reconnais ! s'écria-t-il. Je l'ai vu au Maccabi, chez les sionistes. » Une rumeur monta, répercutée, rang après rang. « C'est un Juif ! Un sioniste, fils de chien ! Égorgez, égorgez ! » Et le gros, tout devant, saisit Joe par sa belle chemise rayée. « Tu joues au basket-ball chez les sionistes. Tu es un sioniste, hein ? » Et il le secouait. D'un mouvement brusque, Joe détacha les mains de l'homme, glissa hors de la MG et se tint debout devant la foule. Il leur parla en arabe. « Je ne suis pas un étranger. Je suis égyptien, comme vous. » Il tremblait de tous ses membres, de peur, sans doute, de rage, aussi. La première rangée interrompit ses cris. Ils restaient interloqués, comme s'ils ne savaient que penser de ce jeune homme de bonne famille qui parlait leur langue, un Égyptien, après tout. Mais derrière, les cris redoublaient. « Égorgez le sioniste ! » Et ils poussaient fort, cherchant à atteindre l'ennemi. Le pauvre Joe, seul devant des centaines, était devenu en un instant le responsable des humiliations subies depuis des siècles ; la foule avait trouvé son cri de ralliement, contre les Juifs, une fois encore : « Sioniste ! »

Le gros leva le bâton, regarda vers l'arrière, cherchant l'assentiment de ses compagnons, et s'écria : « Allah ou akbar ! » Et il l'abattit sur le crâne de Joe. « Allah ou akbar ! » répétèrent les autres.

Ce soir du 22 octobre, Loula attendit longtemps son prince, son amour, qui devait l'emmener danser à l'Automobile Club où elle n'avait jamais mis les pieds.

Le grand rabbin d'Égypte lui-même menait la procession lorsque la communauté juive, deux jours plus tard, le 24 octobre – car le 23 était un samedi –, conduisit à pied et dans le plus grand silence la dépouille de Joe di Reggio au cimetière de Bassatine. Le peuple du Caire la regardait passer, atterré. Des femmes poussèrent des youyous, des cris s'élevèrent ici ou là… « Le pauvre ! Un si beau jeune homme… » Quel est le vrai peuple d'Égypte, celui qui, la veille, hurlait à la mort du sioniste ou celui, sincèrement affligé, qui rendait un dernier hommage à la beauté de sa jeunesse ?

Zohar était resté au Rendez-vous des pachas, perdu dans la contemplation de l'étiquette : « L'eau-de-vie des trois shebabs ». D'une main hésitante, il versa les dernières gouttes dans son verre. Il avait terminé le flacon. Joe était mort. Il ne s'était pas senti le courage d'assister aux obsèques. Joe était mort et il n'en comprenait pas la raison. Depuis des années, ensemble, ils se jouaient des dangers, avec la chance de l'insouciance. Et là, depuis… depuis quand déjà ? Depuis la fin de la guerre, certainement… Ces manifestations de rue, ces violences, ces amorces de pogroms… L'ambiance n'était plus la même, il sentait l'étau se resserrer… et sa gorge, aussi. Le mouvement s'était accéléré depuis le vote de l'ONU validant le plan de partage de la Palestine. Et la débâcle de l'armée égyptienne…

Et le roi, naguère si élégant, le roi dandy, qui enflait chaque jour, montagne de graisse, qui faisait irruption dans les cabarets, une danseuse à chaque bras ; le roi dont le cynisme élitiste, les phrases recherchées en anglais précieux avaient laissé place à des mots orduriers qu'on ne lui connaissait pas, à des injures grossières, à des comportements scatologiques… Cela, Zohar le savait intuitivement, les Égyptiens ne le lui pardonneraient jamais. Ils aimaient l'Égypte dans leur roi.

Et des rumeurs se faisaient insistantes. Les hommes de main de Farouk enlèveraient des jeunes femmes contre leur volonté. Les maris, les pères, les frères qui tenteraient de résister seraient molestés, parfois jetés en prison. On parlait aussi de disparitions, de morts inexpliquées. Mais on racontait tant… En Orient, la parole est faite pour chanter sur ses rêves et frémir à ses cauchemars, pas pour informer !

Soudain, une terrible explosion. Les vitres vacillèrent. Un bourdonnement grave s'introduisit dans les oreilles de Zohar. Puis, dehors, un long sifflement suivi d'une seconde détonation, moins sourde, mais plus intrusive que la première. Un silence pesant durant près d'une minute. Et les hurlements de la foule, tout près. Il sortit rue Soliman-Pacha. Les gens couraient en direction de la place. Le dernier bâtiment abritait les grands magasins Cassuto and Co, qui appartenaient au père de cette jeune fille sur laquelle le roi avait jeté son dévolu cinq ans auparavant. Après le scandale qui avait failli éclater, les parents avaient expédié la petite Viviane en France, poursuivre des études. Ils avaient rêvé de marier leur fille au jeune Joe di Reggio. L'immeuble Cassuto était en feu ; et Joe était mort. Et lorsqu'il aperçut la foule se précipiter par les vitrines du magasin pour piller tout ce qui lui tombait sous la main, des tapis, des rideaux, des lampes, des chaises, des objets, des choses, encore des choses, ces objets qui manquaient tant au peuple, Zohar eut un haut-le-cœur et partit en titubant dans la direction opposée.

Il déambula longtemps à travers la ville. Ses pas le menèrent naturellement à Bab el Zouweila. Il avançait, tête basse, l'âme absente. Il emprunta les ruelles qu'il connaissait si bien ; nul ne l'importuna, aucun mendiant ne tendit la paume ouverte, aucun enfant ne s'accrocha à ses vêtements, réclamant une pièce. On eût dit qu'il était devenu transparent, invisible aux passants. Lorsqu'il franchit le portail de la concession, la kudiya, la maîtresse des zars, celle qui avait initié sa mère et permis sa conception, l'accueillit comme toujours en frappant dans les mains. « Ô Allah ! Voici le fils, l'enfant de Nofal, notre seigneur ! Venez ! Venez accueillir notre enfant ! » Et elle le serra dans ses bras. Et sa tête pressait les énormes seins moelleux, qui sentaient la lessive et l'encens. Il pleura,

Zohar, lui qui n'avait jamais pleuré ; de gros san-
glots ; il suffoquait, Zohar, de pleurs, d'affliction,
de cœur serré, de gorge nouée… « Ma mère ! Ô ma
mère ! » Et elle le serra plus fort, la kudiya, et il
entrait dans la terre comme en un édredon. « Ton
absence était un monstre qui dévorait mon âme ! »
sanglota-t-il. Et la kudiya frappa encore dans ses
mains… « Comme il est menteur ! Comme il
sait parler, celui qui vit chez les voleurs… » Elle
entonna les mesures du chant qui avait accompagné la première danse d'Esther, sa mère, la nuit
de son initiation à la danse des seigneurs : « Ô
Nofal, ô Nofal… Ceux qui descendent sont heureux dans les profondeurs… » Puis elle éclata de
rire… Changeant sur l'instant, elle prit soudain un
air sévère : « Mon absence ? Fils de chien ! N'est-ce
pas toi qui as oublié ta mère, la kudiya ? Toi qui
ne trouves pas le temps de venir jusqu'à nous,
qui te contentes d'envoyer des serviteurs porter
les offrandes de parfum pour les cérémonies, ne
crois-tu pas qu'ils t'ont réclamé, les seigneurs ?
Tous les jours, ils demandent après toi. Où est-il ?
A-t-il oublié la maison de son père ? » Et elle énu-
méra les esprits, les zars qui appelaient Zohar.
« Ne crois-tu pas qu'ils auraient voulu danser avec
toi ?… Le maître rouge, notre roi à la belle chevelure de feu, et sa femme, celle qu'on appelle la Jen-
neya… et Bahri, celui de la mer, et sa sœur jumelle,
celle de la felouque… et Manzoh, le bawab, le

portier... et les propriétaires de la terre, qui t'appelaient à chaque présence, ceux du haut royaume et ceux des sources... et la mère Safsaf, qui garde les rives du désert... Oui ! La mère Safsaf ! Celle-là, tu sais comme elle t'aime ! »

Et elle éclata de rire à nouveau, la kudiya, la sévère.

C'est cela que Zohar aimait par-dessus tout à Bab el Zouweila. Là, rien n'était grave, tout était réparable, la difficulté à vivre et l'impossibilité de supporter la mort... « Regarde mon ventre, fils de rien, fils des seigneurs ! » Et elle remonta sa robe jusqu'à la limite de ses seins. Au-dessus d'une étrange culotte de laine, elle portait un tatouage qu'il n'avait jamais vu... « Regarde mon ventre », répétait la kudiya. Le tatouage représentait le visage d'un enfant, bouche ouverte, langue légèrement tirée. Il avait des yeux bridés, une petite bouille sympathique. Son nez était le nombril de la kudiya. Et elle se mit à onduler en une danse du ventre, tenant entre ses dents l'extrémité de sa robe. Le petit garçon du tatouage faisait des grimaces, puis riait, puis pleurait, puis riait encore au gré des mouvements... Et Zohar sourit, sourit... Et les autres femmes qui étaient arrivées les entouraient et frappaient dans leurs mains pour rythmer la danse. Et l'enfant du tatouage faisait des signes à Zohar, un clin d'œil, un mouvement des lèvres, comme un baiser... Et Zohar sourit encore et il finit par rire. Puis il se jeta dans les bras de la kudiya… « Débarrasse-moi de ma peine, ô ma mère ! » Et il enfouit sa tête dans les coussins de sa poitrine immense.

Elle avait compris, la profonde, la sagace, l'intuitive, la prêtresse des origines ; aussitôt qu'il avait franchi le seuil de la concession, elle avait compris qu'il s'était égaré, son enfant au cœur brûlant. « Mange un peu ! Mange la viande du sacrifice et la bamia, le gombo qui colle comme le fer en fusion… Mange en m'attendant. Je m'en vais fabriquer une griffe pour toi. Tu la porteras autour du cou et, lorsqu'une force plus forte que ta force s'emparera de ta volonté, tu prendras la griffe entre tes doigts et tu diras les mots que je t'ai appris… » Il mangea et il but et il plaisanta avec les femmes, les propriétaires du Caire ; et il pleura et elles pleurèrent avec lui, elles le touchaient et elles l'embrassaient, celles qui avaient vu descendre les pharaons venus du pays de Couch. La kudiya revint et lui remit cette griffe, aussi grande que celle d'un tigre, faite de cuir de bufflon et d'un os de serpent, et elle lui dit les paroles : « Les seigneurs ne voyagent pas. Ils sont comme les arbres. Les enfants s'en vont. Ils sont comme les oiseaux. Rappelle-toi, enfant de la nuit, tu n'es pas un, mais deux ! Et si un jour tu crois savoir avec qui tu fais un, pense que tu n'es pas deux, mais trois… »

Et Zohar embrassa les mains de la kudiya et

528

les porta à son front. « Va ! dit-elle alors. Va pour toi ! »

Et Zohar quitta Bab el Zouweila la tête haute, se répétant intérieurement cette phrase qu'il mâchonnait tel un mantra : « Pense que tu n'es pas deux, mais trois. »

Le palais

Lumière de la nuit, enfant des ruelles…

Tu avais arpenté le vieux Caire dès ta plus tendre enfance et aujourd'hui tu ne reconnaissais plus ta ville. Toi qui devinais, en chaque femme du peuple à la voix rauque, le galbe d'une hanche, le poids d'un sein au creux de ta main, la pulpe parfumée d'une lèvre entre les tiennes ; en chaque homme en galabeya et en tarbouche, l'âcre odeur du portier qui te portait dans ses bras, la main rugueuse sur ta joue, l'heureuse force d'un monde… Sur chaque homme, sur chaque femme que tu croisais, tu posais désormais un soupçon. Tu voyais la violence terrible du léopard sur le visage des hommes ; le poison aux commissures des lèvres des femmes. Et, pour te rassurer, tu serrais dans ta main enfouie au fond de ta poche la griffe magique que tu n'avais pas encore pendue à ton cou.

Lumière de la nuit, enfant des ruelles, ne prends pas peur, ce monde s'en va mourant...

Zohar héla un taxi, indiqua au chauffeur l'adresse, rue Osman-Bey, à Roda. Habitait-elle encore là ? Six ans qu'il n'avait pas revu Masreya. Déposé devant la grille, il hésitait à sonner. Il ne supporterait pas le regard de Jinane au doux visage, sa mère de lait, sa voix d'ange qui lui rappellerait son serment de ne plus revoir sa fille... Et les mêmes mots sur lesquels il s'endormait chaque nuit, « ma sœur, mon amour, l'apparue, la disparue » ; il fermait les yeux et sentait les parfums de son corps, il les ouvrait, les fermait, et encore... Les gouttelettes du vent se regroupaient pour dessiner les formes de son aimée. Il frissonna à l'idée de sa main au parcours de ses jambes. Il se chercha des prétextes. Après tout, il venait de perdre son ami. Il était malheureux. Il avait besoin de la voir. Il sonna.

— Que Dieu éloigne de moi le mauvais sort et tous les sheytans ! s'écria Ouahiba quand elle l'aperçut dans l'entrebâillement de la porte.

Il la repoussa à l'intérieur, ne lui laissant pas le temps de refermer et se serra contre elle.

— Tais-toi ! Tu vas énerver les diables, imbécile ! Te crois-tu seule au monde ? Sais-tu seulement la multitude qui t'entoure... à tes pieds (il lui montra le sol ; elle regarda le sol)... dans les airs (il lui montra les airs ; elle leva la tête)... tous ces 'afrit que tu ne vois pas… Eux, ils entendent tes cris et ils accourent. Surtout quand tu évoques le nom du Sheytan (et il fit vibrer sa voix en prononçant le mot du diable).

— Que Dieu préserve !

— Et ils se serrent contre toi (il se serra plus fort contre elle).

— Au nom de Dieu ! Qu'il éloigne les sheytans !

Elle le repoussa.

— Pourquoi es-tu revenu ?

— Parle à voix basse, maintenant (il lui mit un doigt sur la bouche). Oum Jinane est-elle dans la maison ?

— Voilà longtemps que la mère est partie dans son village de Kafr el Amar, dans le Delta. Elle a dit qu'elle préférait s'occuper de ses bufflonnes plutôt que des ânes qui passaient dans cette maison.

— Chut ! Parle moins fort. Elle n'habite plus ici ?

— Non ! Seulement Madame et Monsieur…

— Monsieur ?… Quel monsieur ?

Et elle lui raconta, Ouahiba, la simple, la rêveuse, la fidèle… Masreya avait connu beaucoup d'hommes après avoir renoncé à son frère. (Que Dieu lui pardonne !) Et puis était arrivé Chérif – Zohar le connaissait certainement, Chérif el Afgani, le député. Il avait même été une fois ministre, sous le gouvernement de Sirri Pacha ou de Hassan Sabri, elle ne savait plus… Le seigneur Chérif avait mis de l'ordre dans la maison. Il avait installé deux gardes à l'entrée et lorsque l'un ou l'autre de ces chenapans, de ces corbeaux de nuit qui peuplaient le lit de sa maîtresse, essayait de revenir, il se retrouvait aussitôt au commissariat.

— Tu as bien de la chance, Gohar, fils de personne, aujourd'hui, avec toutes ces émeutes, les gardes sont partis en ville pour seconder la police… C'est pourquoi tu as pu arriver jusqu'à la porte.

— Est-elle mariée ? demanda Zohar.

Et comme la servante ne répondait pas, il insista :

— Masreya… Est-elle mariée avec M. Chérif ?… Parle !

— Le seigneur Chérif n'est pas un corbeau de nuit comme toi. C'est un khawaga.

Masreya descendit alors l'escalier, seulement vêtue d'une robe de chambre de soie verte. Les années l'avaient un peu mûrie, accentuant ses formes veloutées de satin. Rivière de reflets de ses longs cheveux frisottants lâchés sur ses épaules… Le visage baigné de flou tendre, elle avançait lentement, pas après pas, comme si elle voulait savourer ce moment où elle voyait disparaître l'absence. Il la regardait venir, les yeux fixes, souriant en lui-même de cet air de majesté qu'elle voulait se donner. Elle s'approchait ; il s'avança. Les derniers pas, elle les fit en courant.

— Gohar !

Et elle vint se coller contre lui. Elle enfouit sa tête dans le creux de son épaule et le serra aussi fort qu'elle le pouvait, le respirant par chaque pore de sa peau. Puis, elle le regarda, scrutant son visage pour deviner son destin. Elle répétait son nom. Elle le baisait de sa bouche. De sa main, elle parcourait son dos, son ventre, et même son sexe... À partir d'un seul regard, ils étaient retournés nourrissons nus, accrochés chacun à un sein d'Oum Jinane, leur mère. Il parla le premier :

— Je t'ai attendue des années au coin de ma grisaille.

— Ô Dieu ! se lamentait Ouahiba. (Et elle secouait la tête de droite à gauche, tentant par ses dénégations d'entraver la marche du malheur.) Qu'il en soit selon ta volonté, ô mon Dieu !

Mais qui connaît la volonté de Dieu ? Sans doute pensait-elle prononcer une conjuration, Ouahiba, la fidèle, la charnelle, la curieuse... Mais, par ces paroles, elle validait l'inattendu, acceptait que les esprits, les diables réunissent une fois de plus les deux moitiés... Peut-être le faisait-elle en connaissance de cause, qui sait ? Peut-être son âme se réjouissait-elle, tout en prétendant le contraire, de laisser les amours s'épancher du ciel de l'un au ciel

534

de l'autre. En Égypte, les contraires sont souvent identiques.

— Je t'ai attendu aussi, Gohar, mon frère, mon aimé, mon fiancé. Qui donc est parti ce 10 novembre ?

Et il la baisait de sa bouche, la parcourait de ses mains, la serrait, la portait de sa force, l'emportait dans ses paroles aux confins du monde.

— Et qui est revenu aujourd'hui ? N'est-ce pas moi ?

Et il la portait en tourbillons infinis ; et ils couraient sans se déplacer...

— Viens ! lui dit-il. Allons ailleurs, au plus loin, là où nul ne connaît le lait qui nous a nourris.

— Où ?

— Là où se termine le monde !

Et c'était ici ! Sur le sol, sur le tapis du grand salon. Auraient-ils pu attendre, ne fût-ce qu'un instant ? Ils se laissèrent doucement tomber à genoux, l'un adorant l'autre, sans savoir qui était le croyant et qui était l'idole. Ils roulèrent en une boule de chair et de nerfs, de tension et de douceur. Comme la première fois, voilà dix ans, lorsqu'ils avaient treize ans, ils lâchèrent la bride à leur nature sauvage. On eût dit un couple de chats en rut, ou plutôt de tigres...

Ouahiba quitta la salle en courant. Mais elle ne sut aller bien loin. Réfugiée dans la cuisine, tenant la main de Baheya, sa sœur, l'oreille collée à la

paroi, pour les épier, les surveiller, pour les protéger, peut-être, pour tenter, une fois encore, de
découvrir leur secret, certainement !

Ils restèrent un moment, imbriqués, haletants.

— Tu reviendras ? lui demanda-t-elle.

— Tu seras là ? lui demanda-t-il.

— Tu dois partir, maintenant ! Vite !

— Je sais ! Mais avant cela…

— Non, Gohar, non ! Il vient, je le sens. Il est
en chemin.

Il aurait voulu lui dire sa peine. Il aurait voulu
lui raconter ses années sans elle. Il aurait voulu,
une fois de plus, tenter de la convaincre de partir avec lui… ou même de rester au pays, tous les
deux, ailleurs, aux confins, en Nubie, au Soudan…
Mais il venait de comprendre, Zohar, que la force
qui les liait, née avant le langage, se moquait des
paroles.

— Va ! répéta Masreya. Va-t'en, maintenant !

Va, lumière de la nuit, enfant des ruelles, toi
dont le nom est planté dans un livre comme un
arbre dans la terre. Ce monde s'en va mourant…

Et lorsque les contours d'un monde deviennent
flous, se chevauchant avec celui d'autres mondes,
apparaît un témoin des temps qui passent. Le
10 novembre 1948 naquit à 'Abasseya le petit-
fils du petit-fils du grand rabbin d'Égypte, rabbi
Yom-Tov Israël Cherezli, qui sut, durant les ministères des khédives Ismaël Pacha et Tawfik Pacha et

536

encore jusqu'à Moustapha Fahmi Pacha, gouverner Israël en Égypte. Les vieux ont raconté que ce jour-là, dans les mosquées, dans les églises coptes, dans les églises catholiques, dans les synagogues du Caire, les yeux se sont levés, d'un seul mouvement, et les fidèles ne savaient pas pourquoi.

Le 17 novembre 1948, Farouk répudia son épouse, la reine Farida, à l'issue de dix ans de mariage. Pluie, vent... on aperçut même quelques flocons à Alexandrie – les Égyptiens avaient froid en ce mois de novembre. «Dans sa sagesse, Dieu a voulu que le lien sacré qui unissait deux nobles époux soit dénoué...» Puis le roi prononça la formule rituelle: «Je te répudie ! Je te répudie ! Je te répudie !» Terribles paroles par lesquelles, selon la tradition, un homme se sépare de sa femme; inverse parfait de celles par lesquelles le sorcier appelle le diable, l'invitant à entrer, par trois fois, en sa maison. Déjà en 1943, la belle Farida, sans cesse provoquée par les incartades du roi son époux, ne supportant plus les tourments acides de sa propre jalousie, ébranlée dans son estime d'elle-même par la naissance consécutive de deux filles, avait pris un amant, l'élégant fils de la princesse Chiwiakar, un lointain cousin de Farouk. Elle tomba une troisième fois enceinte et à la cour, on se demandait: de son mari ?... de son amant ? Dans l'entourage de Farouk, le sulfureux Pulli et Karim Tabet, son conseiller privé, le persuadèrent qu'il s'agissait d'un complot à la dimension d'un mythe. Farida mettrait au monde un fils, enfant de l'autre, un étranger en sa maison, qui, le moment venu, prendrait le pouvoir et mettrait fin à la dynastie sacrée fondée par le grand Mehemet Ali. Ce fut une fille ! Le 15 décembre 1943, la gracieuse Fadia, troisième enfant du roi Farouk, ouvrit sur le monde ses grands yeux étonnés. Mais l'idée venimeuse avait été semée et, dès lors, le roi se méfia de la reine plus que de toute autre personne. L'indifférence polie qui présidait aux relations entre les époux royaux laissa place à l'animosité, au dégoût, à la rancune.

Et puis, d'autres projets germèrent en l'esprit du roi. Il fallait affermir le trône, engendrer un garçon, un héritier. Manifestement, Farida n'en était pas capable. Ce qui emporta sa conviction fut une remarque, glissée en passant, par la princesse Nimet Allah. La même histoire s'était déroulée à la génération précédente, lui expliqua-t-elle. À son père, le sévère roi Fouad Ier, étaient nées successivement trois filles d'un premier mariage. Il avait alors choisi une nouvelle épouse, une toute jeune fille issue de la haute bourgeoisie éclairée, belle, éduquée, intelligente, la reine Nazli. Son premier enfant fut un garçon, et c'était lui, le prince Farouk ! Alors, s'il était vrai que la destinée de la famille se répétait de père en fils, il lui fallait un coup de pouce. Lorsqu'on prend connaissance de l'avenir, il convient d'aider le monde à l'accoucher. Il prit la décision de répudier la reine. Mais, pour ce qui était de concevoir un héritier, Farouk n'en prit pas le chemin.

Libéré de son mariage, ce lien pourtant ténu qui le contraignait encore à des semblants de normalité, Farouk se livra corps et âme aux forces de la nuit. À l'Auberge des Pyramides, au Risotto, au Mehemet Ali ou Au rendez-vous des pachas, qu'il préféra longtemps aux autres clubs, Farouk passait des nuits longues comme l'ennui. Là, jeux de cartes et jeux d'argent et rires avec les courtisans lui procuraient quelques excitations passagères. Il plaisantait bruyamment, il jouait en trichant, il festoyait en rotant. En fin de soirée, des rabatteurs lui présentaient des proies, de toutes jeunes beautés qui se sentaient des dons pour l'amour. Il les emmenait dans ses voitures puissantes, qu'il conduisait lui-même à la vitesse du Sheytan. Et si d'autres voitures ralentissaient sa course, de son revolver, il tirait dans les pneus du gêneur. On se range au passage du roi ! Sa voiture était reconnaissable, pourtant, surtout sa dernière acquisition, une somptueuse Bentley Mark VI – non pas le modèle standard, mais celui dessiné par Figoni et Falaschi – peinte en un rouge bonbon californien – la seule dans toute l'Égypte, cela va de soi ; la seule au monde, peut-être… Il gardait les filles jusqu'au matin en des villas isolées pour des orgies débridées. Il se couchait au lever du soleil et se réveillait à l'heure de la sieste. Intoxiqué aux excès, il lui en fallait toujours davantage. Au petit déjeuner, il engloutissait des boîtes entières de caviar, une vingtaine d'œufs, un poulet rôti... Il était quelquefois pris de terribles hoquets, qui duraient des heures entières, malgré les litres de soda glacé à l'orange qu'il avalait avec des spasmes de tout son corps.

Ce soir du dernier jour de novembre, au Rendez-vous des pachas, les filles étaient banales, trop vulgaires à son goût, et les courtisans s'endormaient, las de distraire le roi. Il devait être plus de deux heures du matin. Il n'avait pas le cœur à rentrer au palais. C'est qu'un cauchemar le hantait, qui se répétait depuis des semaines et qu'il craignait de retrouver, enfoui au creux de ses draps. Zohar s'activait derrière le bar.

— Seigneur Gohar, toi qui es comme moi un enfant de la nuit, viens donc boire un verre en ma compagnie.

Et Zohar s'en vint à la table de ce roi égaré, à qui tout avait été donné à la naissance sauf la promesse ; un roi né sans avenir.

— Qu'est-ce qui ferait plaisir à Sa Présence ? demanda Zohar.

— Rien ! Seulement quelques minutes de ton temps, pour parler.

Et il raconta son terrible cauchemar, qui le

réveillait en sursaut, trempé de sueur, haletant. Des lions, des hordes de lions le poursuivaient. Il tentait de leur échapper, mais les bêtes couraient plus vite que lui. S'il se cachait, elles le retrouvaient en reniflant sa piste. Grimper à un arbre, peut-être... Mais c'était impossible; le tronc était trop fin, trop glissant, sans aspérités. Alors il finissait par tomber sur le sol et lorsqu'il sentait sur sa peau le souffle fétide du fauve prêt à le dévorer, il surgissait du sommeil, affolé.

— Ils voient en moi des kilos de chair, expliquait-il à Zohar, de quoi les nourrir pour des jours.

— C'est un grand honneur que me fait Votre Majesté en pensant que je pourrais lui être de quelque conseil pour l'élucidation de ce rêve. Mais je ne suis personne, seulement un petit Juif de la ruelle, Sire !

— Allons, seigneur Gohar, tu es bien trop modeste. Et les Juifs, je le sais, sont experts dans le maniement des rêves, depuis Joseph et le pharaon. Dis-moi seulement : penses-tu comme moi que ces lions représentent ces forces décidées à m'anéantir, les foutus Anglais, et ces efféminés du Wafd, et les aboyeurs des mosquées, et les adeptes du grand mufti de Moscou, et la clique de la reine Nazli, ma mère... Ne crains pas de me le dire puisque je le sais déjà !

Zohar tremblait d'être ainsi apostrophé. Il n'était pas bon de contredire le roi en ces années de tumulte. Il porta la main à son cou, cherchant la griffe magique, la parcourut de ses doigts et répondit seulement :

— Je ne saurais rien te dire sur ton rêve, ô mon roi ! Quel meilleur conseil te donner que de le mettre entre les mains de Dieu ? Que Sa Majesté prie avant de s'endormir, en sollicitant l'aide du Tout-Puissant…

— Allez ! s'énerva le roi qui se redressa, s'apprêtant à partir. Je saurai les mater, moi, ces lions !

Et il fila dans sa Bentley jusqu'au zoo du Caire qu'il fit ouvrir en pleine nuit. Il hurlait comme un forcené au gardien, terrifié : « La cage aux lions ! Mène-moi à la cage aux lions, imbécile ! » Et là, il continuait de vociférer, s'adressant aux animaux. « Ah, vous voulez vous emparer de mon trône. Il ne vous suffit pas d'être les rois des animaux, il vous faut encore dérober la couronne des enfants d'Adam. Et vous lorgnez sur mes richesses, hein… Moi, réduit en charpie, il vous sera facile de vous servir ! S'il n'était que mon trône et ma fortune… Vous voulez aussi vous nourrir de ma chair, hein… » À ces mots, il déchargea son revolver sur deux malheureuses lionnes ensommeillées.

Pauvre roi ! Qui aurait pu lui faire entendre raison ? La princesse Chiwiakar était morte ; mort aussi le chambellan, l'aristocratique Hassanein Pacha, les deux seuls aînés dont Farouk respectait quelque peu la parole. La famille royale, les princes et les princesses, les oncles et les cousins se réunirent dans le plus grand secret en une sorte de conseil de crise. S'ils laissaient faire le roi, ils disparaîtraient tous dans le naufrage, laissant place à Dieu savait quelle gabegie... «Il est fou!» dit la princesse Fewkieh, la plus âgée; «Totalement fou! renchérit le prince Mohamed Ali Hassan. Dans les rues, on entend partout des slogans contre ce roi immoral, aux mœurs dissolues, qui pratique l'adultère et les jeux de l'enfer...» Les princes et les princesses, les nabils et les nabilas, étaient unanimes. Il fallait destituer Farouk... Mais comment? S'ils avaient su se mettre d'accord sur le moyen...

Lumière de la nuit, enfant des ruelles, fuis! Cours au loin! Ce monde s'en va mourant.

Lorsque, le 4 décembre, les Frères musulmans assassinèrent le chef de la police et, le 28 décembre, le Premier ministre, El Nokrashi Pacha, et qu'ils revendiquèrent les attentats en déclarant qu'ils éradiqueraient la corruption par la parole et par le sang, Zohar ne put s'empêcher de penser que c'était de cela qu'avait rêvé le roi quelques semaines plus tôt. S'il avait été Joseph, il aurait prévenu le pharaon... L'un des lions du rêve représentait les redoutables Frères. Mais Farouk était désormais inaccessible, entouré par une clique de personnages corrompus qui monnayaient la moindre parole échangée avec lui.

Finie, cette politique de prince oriental, faite de ruse et d'initiatives inattendues, défendant parfois l'idée d'un paysan croisé dans un village ou d'un banquier partenaire de jeu dans un club de la nuit ; cette politique qui le rendait imprévisible, lui permettant de nager en eaux troubles. Désormais, il allait utiliser la force comme un banal dictateur. Il décréta la dissolution de la confrérie et, le 12 février 1949, fit assassiner le guide suprême, son créateur, le cheikh Hassan el Banna. Les Frères, qui rêvaient de martyrs, tenaient enfin le leur, le plus grand, le plus prestigieux. Il est connu que les morts régénèrent les vivants.

Si l'homme du commun rêve de ses problèmes de famille ou de travail, le roi, c'est bien logique, rêve des problèmes de l'État. Le cauchemar de Farouk ne se trompait pas : c'était bien une horde de lions qui voulait se nourrir de sa chair, non pas un seul, mais tout un groupe de lions affamés. Les Frères musulmans n'étaient pas les seuls, loin de là ! Une quinzaine d'officiers, intelligents et instruits, organisait des réunions dans le but de renverser le régime et d'installer une république militaire et socialiste. C'est en cette période de flottement, où tout semblait possible, que Nasser, leur chef, créa son comité, s'entourant d'hommes de talent comme Anouar el Sadate, Abdel Hakim Amer, ou le général Mohamed Naguib. Quelques semaines plus tard, la nouvelle organisation, qui établissait ses réseaux à tous les niveaux de la hiérarchie de l'armée, prit le nom de « Mouvement des officiers libres ». Les lions sortaient du bois et commençaient à se regrouper.

Depuis cette nuit de novembre 1948 qui se termina tragiquement au zoo du Caire, on ne voyait plus guère Farouk au Rendez-vous des pachas. Zohar continuait à gérer ses affaires, toujours florissantes, tâchant de jeter un voile sur la désagrégation du monde qui l'entourait. Il fuyait les inquiétudes en s'étourdissant de conquêtes faciles. Il recherchait des Égyptiennes, des femmes du peuple, encore imprégnées de la glaise des rives du Nil ou des odeurs du poisson qu'elles vendaient au marché à la criée. Souvent, il les initiait à l'ivresse des sens ; quelquefois, il tombait sur des sœurs, des initiées au culte des zars, de jeunes adeptes des seigneurs, du quartier de la porte des Barbarins, de celui de la Maison nouvelle ou de la Citadelle, et, durant une nuit ou seulement une heure, il fermait les yeux pour s'emplir des parfums de son monde. Pour lui, les femmes étaient l'avenir de l'Égypte… Contre l'évidence, il voulait maintenir l'illusion d'un pays s'extrayant de la pauvreté en s'engageant, grâce aux femmes, dans une modernité heureuse. Sur les murs de la ville était apparue une nouvelle réclame, vantant le Coca-Cola, désormais fabriqué dans la banlieue du Caire. Masreya, sa sœur, sa divine, vêtue à l'européenne d'un tailleur de grand couturier largement décolleté, croisait les jambes sur une chaise de plage. Sa jupe retroussée jusqu'à mi-cuisse laissait deviner l'obscur du plaisir. Juste dessous, une bouteille de Coca, la mousse s'écoulant jusqu'au frein… Le message était clair : il était impossible de résister ! « Étancher sa soif ! » promettait l'indécente publicité. Cette affiche produisait son effet. Les hommes s'arrêtaient parfois de longues minutes pour rêver devant les jambes parfaites de Masreya ; les femmes lui souriaient et lui, Zohar, il lui parlait dans son cœur, il récitait ce même vers du Cantique : « Ô ma sœur, ô ma fiancée ; tu me fais perdre les sens par un seul de tes regards… »

Un jour, il sursauta. Il lui avait semblé que l'affiche lui avait répondu. Masreya avait cligné des yeux ; elle avait murmuré de l'intérieur de l'âme de Zohar : « Va-t'en lumière de la nuit, enfant des ruelles. Tu n'es pas fait pour la souffrance. »

Le pouvoir était flottant. Il reviendrait – tout le monde le savait – à la force qui parviendrait à chasser les Anglais hors d'Égypte. Chacune avait son argument. Les Frères tiraient leur influence de la question morale, répétant que la présence anglaise générait corruption et dépravation. Les Officiers libres se regroupaient autour de la question militaire et du scandale de la défaite de 48. Le Wafd, revenu au gouvernement avec Nahhas Pacha, se présentait comme le garant de la loi…

Restait Farouk, l'insaisissable, qui, maintenant, errait souvent au loin… Obnubilé par ses passions, dès les premiers jours du ramadan, il partait passer les mois d'été en France, à Deauville, à Biarritz, à Cannes, à Monaco, où il pouvait manger à sa guise en ces semaines de jeûne musulman, écumer les casinos, gagner et perdre des sommes défiant l'imagination et trousser les jeunes filles en leur offrant quelques minutes de rêve.

*

Samedi 26 janvier 1952. Treize heures. Zohar se présenta devant les grilles du palais d'Abdine au guidon de sa Black Shadow flambant neuve, une motocyclette anglaise à la puissance extra-vagante. Les deux cylindres pétaradaient en cadence, cherchant leur souffle après la course. Il remonta les lunettes sur son front afin que les deux gardes puissent l'identifier. Il pénétra dans la cour, surpris d'apercevoir des dizaines de voi-tures, des anglaises, des américaines, surtout, et même quelques Rolls. L'accélération de la Vincent se déchaîna au travers des deux échappements, répercutant des éclats d'ouragan sur les murs du palais. Il stoppa en dérapant devant la grande porte que le khédive Ismaël, en 1874, éperdument amoureux de l'impératrice Eugénie, avait baptisée « porte de Paris ». Un dernier coup d'accélérateur pour laisser quelques gouttes dans les cuves des carburateurs avant de couper le contact. Il sauta de sa moto, fila jusqu'à l'entrée d'honneur et grimpa l'escalier d'un pas rapide.

— Où courez-vous si vite, ô monsieur ?

Il s'arrêta net, se retourna. Antonio Pulli, l'âme damnée, dans son éternel smoking, le sourire au coin des lèvres, le fixait les mains sur les hanches.

— Sa Majesté...

— Je ne pense pas que Sa Majesté pourra vous recevoir, monsieur Zohar. Et il ajouta de son air fourbe : Malheureusement.

Zohar haussa les épaules, méprisant, et se remit à grimper les marches. L'autre se précipita derrière lui, le dépassa et lui barra le passage.

— Sa Majesté offre un banquet pour fêter la naissance du prince... Il y a là des personnalités, vous comprenez... Beaucoup, beaucoup de monde !

— J'arrive de la place de l'Opéra...

Interloqué, Pulli s'immobilisa.

— Vous... Vous en venez ?

— Oui ! J'ai pu me faufiler sur ma moto... Allez prévenir le roi. Je dois l'informer. Le temps presse !

Depuis quelques mois, les forces en présence se livraient à une terrifiante surenchère. Les Frères musulmans avaient lancé des anathèmes : « La religion musulmane interdit la collaboration avec

548

les Britanniques sous quelque forme que ce soit », avait déclaré Hassan el Hudaïbi, le nouveau guide suprême. Celui qui s'aventurerait à travailler avec les mécréants encourrait la peine de mort. Les dockers de Port-Saïd, infiltrés par les communistes et le mouvement fasciste « Jeune Égypte », refusaient de laisser sortir les marchandises destinées à l'armée et aux entreprises anglaises. Le Premier ministre, Nahhas Pacha, déstabilisé par les accusations de corruption portées contre lui et largement relayées par la presse, avait décidé de frapper un grand coup en dénonçant unilatéralement, le 8 octobre 1951, le traité de 1936 liant la Grande-Bretagne et l'Égypte. Il semblait avoir gagné la partie. Le peuple l'acclamait. Sur toutes les lèvres circulait cette même formule : « Enfin libres et indépendants ; pour la première fois depuis des siècles ! »

Après cela, en toute logique, les Anglais auraient dû quitter le territoire. Ils décidèrent non seulement de rester, mais de renforcer leur présence militaire. Les mots d'ordre fusèrent alors de partout. La municipalité d'Alexandrie décida de débaptiser les rues et les places portant des noms de militaires britanniques ; Kitchener disparut, qui avait offert le Soudan à l'Égypte ; Allenby, aussi, qui avait repoussé les attaques turques contre le canal de Suez en 1917... Les chambres de commerce décrétèrent le boycott, demandant à leurs membres de cesser toute relation économique avec l'Angleterre. Le gouvernement fit monter les enchères en encourageant la désertion des employés ; il s'apprêtait même à faire voter une loi qui interdirait aux Égyptiens de travailler dans une entreprise britannique. Mais les Frères placèrent la barre encore plus haut, déclarant la lutte armée contre l'occupant.

Au premier étage, Farouk l'attendait. On ne remarquait pas sa grande taille tant il avait grossi, il devait peser près de trois cents livres, certainement ! Vêtu d'un costume à veste croisée pour dissimuler son embonpoint, il se tenait raide, en haut de l'escalier, une main sur la rampe. L'allure martiale, le visage de marbre, il était à la fois impressionnant et ridicule, ce roi, qui ne relevait pas de la loi commune, pas même de celle des rois. Lorsqu'il aperçut Zohar, son visage s'éclaira un peu.

— Seigneur Gohar ! Où cours-tu si vite, mon ami ?

— Sire, je viens vous avertir. Ce qui s'est passé à Isma'leya…

— Je sais, je sais !

— Le peuple gronde… Cette fois, il s'agit du peuple ! Non pas des ministres, des députés ou des journalistes… Sire, je vous en supplie ! Aujourd'hui, ils sont ici, au Caire, à quelques pas de votre palais – que Dieu vous garde ! Ce matin, je les ai vus, à 'Abasseya… Les policiers ! Ceux qui auraient dû rétablir l'ordre... Les policiers eux-mêmes défilaient dans la rue en hurlant et en fracassant les vitrines de leurs gourdins.

— Je les comprends ! Ces foutus Anglais n'ont-ils pas, hier, assassiné leurs collègues, les buluk nizâm, à Isma'leya ?

— Je sortais de la fabrique, qui se trouve à quelques pas de la caserne. Je les ai suivis. Ils ont rejoint les étudiants d'El Azhar...

— Et alors ?

— Vous avez dû les entendre passer, ici même, à Abdine, au pied de votre palais. Sire ! Vous avez dû les entendre hurler...

Farouk ricana.

— Était-ce pire que ce qu'on raconte sur moi dans la presse ?

— Le peuple, Sire !... Il criait : « Farouk, tu es fini ; Farouk, tu es mort ! »

— Tu vois ! conclut le roi, qui se retournait pour rejoindre sa réception... Rien d'extraordinaire.

— Je les ai suivis place de l'Opéra..., ajouta Zohar. Ils ont mis le feu au casino. Les employés sortaient affolés et ils les battaient avec des gourdins. Ils se sont ensuite dirigés vers la Barclays Bank ; ils l'ont encerclée. Ils hurlaient : « Nous brûlerons les idolâtres, les adorateurs de la livre sterling ! » Et puis...

Zohar en perdait le souffle...

— Et puis, Sire… C'était affreux ! Ils ont arrosé le hall de la banque avec des bidons d'essence. Les employés suppliaient de les laisser sortir. Ils les battaient et les repoussaient à l'intérieur. Eux se tenaient sur le trottoir en battant des mains. Ils hurlaient : « Le Sheytan sterling brûle en enfer ! » Et ils ont mis le feu, que Sa Présence veuille me pardonner… ils ont lancé des torches enflammées et les flammes montaient jusqu'au deuxième étage. Les employés de la banque, des hommes, des femmes, hurlaient, gigotant encore vivants dans la fournaise.

Cette fois, le roi s'immobilisa. Il regarda Zohar dans les yeux.

— Et que veux-tu que j'y fasse ? lui demanda-t-il en tournant les paumes vers le ciel.

— Faites donner l'armée, Sire ! Maintenant ! Tout de suite !

— Sais-tu ce que je fête aujourd'hui ? Sais-tu seulement pourquoi il y a tant de monde dans mon palais ? Il y a dix jours, le prince est né ; le prince héritier !

Et il eut les larmes aux yeux, le roi Farouk, en évoquant cette naissance dont il espérait le salut. Une année auparavant, en cette atmosphère d'anarchie tumultueuse, il avait pris le parti de se remarier, à une toute jeune fille, âgée de dix-sept ans, une bourgeoise mal dégrossie, Narriman Sadek. La parole de la princesse Nimet Allah allait se réaliser, qui lui avait prédit la répétition du destin de son père. Après trois filles d'un premier mariage, le premier enfant du second serait un fils, un héritier qui perpétuerait la dynastie... Et il était né, l'enfant royal, le petit prince Ahmed Fouad, celui qui sauverait son père et le royaume. Ce 26 janvier, le roi d'Égypte offrait un banquet, une gigantesque réception à laquelle prenaient part tous les hauts gradés de l'armée et de la police.

Alors, puisqu'ils étaient tous présents ici même, lui suggéra Zohar, il pourrait les convoquer sur-le-champ, décréter l'état de crise, imposer la loi martiale et interrompre les exactions folles qui dévastaient la ville. Et il prit le roi par la manche, l'entraîna jusqu'à la fenêtre. Au loin, on voyait s'élever les fumées, du côté de Qasr-el-Nil et de Soliman-Pacha.

— Si vous me permettez une parole directe, Votre Majesté...

— Parle, seigneur Gohar... Parle, voyons !

— Le trône vacille.

— Tu es trop émotif, mon jeune ami. Quelques écervelés faisant le coup de poing... Voilà tout ! Demain, le soleil se lèvera sur le Nil et il sera le même qu'aujourd'hui.

Zohar haussa les épaules. Puis il dit à Farouk, lentement, en détachant bien les syllabes :

— Je souhaite longue vie au jeune prince, Sire...

— Allons, calme-toi ! As-tu au moins pensé à cette danseuse aux hanches de déesse ?

Zohar le fixa, interloqué.

— Quelle danseuse ?

— Celle que tu m'as présentée à l'Automobile Club il y a quelques années… Tu m'avais promis…

Farouk n'oubliait rien ; jamais rien !

*

Zohar dégringola le grand escalier, Pulli à ses trousses.

— Monsieur Zohar ! Monsieur Zohar ! Le roi a-t-il décidé de réagir ?

Lui, au moins, était conscient que le monde basculait.

Il ne répondit pas au chef des courtisans. Il ne ralentit pas sa course, Zohar ; il ne se retourna même pas. Il sauta sur sa moto, démarra le moteur d'un vigoureux coup de jarret et s'en fut d'une traite jusqu'à la place Soliman-Pacha.

Il était quatorze heures. Ils couraient dans les rues, les uns pour rejoindre les émeutiers, les autres pour les fuir. L'hôtel Shepheard était en feu. Ils avaient amassé les chaises, les tapis, les tentures, les meubles de bois, les câbles de téléphone au centre de l'immense hall et, en une manière d'autodafé, avaient arrosé d'essence et de poudre de fusil la montagne d'objets. Ils y avaient mis le feu en hurlant. Là encore, comme à la Barclay's Bank, ils empêchaient les employés de sortir, les poussant dans les flammes à coups de gourdin.

Zohar traversa le fleuve et déposa sa moto, à l'abri, de l'autre côté du pont de Gezirah ; puis il s'en revint à pied. Il entendait les slogans : « Guerre totale aux Anglais », « Les Anglais, qu'ils lèchent mon cul », et d'autres encore : « Renvoyez les sheytans en enfer »... Il voulait rejoindre le Rendez-vous des pachas, rue Soliman-Pacha, son club. Mais les rues étaient obstruées par la foule qui observait, complice, les petits groupes d'incendiaires passer d'immeuble en immeuble, choisissant leurs victimes en compulsant des listes. Et la foule se précipitait dans les vitrines éventrées et pillait ce qui restait des bureaux dévastés, des boutiques ravagées. Les entreprises britanniques, bien sûr, le Turf Club, Smith & Sons, l'agence de voyage Thomas Cook étaient en feu, comme presque tous les bureaux, toutes les boutiques le long de la rue Qasr-el-Nil. Là où il s'était déclaré, l'incendie se propageait d'étage en étage à tout l'immeuble, aux immeubles voisins. Les night-clubs, les bars, les cafés, ces lieux de luxure et de perdition aux yeux des Frères, étaient passés par les flammes et les clients insultés, battus, mis à mort s'ils résistaient. Mais, une fois sortis de l'immeuble, du café, de la boutique, les gens ne fuyaient pas, ils restaient là, hypnotisés par le feu.

Zohar sursauta. Au coin de Soliman-Pacha, il entendit une explosion, des crépitements, suivis des hurlements de joie de la foule. L'enseigne fluorescente de la Metro-Goldwyn-Mayer venait de dégringoler, les centaines d'ampoules explosant en un feu d'artifice sur la chaussée. Le cinéma Metro et le bar du Ritz, dans le même immeuble, venaient de s'enflammer comme une torche. Cet écran, devant lequel les habitants du Caire apprenaient le baiser sur les lèvres, de comédies musicales américaines ou de sirupeuses romances égyptiennes, donnait son dernier spectacle; le Ritz servait son dernier cocktail. Debout, à quelques dizaines de mètres, le visage brûlant, Zohar était pétrifié. Une petite voix résonnait dans sa tête: «Cours, petit diable, cours!»

Une autre voix derrière lui, une grosse voix grave, éraillée par tant de fumée, ordonna: «Trouvez les Juifs!» Et il se mit à courir, comme s'il avait été fouetté, le corps soudain électrique. Une foule était amassée devant le grand magasin Cicurel, la fierté de l'Égypte, où l'on pouvait se procurer toutes les richesses d'Europe. Il ralentit sa course, se dissimula dans un coin de mur. Il entendit encore: «Allez! Ce sont des Juifs! Égorge, égorge!» Et des hommes et des femmes sortaient de Cicurel, et des gens dans la foule les giflaient, en criant: «Un Juif!», les repoussaient dans la fournaise, leur assenaient des coups de bâton. Et les émeutiers riaient, et ils couraient, et ils brûlaient, et ils détruisaient, forts du nombre, forts de leurs raisons, forts du silence des forts. Et les flammes commencèrent à lécher la façade, et d'autres employés surgissaient en hurlant, accueillis par des coups de bâton. Les vitrines explosèrent sous la pression de la chaleur et les éclats retombaient à des dizaines de mètres, en un feu de cristal. Et toujours la foule, qui suivait les émeutiers ; la foule qui s'engouffrait dans le magasin pour rafler, avant l'ultime purification, une paire de chaussures, de gants, un drap, une étagère, un fauteuil…

Il devait y avoir du monde à la grande pâtisserie Groppi à l'heure du déjeuner, une heure plus tôt. Maintenant, la devanture était noire de fumée, les vitres brisées. Quelques flammes sortaient encore des décombres fumants. La foule était déjà repartie ailleurs, à la recherche d'autres victimes, d'autres butins. Un homme se tenait devant la façade, vêtu d'un tablier qui avait dû être blanc, il levait les bras au ciel en lançant des imprécations : « Oh, notre père ! Pourquoi ? Pourquoi ? » Et il pleurait. Quelques mètres plus loin, Zohar leva la tête… « Au rendez-vous des pachas ». L'enseigne était intacte, rouge sur fond blanc, en français, d'une écriture originale, rappelant les affiches de la Vienne des années folles. Il regarda à droite, il regarda à gauche, vérifiant que personne ne le suivait, ouvrit la porte et se précipita dans le club. Il parcourut la salle, où parvenaient quelques rayons de lumière à travers les volets clos. Que faisait-il ici ? Il se glissa derrière le bar et retira à la hâte les quelques billets qui restaient dans la caisse. Tout au fond du tiroir, sa main rencontra un objet dur, de la taille d'un carnet. Son passeport italien. Il devait le renouveler. Il l'avait apporté au club pensant qu'il disposerait d'une heure pour se rendre au consulat d'Italie. Et puis il avait oublié. Il le glissa dans la poche arrière de son pantalon. Il jeta un regard au-dessus du bar, parcourut les dizaines de bouteilles d'alcool harmonieusement alignées. Il fut traversé d'un frisson en pensant à ce que hurleraient les musulmans de la confrérie s'ils apercevaient ce spectacle.

Il aurait dû se douter, Zohar, qu'il figurait sur les listes de leur journée de cristal. Ils avaient méticuleusement répertorié les clubs que fréquentait le roi. Mais il était ainsi, l'enfant des ruelles, les muscles nerveux et l'âme nonchalante.

Il décida de repartir. Mais sortir par la grande porte à double battant qui donnait sur Soliman-Pacha lui sembla trop périlleux. Il traversa le club, passa par les cuisines jusqu'à la petite porte sur l'arrière de l'immeuble, qui donnait sur la ruelle, royaume des chats errants, là où s'amassaient les poubelles. Il l'ouvrit, s'apprêtant à sortir. Ils étaient là, les émeutiers. Ils l'avaient sans doute repéré. Ils l'attendaient, avec leurs gourdins, leurs couteaux et leurs bidons d'essence. Ils devaient bien être une trentaine. Il referma précipitamment la porte et courut dans le club. La porte ne leur résista pas longtemps. Il les entendit se précipiter à sa recherche. « Le Juif ! Le Juif ! » hurlaient-ils.

Dans les quelques secondes qui restaient avant leur irruption dans la grande salle du Rendez-vous des pachas, cette salle qui avait accueilli les puissants, les artistes et les belles d'Égypte, où s'étaient murmurés les secrets politiques et échangés les rendez-vous d'amour, il détacha la griffe qui pendait à son cou, la serra dans sa main et chercha les paroles au fond de son esprit. Et c'étaient celles de son père chantant le Cantique : « Fuis, mon bien-aimé ; fuis comme une gazelle, comme un jeune faon sur les montagnes embaumées. » Et elles résonnaient dans sa tête et elles faisaient trembler ses lèvres.

— On te tient, sale Juif, fils de chien !

Ils lancèrent des pierres sur les bouteilles alignées et riaient de les voir éclater, se répandre l'alcool, se briser les verres, les coupes et les pintes. Et ils l'entouraient, menaçants, la bouche chargée de reproches. Et les remarques se succédaient, pour exciter l'esprit, pour se donner le courage du meurtre.

— Ici, c'était l'antre du Sheytan.

— On buvait, on fumait, on forniquait...

— On commettait l'adultère…

— On pillait les pauvres et les paysans…

— Et maintenant on va brûler !

— Le feu de Dieu qui lave de la souillure !

— En brûlant Sodome.

— Et en brûlant Gomorrhe…

— En brûlant Sodome et Gomorrhe, Dieu nous a donné l'ordre de brûler les antres du Sheytan sur la terre.

— Allah ou akbar !

Et ils arrosèrent d'essence les fauteuils de velours du rouge qu'aimait le roi, le rouge du palais, les tapis aux infinis motifs – portant, inscrit en leur centre, calligraphié en gracieuses arabesques, le nom du roi Farouk –, les tentures de lourde soie, les meubles de bois précieux marquetés d'ivoire…

Lorsqu'ils s'approchèrent de lui, lorsqu'ils l'eurent entouré si près qu'il se sentit étouffer et qu'il ferma les yeux en attendant l'éclair qui lui traverserait le cerveau sous le coup de gourdin, alors qu'il serrait sa griffe en se répétant encore les phrases et les phrases… la porte d'entrée s'ouvrit à deux battants et il entendit une voix… cette voix…

— Ça suffit, maintenant !

Silence.

Et la voix reprit :

— Arrêtez ! Je le connais celui-là.

C'était la voix de Nino.

— Nino ! s'écria Zohar.

— Je m'appelle Abou l'Harb !

Puis, plus fort, s'adressant à la fois à Zohar et aux émeutiers :

— Nous ne sommes pas des assassins ! N'aie crainte, nous ne te ferons pas de mal. Nous voulons seulement que les étrangers nous restituent le pays qu'ils nous ont volé. Ce lieu de débauche, où l'on dépensait à pleines poignées des liasses de billets, le salaire dont les paysans et les ouvriers ne voyaient pas la couleur, cet antre du Sheytan brûlera dans le feu de l'enfer. Mais toi, tu peux partir ! Tu quitteras le pays aujourd'hui même si c'est possible. Tu le quitteras demain ou après-demain si tu ne peux partir aujourd'hui. Mais si, la semaine prochaine, nous te trouvons encore en Égypte, que ce soit ici ou à Alexandrie, à Isma'leya, ou même à Minya, à Assouan ou à Assiout, cette fois, nous t'égorgerons comme une bête de sacrifice.

— Égorge, égorge ! hurla un émeutier.

— Égorge le Juif…

Zohar se redressa avec difficulté. Il le regarda longuement. Nino avait à peine grossi depuis sa sortie de prison. Les joues étaient creusées, envahies d'une barbe drue, les maxillaires tressautant. Ses cheveux d'un noir brillant étaient traversés de quelques fils d'argent, ses petits yeux pétillaient derrière les verres épais de ses lunettes.

— Tu n'as pas tellement changé, lui dit-il. Tu as toujours recherché la pureté. Il semble que tu l'as trouvée.

Et Zohar vit réapparaître le sourire de Nino, ce sourire qui éclairait le monde.

— Oui ! dit-il simplement. Pars maintenant ! Pars et ne reviens pas.

Zohar a demandé s'il pouvait avoir un verre d'eau. En Égypte, on ne refuse jamais l'eau. On le lui apporta. Il en versa quelques gouttes sur le sol et dit simplement :

— Qu'il en soit selon votre loi, ô seigneurs, propriétaires de la terre !

Il but une gorgée, posa le verre sur une table et sortit sans se retourner.

Rue de Fleurus

C'est ainsi que je suis sorti d'Égypte, avec, pour tout bagage, la griffe de la kudiya et l'huile d'amulette que m'avait confiée Oum Jinane, ma très chère mère de lait, que Dieu la berce dans sa matrice.

Et le divin Farid chantait : « Avec toi… Avec toi… Le monde est si beau avec toi… »

Six mois plus tard, Nasser et ses Officiers libres renversaient Farouk. Le roi quitta Alexandrie à bord de son yacht, le *Mahroussa*, salué par les cent un coups de canon de la marine égyptienne, il partit traîner son spleen de Riviera en Côte d'Azur, de casino en boîte de nuit, jusqu'à sa mort, en 1965.

Si j'ai quitté l'Égypte, l'Égypte ne m'a jamais quitté. Quelquefois je pense que c'est seulement mon ombre qui est partie, alors que moi je suis resté là-bas, seul, errant, comme durant ma jeunesse. La nuit, dans mes rêves, je promène le cliquetis de mes chaussures bicolores sur les pavés de 'Haret el Yahoud et, lorsque je lève la tête, j'entends chanter… «Que tu m'acceptes, que tu me rejettes… quelle que soit la ville, quel que soit le pays, partout où tu iras, j'irai avec toi… Le monde est si beau avec toi…»

L'oncle Élie mourut brutalement le lendemain de mon départ. Il avait l'habitude de citer une phrase qu'il prétendait tirée des textes sacrés : «Il existe deux sortes de morts, disait-il, ceux qui étaient déjà morts avant de mourir et ceux qui sont vivants pour l'éternité.» Au cimetière de Bassatine, là où sont enterrés les joyaux, les Zohar, ma famille, il garde à jamais les générations de nos morts, comme de son vivant il protégeait les générations des vivants.

Mes parents, Motty et Esther, m'ont rejoint à Genève après les événements de 1956 ; les tantes les ont suivis deux ans plus tard, à l'exception de la tante Maleka et de son mari Poupy, qui attendirent longtemps, dans la ruelle vidée de ses Juifs, le rétablissement du monde d'avant. Dans la ruelle, beaucoup disposaient de ce passeport italien sur lequel les douaniers égyptiens, au moment d'embarquer, apposèrent le tampon : *no return*. Ils ont vécu comme des fantômes, ici ou là, certains en France, d'autres en Italie, en Suisse, aux États-Unis… gardant l'espoir que leurs dépouilles iraient un jour sécher pour les siècles aux sables brûlants du vieux pays…

Moi aussi, qui fus un temps une lumière des nuits du Caire, j'ai erré des années dans les ténèbres d'Occident, et toujours dans ma tête chantait la beauté du monde avec elle.

Nino accéda à de grandes responsabilités au sein de la confrérie, qui entra en lutte ouverte contre le nouveau régime, celui de Nasser. Mais certains parmi les Frères lui reprochaient ses origines juives. Au début des années 60, il y eut même une kabbale contre lui. On l'accusa d'être un agent à la solde d'Israël. Rien n'était plus faux ! Sans doute les Frères avaient-ils pensé que celui qui un jour trahit son peuple finira par trahir aussi sa cause. Ils n'avaient pas compris sa nature. Nino était un homme droit qui tentait de soumettre les infinies variations de la vie à la rigueur de l'esprit. Mais, après la sanglante répression qui s'abattit sur les Frères en 1965, il s'opposa à la nouvelle ligne politique qui prônait la guerre sainte généralisée à la planète entière. Il quitta le mouvement et ouvrit un café, au Caire, rue Ma'rouf, fréquenté par les intellectuels et les écrivains. À ma connaissance, il ne s'est jamais marié, jusqu'à sa mort. Je dois reconnaître que, de tous ceux que j'ai connus en Égypte, lui seul a trouvé le moyen d'y demeurer.

Nous autres, Juifs d'Égypte, nous étions là avec les pharaons, puis avec les Perses, les Babyloniens, les Grecs, les Romains ; et lorsque les Arabes sont arrivés, nous étions encore là… et aussi avec les Turcs, les Ottomans… Nous sommes des autochtones, comme les ibis, comme les bufflons, comme les milans. Aujourd'hui, nous n'y sommes plus. Il n'en reste plus un seul. Comment les Égyptiens peuvent-ils vivre sans nous ? Et dans ma tête, la divine Asmahane, la sœur de Farid, continue de chanter : « Viens, ô mon aimé, viens ! »

Si j'ai quitté l'Égypte, elle n'a jamais quitté mon âme, celle dont le nom signifie « l'Égyptienne ». Le monde était si beau avec elle…

Masreya, ma sœur de lait, mon amour, devint une très grande vedette de cinéma sous le nouveau régime, avant de tomber en disgrâce, victime de la paranoïa des années de plomb. Elle vécut ensuite en recluse dans sa villa de Roda avec sa fille, Maagouba, qui a, m'a-t-on dit, la même voix d'ange que sa grand-mère. Tous les ans, je lui fais parvenir un flacon. Je me rends dans une boutique de parfum sur mesure et je concocte avec la vendeuse un mélange de myrrhe, de 'oud et de jasmin auquel j'ajoute quelques gouttes d'huile d'amulette.

Je suis bien vieux. Quelquefois, je me demande si la mort m'a oublié. Le jour, nécessairement proche, où elle se souviendra de moi, Dieu fasse qu'elle m'emporte au même moment que ma jumelle, Masreya, ma promise, mon interdite, à la même minute, au même instant. Il est si difficile de retrouver l'aimée dans le monde des morts, avec la foule de ces cent cinquante mille personnes qui débarquent là-bas chaque jour.

Table

1925

1942

DU MÊME AUTEUR
(non exhaustif)

ROMANS

Les Nuits de Patience, roman, Paris, Rivages, 2013 et Rivages/ Noir, 2014.

Ethno-roman, Grasset, Paris, 2012, prix Femina de l'essai 2012. Livre de Poche, 2014.

Qui a tué Arlozoroff ?, roman, Paris, Grasset, 2010 et Points Seuil, 2011.

Mon patient Sigmund Freud, roman, Paris, Perrin, 2006 et Points Seuil, 2011.

Serial Eater, roman, Paris, Rivages, 2004 et Rivages/Noir, 2006.

613, roman, Paris, Odile Jacob, 1999 et Rivages/Noir, 2004.

La Damnation de Freud (avec Isabelle Stengers et Lucien Hounkpatin), pièce en 4 actes, Paris, Les Empêcheurs de penser en rond, 1997.

Dieu-Dope, roman, Paris, Rivages, 1995 et Rivages/Noir, 1997.

Saraka bô, roman, Paris, Rivages, 1993 et Rivages/Noir, 1994.

Essais

Quand les dieux sont en guerre, Paris, La Découverte, 2015.

L'Étranger… ou le pari de l'autre, Paris, Autrement, 2014.

Philtre d'amour. Comment le rendre amoureux ? Comment la rendre amoureuse ?, Paris, Odile Jacob, 2013. Odile Jacob Poche, 2015.

Tous nos fantasmes sexuels sont dans la nature. Psychanalyse et copulation des insectes, Paris, Fayard, Mille et une nuits, 2013.

La Nouvelle Interprétation des rêves, Paris, Odile Jacob, 2011. Odile Jacob Poche, 2013.

Du commerce avec les diables, Paris, Les Empêcheurs de penser en rond, 2004.

Nous ne sommes pas seuls au monde, Paris, Les Empêcheurs de penser en rond, 2001.

Médecins et sorciers (avec Isabelle Stengers), Paris, Les Empêcheurs de penser en rond, 1998 et La Découverte, 2012.

L'influence qui guérit, Paris, Odile Jacob, 1994.

Le Sperme du diable. Éléments d'ethnopsychothérapie, Paris, PUF, 1988.

La Folie des autres. Traité d'ethnopsychiatrie clinique, Paris, Dunod, coll. « Psychismes », 1986 et 2013, coll. idem.

Le Livre de Poche s'engage pour
l'environnement en réduisant
l'empreinte carbone de ses livres.
Celle de cet exemplaire est de :

500 g éq. CO_2

Rendez-vous sur
www.livredepoche-durable.fr

PAPIER À BASE DE
FIBRES CERTIFIÉES

Composition réalisée par MAURY IMPRIMEUR

Achevé d'imprimer en février 2017, en France sur Presse Offset par
Maury Imprimeur – 45330 Malesherbes
N° d'imprimeur : 215537
Dépôt légal 1re publication : mars 2017
LIBRAIRIE GÉNÉRALE FRANÇAISE – 21, rue du Montparnasse – 75298 Paris Cedex 06